Michel Ragon

M
N MICHEL

# Histoire de la LITTÉRATURE PROLÉTARIENNE en France

Qu'est-ce que la littérature *prolétarienne?* Ce n'est pas cette littérature « destinée aux classes pauvres », qui la plupart du temps est écrite par des bourgeois. Ce ne sont pas davantage les œuvres, d'ailleurs généreuses, où des intellectuels non-prolétaires expriment leur vision de l'existence des travailleurs. Il s'agit au contraire d'une littérature de témoignage sur la vie prolétarienne, écrite par des prolétaires ou d'anciens prolétaires — ouvriers ou paysans. Des autodidactes, par conséquent, nés dans le peuple et ayant eu une formation de travailleurs manuels, qui nous montrent le visage authentique de ce peuple, son évolution, ses aspirations, ses plaintes et ses joies.

Presque tous les écrivains prolétaires sont des auteurs oubliés : certains carrément inconnus, les autres méconnus — moins dans leur valeur littéraire que dans l'importance de leur message social et humain. Comment réparer cette injustice et répondre à l'intérêt croissant qui se manifeste pour la littérature d'expression populaire? Depuis très longtemps, en effet, il n'existe plus d'ouvrage d'ensemble sur la question. Or, aujourd'hui, Michel Ragon comble cette lacune. Son *Histoire de la littérature prolétarienne en France* établit un panorama complet, un recensement méthodique qui va du Moyen Age à nos jours et qui est accompagné d'abondantes citations de ces œuvres introuvables en librairie.

Bien entendu, cette *Histoire* est liée très étroitement à celle du mouvement ouvrier, comme à celle de l'évolution paysanne. C'est pourquoi Michel Ragon analyse notamment les rapports difficiles que le Parti Communiste n'a cessé d'entretenir avec les écrivains prolétariens.

Voici donc enfin présente, grâce à cet ouvrage fondamental, une littérature in-



Atelier Pascal Vercken / Photo J.-C. Maillard

HISTOIRE DE LA LITTÉRATURE PROLÉTARIENNE EN FRANCE

## DU MÊME AUTEUR

*Aux Éditions Albin Michel.*

*Drôles de métiers*, roman.
*Drôles de voyages*, roman.
*Une place au soleil*, roman.
*Trompe-l'œil*, roman.
*L'Honorable Japon*, récit.
*Les Américains*, roman.
*Le Jeu de Dames*, roman.
*Les Quatre Murs*, roman.
*Nous sommes dix-sept sous une lune très petite*, roman.
*Naissance d'un art nouveau.* (Tendances de l'Art actuel.)

*Aux Éditions Casterman.*

*Histoire mondiale de l'architecture et de l'urbanisme modernes*, 2 vol.
*La Cité de l'an 2000.*
*Vingt-cinq ans d'art vivant* (1944-1969).
*L'art pour quoi faire?*

*Chez divers éditeurs.*

*L'Art Abstrait*, tomes 3 et 4 (en collaboration avec Michel Seuphor), Aimé Maeght.
*Où vivrons-nous demain?*, R. Laffont.
*Les Erreurs monumentales*, Hachette.
*Les Cités de l'avenir*, Planète-Denoël.
*Esthétique de l'architecture contemporaine*, Le Griffon.
*L'Expressionnisme*, Rencontre.
*Les Maîtres du dessin satirique*, Pierre Horay.
Monographies de : Atlan, Barré, Calder, Dubuffet, Étienne-Martin, Fautrier, Guitet, Kemeny, Marta Pan, Poliakoff, Schneider, Soulages.

Michel Ragon

# *Histoire de la* littérature prolétarienne *en France*

*LITTÉRATURE OUVRIÈRE*
*LITTÉRATURE PAYSANNE*
*LITTÉRATURE D'EXPRESSION POPULAIRE*

AM

Albin Michel

22, rue Huyghens, 75014 Paris.

ISBN 2-226-00111-5

Nous remercions tout particulièrement pour leur aide

René Bonnet, Jean Prugnot, Robert Sabatier, Ferdinand Teulé,

Francis André, Marc Bernard, René Bonnet, Bernard Clavel, Maurice Lime, Tristan Rémy, les Éditions Gallimard, les Éditions du Seuil pour nous avoir fourni et autorisé à reproduire leurs documents photographiques,

le Musée Toulouse-Lautrec d'Albi pour nous avoir autorisé à reproduire les trois portraits de Bruant par Toulouse-Lautrec,

la Bibliothèque Nationale, à Paris

et Françoise Ragon qui s'est chargée de la tâche ingrate des relectures et de l'index.

Les documents hors-texte marqués M. R. proviennent des collections de l'auteur.

# Introduction

Il existe une importante bibliographie de la littérature d'expression populaire toungouze, macédonienne, russe, allemande, basque, croate, kalmouke, mais si l'on recherche des livres traitant de la littérature d'expression populaire française on ne trouve presque rien, sinon sur la littérature de colportage.

Avant la guerre de 1939, un seul ouvrage recensait la littérature d'expression populaire moderne : *Nouvel Age littéraire*, de Henry Poulaille. De vingt à vingt-trois ans, je m'efforçai de continuer le travail de Poulaille et publiai, en 1947, *Les Écrivains du Peuple* que Lucien Descaves, l'auteur de *Sous-offs*, voulut bien préfacer. Le livre disparut dans le naufrage de son éditeur, comme celui de Poulaille avait également sombré dans une même catastrophe. Ramassant les débris épars, et passant du manifeste à l'Histoire, je publiai en 1953 une nouvelle version de mon livre sous le titre *Histoire de la littérature ouvrière*. Édouard Dolléans, l'historien du mouvement ouvrier, en fit la présentation.

Depuis vingt ans, aucun autre ouvrage n'a été publié sur la question, et pourtant Dieu sait si l'on parle partout du peuple, si l'on se préoccupe de lui, si l'on prend son destin en main. Mais qu'il existe une littérature spécifiquement d'expression populaire, une littérature paysanne, une littérature prolétarienne, tout le monde s'en moque. Mieux, c'est une incongruité dont il ne faut pas parler. La littérature d'expression populaire toungouze, bravo, on peut lui consacrer une double page du *Monde*, mais la littérature d'expression populaire française, ça n'existe pas. Qu'on se le tienne pour dit.

D'ailleurs, les grands écrivains bourgeois (pardonnez-moi le pléonasme, en France, les Grands Écrivains sont toujours bourgeois), d'ailleurs, les grands écrivains bourgeois ne nous l'ont pas envoyé dire.

« Tant que l'on est occupé à vivre, on ne trouve jamais le temps d'écrire », affirme Gide dans son *Journal*. Et Julien Benda, plus précis : « Une main calleuse ne pourra jamais écrire » (O.R.T.F., 10 décembre 1949).

Jean-Paul Sartre, dans *Orphée noir*, loue la poésie des esclaves noirs américains et s'étonne de l'absence d'une poésie prolétarienne française. « Il a manqué au prolétariat une poésie qui fût sociale, dans l'exacte mesure où elle était subjective. La poésie de la révolution future est restée aux mains des jeunes bourgeois. »

Comment en serait-il autrement puisque, nous dit Roland Barthes *(Mythologies, 1957)* : « En société bourgeoise, il n'y a ni culture, ni morale prolétarienne, il n'y a pas d'art prolétarien; idéologiquement, tout ce qui n'est pas bourgeois est obligé d'*emprunter* à la bourgeoisie. »

Si l'on essaie timidement de dire qu'il existe quand même une littérature prolétarienne française, il se trouvera toujours une personne « avertie » pour déclarer comme Gilles Martinet *(Le Nouvel Observateur*, 7 mai 1973*)* : « En France, comme ailleurs, la littérature dite " prolétarienne " n'a jamais produit que des écrivains de seconde zone. »

Bon, eh bien, nous allons écrire une Histoire de la littérature de Seconde Zone. Pourquoi pas? Ne nous vexons pas. Nous n'avons jamais prétendu être de Première Zone. La Première Zone depuis toujours, est réservée à la classe dominante. Certains s'étonneront peut-être de remarquer que les réfutateurs de la littérature prolétarienne que nous venons de citer sont tous (à part Benda) des écrivains dits « de gauche ». Mais nous verrons dans la suite de cet ouvrage que la gauche n'a, pas plus que la droite, jamais bien digéré la littérature prolétarienne. Pour la gauche aussi, la littérature prolétarienne a toujours été une incongruité.

Il faut bien dire que, telle que se présente la littérature française, l'apparition du prolétariat dans ce cénacle ne peut être qu'une inconvenance. Lorsque la voix du peuple passe par le tamis de ceux qui disent « représenter » le peuple, tout va bien. Mais si la voix du peuple apparaît, authentique, nue, elle scandalise. Il suffit de se souvenir du sort que les Encyclopédistes firent à Jean-Jacques Rousseau, que l'Université fit à Péguy, que les intellectuels du Front populaire firent à Poulaille. Et encore, dans ces trois cas, s'agissait-il d'intellectuels d'origine populaire, et non d'écrivains ouvriers demeurés prolétaires.

Toutes les littératures nationales ne sont pas aussi bourgeoises que la française. La littérature française souffre d'ailleurs de cet embourgeoisement. Il n'existe aucune œuvre en France qui soit l'équivalent de celle de Faulkner, de celle de Caldwell, de celle de Dostoïevski.

« A défaut d'un Dostoïevski, nous avons eu, aux deux extrêmes, un Gide et un Poulaille », écrit Alain Sergent. Cette séparation radicale des deux cultures conduit en effet la littérature bourgeoise au ronronnement et la littérature prolétarienne à l'essoufflement. Car si la littérature bourgeoise française n'a pas produit un Dostoïevski, la littérature prolétarienne française n'a pas non plus suscité un Jack London, ou un Gorki. Dans l'une et l'autre culture, on reste dans la grisaille.

Pratiquement, tous ceux que l'on considère comme les grands écrivains français n'ont jamais eu de soucis financiers, qu'ils aient bénéficié de fortunes familiales comme Mauriac, Gide, Montherlant, Larbaud; qu'ils aient été de hauts fonctionnaires comme Saint-John Perse, Giraudoux et Claudel; ou des professeurs comme Sartre. D'être si différenciés de la majorité de leurs contemporains n'a pas été sans pousser ces écrivains dans une sorte de ghetto culturel. Mais à l'inverse, la misère, la pauvreté, l'insécurité qu'ont connues les écrivains prolétariens dès leur enfance, est à la longue anesthésiante. D'où le caractère inachevé, « fatigué » de maintes œuvres d'expression populaire.

Le tragique de la littérature prolétarienne, outre ce stigmate de la fatigue, c'est aussi qu'elle doive passer par les comités de lecture des maisons d'édition bourgeoises et qu'elle soit, en conséquence, jugée selon des critères culturels bourgeois. Sans doute, les maisons d'édition bourgeoises feraient-elles un meilleur accueil à la littérature prolétarienne si celle-ci disposait d'un large public ouvrier. Mais à part quelques exceptions, les écrivains prolétariens ne touchent guère la classe ouvrière. Henry Poulaille tenta de remédier à cette carence par ses revues et sa collection *Nouvel Age*; le parti communiste français fit de même en créant les Éditions Sociales Internationales.

L'une des grandes difficultés de l'édition est de véhiculer le livre vers son lecteur potentiel. Or, le circuit des maisons d'édition n'est guère fait pour toucher un public populaire. L'éditeur ne trouve pas le lecteur, et le lecteur ne trouve pas le livre. Où se procurer la plupart des ouvrages dont je parle dans cette *Histoire de la littérature prolétarienne*, sinon dans quelques bibliothèques spécialisées. Beaucoup de ces livres ont été publiés chez des éditeurs disparus (Valois, Rieder) et mis au pilon; d'autres ont été imprimés à compte d'auteur.

Toutes ces considérations m'ont incité à réaliser une troisième version de ce qui fut mon premier livre.

Ce premier livre, *Les Écrivains du Peuple*, j'entrepris de l'écrire à Nantes, où j'avais commencé à quatorze ans par être garçon de courses, puis manœuvre, puis employé de bureau. A l'âge du garçon de courses je dévorais Jean-Jacques Rousseau, à celle du manœuvre je découvrais Michelet, puis l'employé de bureau tomba je ne sais comment sur *Caliban parle*, de Guéhenno. Rousseau, plus le Michelet du *Peuple*, plus Guéhenno devaient me mener à la littérature prolétarienne. De Nantes, j'entrai en correspondance avec Poulaille, avec Guillaumin, avec Ludovic Massé. On m'aida à trouver des livres, mais seule la Bibliothèque nationale, à Paris, pouvait me permettre de rassembler la documentation nécessaire. Je vins à Paris en 1945 et, tout en continuant une existence plus ou moins prolétarienne (de manœuvre d'usine à bouquiniste sur les quais, en passant par la peinture en bâtiment et le travail agricole de saisonnier), je terminai *Les Écrivains du Peuple* qu'Alain Sergent fit publier chez Jean Vigneau en 1947, puis menai une vie militante dont l'*Histoire de la littérature ouvrière*, en 1953, fut l'étape ultime.

De 1947 à 1952 j'établis aussi deux monumentales anthologies : *Anthologie des Écrivains du Peuple* et *L'Ouvrier dans la littérature française*. Cela parce que je m'étais aperçu, par les difficultés que j'avais rencontrées à pouvoir lire des livres épuisés, soldés, pilonnés, que cette littérature d'expression populaire était maudite et qu'il me semblait utile d'en sauver au moins quelques fragments. Mais alors que chaque année il paraît des anthologies de vers et prose, dont l'originalité et l'urgence sont peu évidentes, ces anthologies uniques et irremplaçables n'ont jamais trouvé d'éditeur.

De même, il me fut impossible de faire rééditer ni Norbert Truquin, ni Lucien Bourgeois. Un grand éditeur de poésie refusa ma suggestion de rééditer Rictus et Couté (ce qu'il fit néanmoins une dizaine d'années plus tard).

C'est pourquoi cette troisième version est un livre tout nouveau dans la mesure où la partie historique est entièrement réécrite et où je me suis efforcé de donner beaucoup d'extraits et de références précises, tentant ainsi de pallier la difficulté de trouver les œuvres originales.

Depuis vingt ans que l'*Histoire de la littérature ouvrière* est devenue elle-même introuvable, les écrivains ouvriers et paysans n'ont pas cessé d'écrire. Ce qui se sait peu. Comme il n'existe plus de mouvement de littérature prolétarienne en France, ces écrivains sont encore plus isolés que jadis. Le problème était de les recenser, et de leur donner une place à la suite de leurs aînés. Ma troisième version est donc considérablement augmentée et mise à jour.

Tout au cours de cette histoire, on peut noter une évolution de l'écrivain ouvrier vis-à-vis de son métier. Avant le XIX$^{e}$ siècle, l'écrivain ouvrier montre une fierté de son état d'artisan. Au XIX$^{e}$ siècle, il s'attendrit sur son sort et se sent un rôle messianique. Au $XX^e$ siècle, apparaît l'éloge du pauvre chez Charles-Louis Philippe et chez Péguy, l'éloge des métiers dont l'écrivain ouvrier montre à la fois les servitudes et la grandeur (Pierre Hamp), la conscience de classe. Après 1945, le ton change encore. L'influence de Céline contribue à multiplier les descriptions sordides (Jean Meckert, Guillaume Wodli, Jean Douassot). Du dégoût, on s'achemine vers le ras-le-bol, on ne croit plus à rien. Le glissement vers un pessimisme foncier est très visible et correspond à trois générations : celle des lecteurs enthousiastes de *L'Humanité*, puis celle des lecteurs révoltés du *Monde libertaire*, enfin celle des lecteurs désabusés de *Charlie Hebdo*.

Ce serait falsifier les choses que de laisser penser à une conspiration permanente contre la littérature d'expression populaire. Certains livres obtiennent un grand succès : *Marie-Claire*, de Marguerite Audoux, *Travaux*, de Navel. Mais comme ces succès sont sans suite, et que livres et auteurs tombent plus ou moins vite dans l'oubli, on doit bien constater qu'il ne s'agit là que de succès de curiosité. Certains écrivains d'expression populaire sont donc des phénomènes de foire, que l'on exhibe pendant quelque temps, puis lorsque la curiosité se relâche, on les jette à la trappe.

On remarquera dans ce livre deux sortes d'écrivains d'expression populaire. Les plus typiques sont les ouvriers et les paysans qui écrivent, sans avoir pour autant abandonné leur métier. Nous les avons en général classés ensemble et, pour certains, par catégories professionnelles : les métallurgistes, les mineurs, les paysans. Il faut noter que certaines professions, comme les mineurs, les charpentiers, les cordonniers et les cultivateurs sont étrangement productives d'écrivains prolétariens.

L'autre catégorie se compose d'autodidactes, anciens prolétaires, devenus plus ou moins écrivains professionnels (J.-J. Rousseau, Henry Poulaille, Marc Bernard, Bernard Clavel), et dont l'œuvre est indissolublement liée à leurs origines et à leurs années de vie prolétarienne.

Sur cette seconde catégorie se branche une troisième, plus floue, plus contestable, celle des fils de prolétaires, le plus souvent boursiers, qui ont fait des études normales, mais qui, dans le milieu culturel bourgeois où ils ont été admis, ressentent un malaise qui peut aller jusqu'à la révolte. Leur œuvre est faite de ce déchirement entre deux cultures (Guéhenno, Guilloux).

Autre bizarrerie : l'authentique expression populaire d'écrivains que l'on ne peut qualifier de prolétariens en raison de certains aspects déplaisamment ou complaisamment réactionnaires de leur œuvre. Je veux parler de Péguy, de Jouhandeau, de Giono. Péguy, le fils de la rempailleuse de chaises d'Orléans, le boursier en révolte contre le monde de la culture bourgeoise, a écrit des pages d'expression populaire splendides *(L'Argent, Notre Jeunesse)*. Jouhandeau, le fils du petit boucher de Guéret, mal intégré lui aussi au monde culturel parisien, a donné une chronique méticuleuse d'une société semi-rurale qui fait de lui une sorte de Proust des petites gens de province. Giono, l'ex-employé de banque de Manosque, a créé un monde paysan mythique, certes, mais qui plonge aux sources les plus profondes d'un terroir.

Sauf si l'on se limite strictement aux ouvriers et aux paysans qui écrivent, il est difficile de ne pas glisser dans la confusion. Les querelles entre le parti communiste et les écrivains prolétariens sont venues en grande partie de la volonté du parti communiste de ne pas laisser l'exclusivité de la littérature prolétarienne aux seuls prolétaires. A tel point que l'on put voir Aragon se parer du titre d' « écrivain prolétarien ». Il est vrai que, par ailleurs, les écrivains prolétariens soviétiques, tout comme les écrivains prolétariens français du groupe d'Henry Poulaille, tendaient à exclure de la littérature tout romanesque, à en faire en réalité une branche « sauvage » de la sociologie, composée de documents bruts et que, par opposition à l'esthétisme, ils en arrivaient à bannir toute esthétique.

Confusion encore que de confondre populisme et littérature prolétarienne. Confusion si courante que le *Dictionnaire de la littérature française contemporaine*, d'André Bourin et Jean Rousselot (Larousse 1966), l'entérine en ces termes :

*Populisme*. Groupe littéraire, créé en 1929, dont l'initiateur fut Léon Lemonnier et les principaux animateurs André Thérive, Antonine Coullet-Tessier, Eugène Dabit, Jean Prévost, Henry Poulaille, Tristan Rémy, Marc Bernard.

La notice *Poulaille* indique aussi une participation de cet écrivain à l'École Populiste, sans aucune mention de l'École Prolétarienne française, fondée par Poulaille justement en réaction contre le populisme, mouvement bourgeois s'il en fut.

Or, si Dabit et Rémy ont reçu le prix Populiste, ils n'ont jamais adhéré à cette École; pas plus que Marc Bernard. Et encore moins Poulaille, adversaire acharné du populisme, avant tout représenté par Lemonnier et Thérive.

Il n'empêche que Dabit et Rémy, acceptant le prix Populiste (que Poulaille, pour sa part, refusa) ont contribué à cette confusion. Confusion poursuivie par l'attribution du prix Populiste à Jean Pallu (1930), Louis Guilloux (1942), Bernard Clavel (1962).

On remarquera que j'emploie le terme d'écrivain ouvrier uniquement pour les prolétaires qui écrivent; que j'appelle plus souvent écrivains prolétariens les autodidactes anciens prolétaires devenus des intellectuels prolétariens. Mais que, pour l'ensemble, je parle de littérature d'expression populaire. Or, là encore, une confusion risque de se produire. Il ne faut pas confondre la littérature d'expression populaire, c'est-à-dire qui exprime les idées, les sentiments, les mœurs du peuple, et la littérature de diffusion populaire, dite, elle aussi, « littérature marginale » : littérature de colportage jadis, romans populaires hier, romans-feuilletons, romans policiers, romans-photos aujourd'hui; soit ce que Richard Hoggart a fort justement nommé « la culture du pauvre ».

Cette « culture du pauvre » est, elle-même, loin d'être négligeable, bien qu'également négligée. Elle a sa propre histoire et ses propres mythes. Nous parlerons dans ce livre de la littérature ouvrière de colportage. Mais la littérature de colportage qui va des almanachs du début de l'imprimerie jusqu'au Second Empire (Bibliothèque Bleue à quatre sous, ancêtre du moderne livre de poche) a été pour une grande part écrite par des aristocrates. Toute une étude serait à faire sur l'histoire de cette « culture du pauvre », où l'on verrait que les romans de chevalerie ne sont autres que les équivalents de nos modernes romans policiers et que, de la littérature populaire à la littérature savante, le passage se fait par *Gargantua*, *Don Quichotte*, *Les Contes de ma Mère l'Oye*, comme inversement la littérature savante emploie parfois les ficelles de la littérature populaire *(Les Aventures de Télémaque*, *Paul et Virginie*, *Robinson Crusoé)*.

Il n'empêche que le roman populaire moderne (de Ponson du Terrail à Delly), écrit par des bourgeois qui ont pris la relève des aristocrates fournisseurs de copie pour la littérature de colportage, tombe souvent dans le pire conformisme social. On peut même dire qu'il est un excellent instrument de propagande de l'ordre moral, de la morale de soumission à tous les tabous. Mais il lui arrive de devenir aussi un instrument de désaliénation. Songeons à ce merveilleux outil de propagande saint-simonienne et fouriériste que furent les romans-feuilletons d'Eugène Sue, à cette manière dont Michel Zévaco sut adapter le feuilleton historique d'Alexandre Dumas aux thèses radicales-socialistes, à ces héros « anarchistes » contemporains de la bande à Bonnot que sont *Fantomas* et *Arsène Lupin*.

Pour conclure cette parenthèse, disons que la littérature d'expression populaire dont nous avons tenté de faire l'histoire est populaire par son expression, alors que le roman populaire (dont l'histoire reste à faire) est populaire par sa destination. Ainsi comprendra-t-on ce qui semble paradoxal et ne l'est pas : que la littérature d'expression populaire ne touche pas forcément le public populaire et que le roman populaire puisse enthousiasmer des intellectuels bourgeois.

Bah! diront certains lecteurs, il n'y a que deux littératures, la bonne et la mauvaise. Tout le reste n'est que verbiage. C'est avec ce genre de réflexions que l'on écarte en général la littérature prolétarienne. Mais la chose n'est pas non plus si simple. La « bonne » littérature n'est, au fond, souvent que verbiage (il suffit de lire *Tel Quel* pour s'en convaincre).

Allons! se sont dit certains intellectuels bourgeois sincères, si la vérité est en usine, travaillons à l'usine, faisons-nous ouvriers. Le mouvement qui a poussé des étudiants à se faire ouvriers chez Renault après mai 1968, se plaçait dans une même perspective que l'élan qui fit les prêtres ouvriers après la Libération. Mais ce phénomène n'était pas nouveau. Henry Poulaille citait en 1930 Jean de Vincennes qui, pendant une semaine, s'astreignit à faire de « bas métiers » et revint ensuite dans son appartement confortable, « rescapé de l'enfer », écrire en toute quiétude *De pauvres vies*.

Il est vrai que cet exemple n'est qu'une grossière caricature. Le prière d'insérer de Jean de Vincennes ne spécifie-t-il pas : « Jean de Vincennes tint sous des déguisements variés à pénétrer dans les cercles les plus fermés des enfers parisiens. Il entreprit un voyage d'exploration à travers la misère et la souffrance, se plia aux plus rebutantes épreuves des chômeurs en quête de besognes de rencontre. »

Par contre Jacques Valdour, Simone Weil et Michèle Aumont, tous les trois professeurs, et tous les trois ouvriers volontaires pendant de longues années, sont les antécédents directs des prêtres ouvriers et des étudiants qui choisirent l'usine après 68. Dans les deux premiers cas, le résultat fut décevant, à la fois pour eux et pour nous.

Pendant plus de dix ans, Jacques Valdour s'astreignit à mener une vie prolétarienne très dure et à décrire le résultat de ses expériences : *La Vie ouvrière* (1909), *Les Mariniers* (1914), *L'Ouvrier agricole* (1919), *Les Mineurs* (1919), *Ouvriers parisiens d'après-guerre* (1923). Maurrassien, cet « ouvrier volontaire » a souvent déformé les faits ou même simplement passé dans la vie ouvrière sans y comprendre quoi que ce soit. Et pourtant, c'était un sincère, car on ne quitte pas l'Université pour l'usine et la mine par amusement, surtout pendant dix ans.

Poulaille, ayant parlé à un ouvrier de ce jeune bourgeois qui « depuis dix ans faisait toutes sortes de métiers et vivait la vie des compagnons », l'ouvrier répondit :

Quand il en aura marre, il ira retrouver les siens, sa famille qui est aux as... Comme pour l'enfant prodigue, on tuera le veau en son honneur. Et voilà. Nous, c'est notre route qu'il faut suivre et même qu'on soit « crevé », il faut continuer... Que chacun reste dans sa classe. Ce brave type, il nous est sympathique, c'est un sincère, il ne serait pas resté si longtemps; eh bien, malgré tout, je pense, c'est plus fort que moi, qu'il a pris simplement, sans y songer une minute, la place d'un autre qui, lui, attendait la croûte en salaire de son boulot.

Cette réponse peut aider à comprendre les rapports difficiles entre les étudiants révolutionnaires qui se firent ouvriers après 68 et leurs camarades de travail.

On a beaucoup parlé de l'expérience ouvrière de Simone Weil. Cette jeune femme, professeur au lycée du Puy, militante syndicaliste, collaboratrice de la *Révolution prolétarienne* de Monatte, avait d'abord décidé de vivre avec cinq francs par jour, afin de pouvoir verser la majorité de son salaire à la caisse de solidarité des mineurs. Mais cela ne lui parut pas suffisant, et elle abandonna l'enseignement pour faire son apprentissage en usine. Ouvrière dans une fonderie en 1934, puis chez Renault, elle écrivit un *Journal d'usine* qui a été publié après sa mort sous le titre *La Condition ouvrière* (1951).

Cette « condition ouvrière », que nous décrit Simone Weil, est-elle plus authentique que celle peinte par Zola qui n'avait jamais manié d'autre outil que le porte-plume ? Non, car ce n'est pas « l'état d'esprit » de l'ouvrier que ce journal exprime, mais « l'état d'âme » d'une intellectuelle qui s'est « condamnée » à vivre parmi les ouvriers.

Un écrivain ouvrier aurait-il écrit ceci :

L'ignorance totale de ce à quoi on travaille est excessivement démoralisante. On n'a pas le sentiment qu'un « produit » résulte des efforts qu'on fournit.

Ou encore :

J'y ai laissé ma gaieté dans cette existence; j'en garde au cœur une amertume ineffaçable. Et quand même je suis heureuse d'avoir vécu ça.

La vision que Simone Weil a de l'usine est fatalement plus noire que celle qu'en rapporte l'ouvrier chaque soir. L'ouvrier n'a pas connu une autre existence. Il travaille dans son milieu, à son métier. Il n'y perd pas fatalement sa gaieté. Il n'en garde pas obligatoirement une « amertume » ineffaçable. Le travail manuel était infiniment plus dur, plus déprimant pour Simone Weil que pour sa collègue qui avait commencé cette vie à quinze ans, s'y était fait des muscles et ne pensait pas du matin au soir si un « produit » résultait ou non des « efforts fournis ». La paye du samedi, le bal du dimanche, une robe de cretonne neuve, bien des joies échappaient à Simone Weil. Il suffit de comparer *Travaux* de Navel au *Journal d'usine* de Simone Weil et l'on comprendra ce que je veux dire.

Les prêtres ouvriers, que Gilbert Cesbron nous montre dans son roman *Les Saints vont en enfer* (1952), ressemblent assez à Simone Weil. Ces « missionnaires » font, eux aussi, un « sacrifice ». Ils vont à l'usine comme d'autres prêtres vont au Congo. Que leur apostolat tende à « refaire de l'Église le témoin du Christ pauvre, du Christ ouvrier » (Henri Perrin), ceci est une autre histoire. Ces prêtres courageux ont répondu par leur action au reproche de Pierre Hamp : « Aucun prêtre n'a osé cette reconstitution du christianisme des mains, se mettre au travail avec ceux que l'on veut convaincre » (*Germinal*, 14 juillet 1944).

Dans la même perspective que Simone Weil et les prêtres ouvriers, citons le cas plus récent de Jean Girette, bourgeois polytechnicien, ancien directeur industriel, qui devint volontairement ouvrier tourneur puis « frère » de paroisse. (*Je cherche la justice*, 1972.)

Michèle Aumont, l'auteur de *Femmes en usines* (1953), des *Dialogues de la vie ouvrière* (1953), du *Monde ouvrier inconnu* (1956), avait trente-cinq ans et travaillait depuis dix ans en usine, lorsqu'elle publia en 1958 *En usine, pourquoi?* Ancien professeur de philo qui s'embauche volontairement en usine à l'âge de vingt-quatre ans, à la veille de l'Agrégation, Michèle Aumont est devenue tourneur sur métaux. Militante catholique et cégétiste, cette fille d'un directeur d'import-export est sans illusion sur ce que son insertion peut apporter au monde ouvrier, mais, dit-elle : « Aimer, c'est être avec. »

***

L'objet de nos recherches n'est donc pas l'expression populaire quelle qu'elle soit, ni la littérature destinée aux classes pauvres. Nous nous sommes attaché à dégager de l'expression populaire en général, c'est-à-dire de la littérature émanant d'autodidactes nés dans le peuple et ayant eu une formation de travailleurs manuels, ce qui pouvait montrer le visage authentique du peuple, son évolution, ses aspirations, ses plaintes et ses joies. Nous avons choisi des auteurs oubliés, inconnus parfois, méconnus souvent, non pas tant pour la valeur artistique de leurs écrits, que pour le témoignage direct, irremplaçable, de leur message social. Cette *Histoire de la littérature prolétarienne* est donc liée très étroitement à l'histoire du mouvement ouvrier comme à l'histoire de l'évolution paysanne.

En conséquence, on pourra nous rétorquer qu'il ne pouvait exister de littérature prolétarienne avant le XIX^e siècle, celle-ci ne pouvant naître et se développer qu'avec la montée sociale du prolétariat et l'extension de l'instruction aux classes pauvres [1].

Il est toujours facile de contester un titre. Lorsque j'ai intitulé mon premier livre *Les Écrivains du Peuple*, on n'a pas manqué de me dire : Qu'est-ce que le peuple? Où commence-t-il? Où finit-il? Il est vrai qu'il est difficile de trouver aujourd'hui des gens qui se flattent d'être bourgeois, ni même qui veulent reconnaître faire partie de cette classe. Aurait-il fallu employer le terme d'*Écrivains autodidactes?* Mais, c'est la même chose : tout le monde veut être autodidacte. Il n'est agrégé qui ne vous assure qu'au lycée il était un cancre et que tout ce qu'il sait, il ne le doit qu'à lui seul. Passons...

Nous reconnaissons volontiers qu'avant le XIX^e siècle, l'expression ouvrière est le fait d'artisans. Ouvrier et artisan étaient alors synonymes. Que dit l'*Encyclopédie* de Diderot? « Ouvrier : Se dit en général de tout artisan qui travaille de quelque métier que ce soit. » Même Littré, au XIX^e siècle, dans son Dictionnaire, ne sépare pas l'ouvrier de l'artisan : « Ouvrier : Qui travaille à la main pour différents métiers... Classe ouvrière, partie de la population qui se compose des artisans, des ouvriers. »

Nous verrons que la prise de conscience de classe est d'abord le fait

1. L'histoire de la culture pour tous commence les 20-21 avril 1792 avec le rapport de Condorcet à la Convention sur l'*Organisation générale de l'instruction publique* d'où se dégage l'idée de l'éducation universelle et permanente. En 1830, l'Association polytechnique est créée pour le développement de l'instruction populaire; en 1835, la première bibliothèque populaire est ouverte à Paris; en 1847, Guizot jette un cri d'alarme : « L'invasion des classes pauvres par l'instruction est un élément qui doit miner la société dans ses fondements. » Néanmoins, en 1882 sont votées les lois sur l'école primaire obligatoire, c'est-à-dire le droit au savoir pour tous. De 1898 à 1902 : Universités populaires; de 1898 à 1910 : Sillon de Marc Sangnier. 1919 : Robert Garric lance les Équipes sociales. Loi sur l'enseignement technique. 1936 : Maisons de la culture, collèges du travail.

d'artisans : cordonniers, menuisiers, maçons, tisserands. Quant au paysan, s'il resta plus longtemps inculte que l'artisan, plus isolé, il fut néanmoins dès le Moyen Age un ferment de révolution [1].

Si notre livre s'attache plus particulièrement à l'*Histoire de la littérature prolétarienne*, depuis l'authentique littérature ouvrière née entre 1830 et 1848 (en même temps que s'affirmait, dans son originalité, sa propre culture, une classe sociale née de l'industrie) jusqu'à nos jours, il nous a paru néanmoins important et « éclairant » de rechercher, du Moyen Age au XIXe siècle, les prémices de cette expression prolétarienne.

***

Dans *Regards neufs sur les autodidactes* (1960), anthologie qui va de Jack London à Georges Navel, Benigno Cacérès écrit : « Malgré les apparences et quelques très rares exceptions, le travailleur manuel est moins que jamais représenté dans la littérature française d'aujourd'hui. Et le monde de la culture est peut-être plus que jamais éloigné du monde du travail. »

Les bonnes volontés bourgeoises n'ont pourtant pas manqué : les Universités populaires de 1904, les Équipes sociales de Garric, le Sillon de Sangnier, le Théâtre du Peuple de Bussang, l'unanimisme, l'École Populiste héritière du naturalisme de Zola, les intellectuels se faisant même ouvriers comme Simone Weil ou les étudiants d'après 68, les Maisons de la Culture, etc. Pierre Hamp a dit avec un humour désabusé de cette « littérature sociale », née de ces bonnes volontés : « Un écrivain est dit social quand il s'aperçoit que la société contient des gens qui travaillent à des métiers que lui n'aimerait pas faire » *(L'Art et le Travail)*.

Entre les intellectuels dits progressistes et le prolétariat, le fossé n'a pas été moins grand, malgré les apparences. Pour ne rien dire des surréa-

1. Les jacqueries furent nombreuses au Moyen Age (révolte des serfs de Normandie en 997, jacquerie sous Philippe le Bel en 1292, etc.). Aucune n'atteignit en France l'ampleur de la révolte des paysans anglais en 1391. Londres pris, trois ministres furent exécutés et l'aristocratie crut sa fin imminente. Les moines vagabonds eurent sans doute un rôle important dans cette agitation paysanne médiévale. La révolte devint néanmoins en France guerre civile larvée au XVIIe siècle où la misère des campagnes fut particulièrement affreuse : Croquants du Périgord (1634-1637), Va-nu-pieds de Normandie (1639), jacqueries de Bretagne (1675), Camisards (1702). On connaît le célèbre passage de La Bruyère sur les paysans « mangeurs de racines ». Le gouverneur du Dauphiné est encore plus précis. Il écrit, en 1675 : « La plus grande partie des habitants n'ont vécu pendant l'hiver que de pain de glands et de racines, et présentement on les voit manger l'herbe des prés et l'écorce des arbres. »

listes qui, même dans leur phase marxiste, étaient en complet divorce avec la culture populaire, comme avec les aspirations ouvrières [1], Jean-Richard Bloch « compagnon de route » du parti communiste, écrivait : « Nous sommes épouvantés de la pauvreté de nos communications d'écrivains avec le prolétariat, avec le paysan. »

Il est bien évident que, dès les débuts de la révolution soviétique, le parti communiste s'est préoccupé du problème de la littérature prolétarienne. Mais tout en proclamant sa volonté de changer le monde, le parti communiste russe n'a jamais pris une position très claire sur le problème de la culture. Devait-on abandonner l'ancienne, considérée comme bourgeoise, ainsi que le proclamaient des intellectuels « futuristes » comme Maïakovski ? Lénine, qui détestait Maïakovski, s'élevait au contraire contre les dangers de l'ouvriérisme :

> Il faut que les ouvriers ne se renferment pas dans le cadre artificiellement rétréci de la *littérature ouvrière*, mais apprennent à comprendre de mieux en mieux la littérature générale. D'ailleurs, il serait plus exact de dire, au lieu de « se renferment », sont renfermés, parce que les ouvriers, eux, lisent et veulent lire tout ce qu'on écrit pour les intellectuels, et seuls quelques (pitoyables) intellectuels pensent qu'aux « ouvriers » il suffit de parler de la vie à l'usine et de rabâcher ce qu'ils savent depuis longtemps. *(Que faire ?)*

Par là même, Lénine s'opposait au *Proletcult* désireux de créer une littérature soviétique qui fût exclusivement prolétarienne. Par là même il restait fidèle à l'idée marxiste du prolétariat classe universelle, absorbant toutes les cultures. Dans la même perspective, Trotski repoussait aussi toute idée de littérature prolétarienne, disant « qu'il n'y en aura jamais et qu'en définitive il n'y a pas de raison de le regretter. Le prolétariat, soulignait Trotski, s'empare du pouvoir dans le but d'en finir avec la culture de classe et de préparer la voie à une culture humaine ».

Mais le *Proletcult*, fondé dès 1917 sous le gouvernement de Kerenski, comptait en 1920 450 000 membres et publiait quinze revues. Comme le *Proletcult* aidait le gouvernement soviétique dans sa campagne d'alphabétisation, le parti communiste ne put donc pas lui montrer une hostilité trop marquée. D'ailleurs, les débuts de la politique culturelle en U.R.S.S. furent à la tolérance et le parti communiste ne voyait aucune objection

1. Le rôle des écrivains surréalistes par rapport au parti communiste a été fort surestimé, au détriment de celui des écrivains prolétariens. Pour qui s'intéresse aux aberrations d'intellectuels spécifiquement bourgeois voulant devenir révolutionnaires, lire *Révolutionnaires sans révolution*, par André Thirion (R. Laffont, 1972). Thirion félicite par exemple Breton d'avoir remis « à son point mort, ce canular, la littérature prolétarienne ».

à ce que se développe une littérature prolétarienne, comme se développait une littérature futuriste. Ce qu'il ne voulait pas, c'est privilégier un groupe et reconnaître par exemple la littérature prolétarienne pour la seule littérature révolutionnaire.

A partir du moment où le parti communiste soviétique lancera, en 1928, son premier plan quinquennal, la R.A.P.P.(Association des Écrivains prolétariens soviétiques) noyautera la plupart des autres associations littéraires, assimilant l'effort littéraire à l'effort industriel (la mythologie du Magnitogorsk et du stakhanovisme!). Des brigades d'écrivains partent étudier sur place les grands combinats industriels. Des romanciers s'engagent même comme simples ouvriers sur les chantiers. Environ 12 000 *rabcors* sont enrôlés dans la littérature, auréolés du titre de « travailleurs de choc de la plume ». Aux *rabcors* (correspondants ouvriers) répondent les *selcors* (correspondants paysans), les *voencors* (correspondants militaires), les *yuncors* (correspondants pour la jeunesse) [1].

On a beaucoup plaisanté sur ces *rabcors*, que le parti communiste français essaiera d'implanter sans succès en France. Il n'empêche que ce mouvement rappelle, d'une manière planifiée, la floraison spontanée d'écrivains ouvriers à l'époque romantique.

En 1923, Victor Serge écrivait dans *Clarté :*

> Le groupe Vagranka s'est formé au faubourg Rogojsko-Simonovski (Moscou) de seize correspondants ouvriers de journaux. Un vieil écrivain bolchevik, Perekati-Polé, aveugle, pauvre autant qu'on peut l'être — c'est un oublié — les réunit dans son logis dépourvu de confort et leur apprend à rythmer le vers et la prose. Les chaises font défaut : on s'accroupit en rond sur le plancher. Bien sûr, les œuvres de ce petit cénacle littéraire où l'on vient parfumé de goudron, d'huile à machine et de poussière métallique sont encore imparfaites, mais ne pensez-vous pas avec moi que la seule apparition de ce cénacle est un fait capital? Et qu'il promet tout de même un peu plus à la culture humaine que tel salon exquisément littéraire de Paris? A Tsaritsine, il s'est formé une association d'écrivains prolétaires, tous inédits. On y trouve : un serrurier, un tourneur, un cuisinier, des manœuvres. Ni Pierre Hamp ni Gorki ne s'en gausseraient. On sait que la presse soviétique encourage, depuis des années, l'initiative de ses correspondants ouvriers, ruraux, soldats, marins. Ils sont des milliers.

Malheureusement, beaucoup de *rabcors* n'étaient pas d'authentiques écrivains ouvriers, mais des ouvriers élus pour leurs vertus plus poli-

1. J.-P.-A. Bernard, *Le Parti communiste français et la question littéraire,* 1921-1939, Presses Universitaires de Grenoble, 1972.

tiques qu'intellectuelles. Si bien que la production de la littérature prolétarienne soviétique devint d'une absolue monotonie, se contentant de vanter « la joie du travail intensif » *(sic)*.

En 1932, deux ans après l'hystérie ouvriériste du congrès de Kharkov, la R.A.P.P. était condamnée sous l'influence conjuguée de Gorki et de Boukharine. Mais une nouvelle idéologie littéraire allait naître, le « réalisme socialiste » qui, tout comme la « littérature prolétarienne » auparavant, allait devenir un nouveau credo.

Nous verrons, dans la chronologie que nous avons tenté de faire sur le mouvement de littérature prolétarienne en France, que les prises de position du parti communiste soviétique quant à la littérature n'ont pas été sans influer sur les positions des intellectuels « progressistes » français. Les écrivains français qui se sont rapprochés du parti communiste à ses débuts ont été rares; Anatole France et Romain Rolland sont les seules exceptions. Henri Barbusse, lui, adhère au P.C. dès 1923 et sera jusqu'à sa mort, en 1935, le « grand écrivain officiel » du P.C.F.

Anatole France, Romain Rolland, Henri Barbusse sont des humanistes, et cet humanisme va marquer la première ligne littéraire du parti communiste français. Henri Barbusse fera une grande place aux écrivains prolétariens du groupe Poulaille, pourtant dans l'ensemble antimarxistes. Et la ligne œcuménique de Barbusse sera celle qui, plus tard, après quelques années de sectarisme ouvriériste (après Kharkov), triomphera au sein de l'A.E.A.R. Développer une littérature révolutionnaire encore inexistante en France, et attirer l'attention du prolétariat sur cette littérature, tel était l'un des buts de l'A.E.A.R. On était bien loin déjà de la littérature prolétarienne. Dans son livre sur la *Littérature soviétique*, le cocardier Aragon, oubliant déjà qu'il avait défendu (contre Barbusse) les *rabcors* au congrès de Kharkov, reprochait aux écrivains prolétariens soviétiques de s'être rendus « coupables sous un langage politique qui se donnait pour communiste, d'avoir gravement méconnu l'héritage du grand peuple russe » *(sic)*.

Rien d'étonnant à ce que, après la disparition de Barbusse, et la montée d'Aragon qui allait, après la Seconde Guerre mondiale, occuper le fauteuil de l'auteur du *Feu* à la direction littéraire du P.C.F., les écrivains prolétariens français soient particulièrement malmenés ou boycottés par la presse communiste.

Obligé, après Kharkov, d'opter pour une politique prolétarienne de la littérature (ce que le P.C.F. avait auparavant toujours refusé, cherchant au contraire à se concilier le plus possible les écrivains bourgeois, ce qui continuera d'ailleurs après Kharkov puisque le P.C.F.

ira jusqu'à relancer Céline et Montherlant [1]), le P.C.F. ne pourra admettre qu'il existe une littérature prolétarienne qui ne soit pas marxiste. Or, la plupart des écrivains spécifiquement ouvriers et paysans, en France, n'étaient pas marxistes. L'École Prolétarienne de Poulaille n'était pas marxiste. Anarchisme, proudhonisme ou apolitisme, on pouvait classer les écrivains prolétariens français dans bien des catégories, sauf la marxiste. Singulière anomalie!

Si bien que l'on ne pardonnera aucune erreur à Poulaille, qu'on l'accusera même tout bonnement de fascisme, « alors que l'on ne demandera aucun certificat de marxisme à des écrivains de la taille d'un Gide ou d'un Romain Rolland [2] ».

Henry Poulaille, dans *Nouvel Age littéraire* (1930) qui est, en France, le premier manifeste de la littérature prolétarienne, ne parlait pourtant pas autrement que Lénine et Trotski lorsqu'il écrivait : « Même si elle devait, à l'exclusion de toute autre littérature, devenir celle de demain, nous ne croyons pas que la littérature prolétarienne soit une fin de l'art d'écrire. L'influence d'œuvres comme celle de C.-F. Ramuz ou de Cendrars aura peut-être plus d'importance que toutes les tentatives prolétariennes réunies. »

Ce que le P.C.F. avait sans doute le plus en aversion, c'est le caractère introspectif, la tendance à la confession, de la plupart des écrits prolétariens de langue française. On a toujours préféré, dans la critique littéraire communiste, Voltaire à Rousseau, tenant rigueur à ce dernier de son individualisme et de sa misanthropie. Là encore, le bourgeois « progressiste » était préféré à l'ancien prolétaire autodidacte. Il y a là une curieuse constante dans cette défiance du parti communiste envers les intellectuels autodidactes d'origine populaire, comme envers les hommes de gauche non marxistes.

Lucien Jean, à propos de Marguerite Audoux, déclarait : « Nous sommes tous des petits-fils de Rousseau, et nous ne sommes bons qu'à nous confesser. » Et Benigno Cacérès, cinquante ans plus tard, confirme : « Les textes d'autodidactes sont toujours écrits — ou tout au moins pensés — à la première personne... Quand ils écrivent *je*, ils témoignent. »

1. Alors que Poulaille est exclu de toutes les publications communistes, à l'exception de *Monde* de Barbusse, *Les Caves du Vatican* de Gide paraissent en feuilleton dans *L'Humanité* en 1933. Aragon exhortera Montherlant et Céline à choisir « la cause du prolétariat ». En 1935 encore, Jacques Duclos lui-même demandait à Céline de prendre une position « de gauche ». Il est vrai que déjà, au XIX^e^ siècle, Marx et Engels appréciaient plus Balzac, pourtant homme de droite, que le socialiste « confusionniste » Eugène Sue. Cf. *Le Parti communiste français et la question littéraire*, par J.-P.-A. Bernard.
2. *Ibid.*

Ce qui donne ce caractère exceptionnel d'authenticité à la littérature prolétarienne est aussi sa faiblesse. Elle se hausse difficilement à l'universel. De plus, esthétiquement, elle patauge souvent dans ce néo-naturalisme qu'elle reprochait aux populistes de pratiquer.

Mais qu'il apparaisse un Maxime Gorki [1], un Jack London, un Panaït Istrati, et ces défauts disparaissent. Il aura manqué à la littérature prolétarienne française des écrivains de cette taille.

Ce qui n'empêche que la carence de poésie prolétarienne dont parle Sartre n'est carence que si l'on se refuse à prendre en considération Gaston Couté, Francis André, Tristan Rémy. Certains de leurs poèmes valent bien la poésie des Noirs américains que Sartre loue en regrettant qu'il n'existe pas de poésie ouvrière française correspondante. Affirmer le contraire, c'est tomber dans un exotisme facile. Et Sartre ignore-t-il le *Chant des ouvriers* de l'ancien canut Pierre Dupont qu'admirait Baudelaire à juste titre? Quant à son affirmation que « la poésie de la révolution future est restée aux mains des jeunes bourgeois », elle fait sourire si l'on songe que l'ouvrier et communard Eugène Pottier est l'auteur de *L'Internationale*.

Je ne prétends pas que toute littérature ouvrière est admirable, même si, dans ses intentions, elle est en effet admirable. Mais je soutiens que la littérature d'expression populaire française a déjà produit maints chefs-d'œuvre.

Si Marguerite Audoux, Émile Guillaumin, Navel ne sont pas des inconnus; si *Marie-Claire* de Marguerite Audoux, et les *Mémoires d'un Compagnon*, d'Agricol Perdiguier sont publiés en livres de poche, cela ne signifie aucunement qu'ils ne sont pas, quand même, méconnus. Et qui a lu les beaux romans de Georges David, l'horloger tourangeau; qui a lu l'admirable *Ascension* de Lucien Bourgeois; qui a lu Norbert Truquin, Malva, Jean Pallu, tant d'autres?... Placer au rebut toute une littérature tient du génocide culturel.

1. Il est cocasse de voir en 1927 que l'Académie communiste russe refuse le titre d'écrivain prolétarien à Gorki. Ce fils d'ouvrier, qui commença à travailler de ses mains à douze ans, qui participa à la première révolution russe de 1905, qui ne dut sa liberté qu'à l'exil (comme Lénine) et qui fut propagandiste bolcheviste en France et en Amérique, fut sans doute le premier écrivain soviétique *interdit* en Russie communiste. En 1918, alors que les publications les plus diverses ont libre cours dans la toute jeune Union soviétique, le journal que publie Gorki est en effet interdit en Russie. Gorki s'exile une nouvelle fois en 1921. Il vivra en Italie jusqu'en 1928, date à laquelle il retournera triomphalement en U.R.S.S., luttant à la fois contre l'Union des Écrivains prolétariens et pour les écrivains ouvriers qu'il ne cessera d'aider. Contrairement à Lénine qui rejetait Gorki auquel il reprochait une « conception mystique de la révolution », Staline misera sur Gorki et en fera l'écrivain « officiel » de l'U.R.S.S.

A propos de la censure qui s'exerce sur les écrivains tchécoslovaques depuis 1968, Louis Aragon a pu parler de « Biafra de l'esprit ». Mais il n'y a pas que dans les démocraties populaires que s'exercent des « Biafra culturels ». Il n'y a pas qu'en U.R.S.S. que des Soljénitsyne sont bâillonnés. La censure du monde capitaliste est plus insidieuse, moins voyante et, par là même, aussi efficace. C'est ce qui explique la méconnaissance, pour ne pas dire l'ignorance des Français de leur littérature prolétarienne.

Ce génocide culturel n'est pas nouveau. Rutebeuf resta inédit pendant six cents ans. Agricol Perdiguier ne fut tiré de l'oubli qu'en 1914, par Daniel Halévy.

Cette *Histoire de la littérature prolétarienne* doit donc être reçue comme l'histoire d'une littérature inconnue [1], d'une littérature oubliée aussitôt qu'elle apparaît, d'une littérature méprisée, d'une littérature qui n'est pas considérée comme de la littérature, d'une littérature étrangement condamnée, aussi bien par les systèmes capitalistes que socialistes, à demeurer marginale.

1. Elle est loin de faire un recensement complet de la littérature prolétarienne de langue française. Nous ne prétendons qu'à un premier défrichement. Le Père Feller indique avoir recensé deux mille volumes. La littérature prolétarienne est un territoire peu exploré, mal exploré, dans lequel nous invitons à s'aventurer les étudiants et les chercheurs. Que de beaux sujets de thèse en souffrance!

CHAPITRE PREMIER

# *Naissance et développement d'une expression ouvrière*

## (Du Moyen Age au XVIII$^{e}$ siècle)

*Pourquoi nous laisser faire dommage ?*
*Nous sommes hommes comme ils sont,*
*Des membres avons comme ils ont,*
*Et tout autant grands cœurs avons;*
*Et tout autant souffrir pouvons...*

Poème populaire médiéval.

Si nous en croyons les manuels de littérature en usage dans les lycées et collèges, le Moyen Age aurait eu deux littératures bien distinctes : la littérature épique et romanesque, réservée à la noblesse, les fabliaux destinés à la bourgeoisie et au peuple. Cette séparation nous semble pour le moins arbitraire. Les troubadours déclamaient sans doute la *Chanson de Roland* aussi bien dans le château du seigneur qu'aux foires et assemblées réunissant les vilains et les serfs. Quant aux fabliaux, s'ils nous donnent, en effet, très souvent, des tableaux de la paysannerie et des différents corps de métiers, leurs caricatures du bas clergé, des bourgeois avares, des maris trompés et des vilains naïfs ne pouvaient que réjouir la noblesse et les clercs.

Le *Roman de Renart* paraît être toutefois d'une inspiration et d'une destination plus typiquement populaires, puisqu'il s'agit d'une parodie des chansons de geste et d'une satire de la féodalité.

Les « mystères », le théâtre des confréries, les jeux et fêtes des corporations, sont, évidemment, étroitement liés à la vie populaire médiévale. Au XVe siècle, on interrompait son travail pendant plusieurs jours pour assister à un mystère dont le spectacle se déroulait en plusieurs épisodes (ou journées). Les acteurs étaient choisis parmi tous les corps de métiers (clergé, bourgeois, artisans, écoliers). Un comique très semblable à celui des fabliaux s'y mêlait aux sentiments dramatiques.

Il est difficile de distinguer les spectacles des corporations de ceux des confréries, les unes et les autres étant étroitement liées dans leurs traditions. Et les confréries se formaient aussi bien de gens d'un même métier que de personnes d'un même quartier. Le jour de la fête annuelle des barbiers et baigneurs, ceux-ci jouaient la *Vie de Monseigneur Saint Louis*, composée par Gringoire. A la Saint-Michel, les pâtissiers formaient une procession, à cheval, déguisés qui en diables, qui en anges. Celle-ci, qui devait renouer sans doute avec quelque cérémonie païenne, fut interdite par l'Église en 1636. Les tisserands donnaient en spectacle la résurrection des morts. Et il y avait aussi les solennités des examens et des jugements des chefs-d'œuvre.

Il nous serait reproché de ne pas citer le *Jeu de Robin et Marion*, mais cette idylle paysanne du XII^e siècle, contrariée par la rivalité d'un chevalier, est un bien faible témoignage de la vie paysanne de l'époque.

Parmi les cinq cents trouvères, ménestrels et jongleurs dont l'histoire a enregistré les noms, s'il en fut qui appartenaient à l'aristocratie, comme le châtelain de Coucy, Guillaume d'Aquitaine, René d'Anjou, Richard Cœur de Lion, etc., la plupart étaient cependant des clercs. Mais on trouve également parmi eux des vilains comme Rutebeuf et des gueux comme Villon.

Certains poèmes des trouvères semblent d'ailleurs avoir été seulement composés pour être récités devant le peuple. Ils le glorifient, soutiennent ses intérêts et attaquent les seigneurs, parfois avec violence, comme dans le roman *Trubert*, par Drouins de Lavesne, et le roman *Baudoin de Sebourc*, qui est une apologie du savetier [1].

Les *Dits de métiers* (le *Dit du mercier* est composé de deux cents vers) étaient également récités devant les gens des corporations dont ils faisaient la description [2].

Sauf s'ils étaient attachés à un seigneur, les ménestrels étaient de pauvres vagabonds qu'accompagnait leur femme faisant la quête. La poésie de Rutebeuf n'est qu'une longue plainte des misères de sa profession.

> Je ne sais par où je commence
> Tant ai de matière abondance
> Pour parler de ma pauvreté.
> ...

1. Nous verrons qu'il existe une curieuse tradition du roman du savetier et du cordonnier.

2. Au XIII^e siècle, Guillaume de Villeneuve composa un poème des *Crieries de Paris*. Déjà, les romans, les mystères, les fabliaux du Moyen Age abondaient en *Dits* du tavernier, de l'épicier, de la marchande de poissons, etc. Cette « forme poétique » était le seul moyen publicitaire des marchands. En 1548, nous relevons également une *Farce des cris de Paris*, et au XVII^e siècle, *La Brouette du Vinaigrier*, recueil anonyme dont plus tard Mercier reprit le titre pour son drame. On a relevé les *Cris* des marchands d'eau-de-vie, des étuveurs, des laitières, des vendeurs d'huîtres à l'écaille, des bouchers et rôtisseurs, des marchands d'échaudés et de petits pâtés, des marchands de tisane (le coco), des ramoneurs, des crieurs de vin, du clocheteur des trépassés, des colporteurs. Nous ne citerons que celui du marchand de joncs dont l'humour est bien dans la vieille tradition des fabliaux : « Battez vos femmes, rossez vos habits pour un sou. »

Je n'ai de quoi du pain avoir.
A Paris suis entre tous biens
Et n'y ai nul qui y soit miens.

L'auteur du *Dit des cordonniers* décrit les souffrances du mal chaussé en hiver, dans la pluie et le vent. Ce trouvère du XIIIe siècle [1] portait le costume des gens du peuple, comme la plupart de ses confrères (cotte, surcot, chausses et capuchon), mais il n'était pas obligé de travailler de ses mains et s'en faisait honneur.

Certains jongleurs étaient joueurs de vielle, comme Colin Muset, d'autres prestidigitateurs, voire montreurs d'ours et même marchands d'herbes (cf. *L'Herberie*, de Rutebeuf, parade de carrefour). Ces poètes avaient donc plus de ressemblance avec nos modernes chanteurs des rues et camelots des foires qu'avec Jean Cocteau ou Paul Claudel.

Philippe Auguste et Saint Louis les chassèrent de Paris comme de vulgaires vagabonds. L'un d'eux eut, dit-on, l'effronterie de solliciter un secours de Philippe Auguste en se disant le parent du roi.

— De quel côté et à quel degré ? interrogea le monarque.

— Du côté d'Adam, dont nous sommes tous les deux fils. Seulement, l'héritage a été mal partagé entre nous.

Le roi fut conquis par cet humour agressif et donna une obole au poète.

***

La littérature courtoise était féroce pour les vilains. Nombreuses sont les descriptions de l'homme du peuple, dans le genre de celle-ci :

Fol vilain doit-on huer
Et si le doit-on gaber,
...
Ils deussent mangier chardons,
Roinses espines et estrain
Au dimanche por lu faim
Et la terre en leur semaine.
Ils deussent parmi les landes
Pestre avec boucs cornus.
...
Li vilain sont de laides formes
Boçu sont devant et derrière.

*Claris et Laris.*

1. Les œuvres de Rutebeuf restèrent six cents ans manuscrites. Elles furent publiées pour la première fois en 1839 par Achille Dubinal.

Et Rutebeuf dit qu'après la mort du vilain, l'enfer même ne veut pas de lui, tant il sent mauvais.

La société militaire médiévale n'ayant que mépris pour les paysans, les trouvères, qui ne veulent pas déplaire à ceux qui ont pouvoir et ducats, accablent les paysans de leurs sarcasmes. Mais tous les trouvères ne firent pas chorus avec les puissants. La *Chronique des Ducs de Normandie* montre une certaine sympathie pour le paysan :

Cil endurent les grifs tormenz
Les nefs, les pluies et les venz;
Cist ovrent la terre de leurs mains...

Maurice de Sully plaint le paysan mais ne voit pas remède à sa misère. Le ménestrel Gauthier de Coinci en fait un portrait bien frappé :

En une povre maisonète
Close de pieux et de sanciaux
Com une viel sous a pourciaux
Maint jour avoit pesant et triste
Peu pain souvent et mal giste
En sa maison close de coif
Avoit souvent et faim et soif.

Une remarquable description des tisserandes a été faite par Chrestien de Troyes :

De fil d'or et de soie ouvrait
Chacune, au mieux qu'elle pouvait
Mais telle pauvreté avaient
Que, aux coudes et aux mamelles
Les robes étaient en dentelles
Et les chemises aux dos sales
Les cous grêles, visages pâles
De faim et de malaises avaient.
Il les voit et elles le voient,
Baissent le front toutes et pleurent;
Toujours drap et soie tisserons
Et n'en serons pas mieux vêtues,
Toujours serons pauvres et nues
Et toujours faim et soif aurons;
Jamais tant gagner ne saurons
Que mieux en aurons à manger.
Du pain en avons sans changer
Au matin peu et au soir moins;
Car de l'ouvrage de nos mains
N'aura chacune pour son vivre

Que quatre deniers de la livre,
Et de cela ne pouvons pas
Assez avoir viande et draps;
Car qui gagne dans sa semaine
Vingt sous n'est mis hors de peine.
Eh bien, sachez-le donc, vous tous,
Qu'il n'y a celle d'entre nous.
Qui ne gagne vingt sous au plus.
De cela serait riche un duc!
Et nous sommes en grande misère,
Mais s'enrichit de nos salaires
Celui pour qui nous travaillons;
Des nuits grande partie veillons,
Et tout le jour pour y gagner.
On nous menace de rouer
Nos membres quand nous reposons :
Ainsi reposer nous n'osons.

Cette *Plainte des ouvrières* fut sans doute à l'origine une chanson de métier, dont l'accent est tout à fait semblable aux chants de révolte des canuts de Lyon, huit siècles plus tard. Chrestien de Troyes la recueillit et la transcrivit en 1170.

Certains vers de Jehan de Meung (la deuxième partie du *Roman de la rose* détruit l'idéal courtois de la première) ont le même accent que plus tard le *Discours de la servitude volontaire*, de La Boétie. Eustache Morel, dit Deschamps, fait en 1393, un envoi de ballade où il est très chrétiennement spécifié que :

Ja (mais) riches homs n'yra en paradis.

On pourrait ainsi continuer ce jeu des citations en glanant quelques invectives chez Alain Chartier, la ballade de Villon « à la requeste de sa mère pour prier Notre-Dame », quelques pages d'Agrippa d'Aubigné et autres, mettre à l'honneur La Fontaine, Molière et Marivaux, etc. [1]. Mais c'est moins ici la révolte sociale qui retient notre attention que la prise de conscience ouvrière.

1. Cf. *Les Origines du roman réaliste* et *Le Roman réaliste* au XVII^e siècle, par Gustave Reynier (Hachette, 1912). Après avoir salué le *Satiricon* de Pétrone, *L'Ane d'Or* d'Apulée et les fabliaux « au réalisme très limité », l'auteur voit les premiers romans réalistes dans *Le Petit Jehan de Saintré* (1456), image de la féodalité mourante, et dans *Les Quinze ioies du mariage*, deux livres qui furent très populaires. Après Boccace, Rabelais et la reine de Navarre, il cite encore les *Propos rustiques* de Noël du Fail, tableaux de la vie paysanne vue par un seigneur, les romans picaresques espagnols, *la Satire Ménippée* et ces esquisses de mœurs villageoises que sont la *Francion* de Ch. Sorel et *Le Berger extravagant*.

## Chansons de métiers et chansons compagnonniques

Qu'il y ait eu des chansons de métiers au Moyen Age, cela est certain. Les ouvriers travaillaient sans doute en chantant, comme un remède à l'ennui de la routine et aux fatigues. Et chaque corporation devait avoir sa chanson particulière. Dans l'Antiquité, Athênaios en donne un certain nombre (chansons des baigneurs, des pétrisseuses de pâte, des nourrices, des vanneuses, des tisserands, des fileurs de laine, des moissonneurs, des mouleurs de grain, des tireurs d'eau...). Mais si le *Livre des métiers* d'Étienne Boileau nous renseigne sur les statuts des communautés ouvrières au XIII^e^ siècle, sur l'horaire du travail, les droits et règlements de maîtrise, etc., il ne fait, par contre, aucune place à la poésie.

Avant l'expansion de l'imprimerie et, par contrecoup, la naissance de la littérature de colportage destinée au peuple, seule la tradition orale pouvait perpétuer les chansons. Imprimées au XVI^e^ siècle, celles-ci sont donc antérieures, pour la plupart, sans que nulle date précise puisse être donnée à cette chanson de laboureur, par exemple, servant à conduire les bœufs en pays bressan :

> Le pauvre laboureur
>    il a bien du malheur.
> Du jour de sa naissance
>    l'est déjà très malheureux.
> Qu'il pleuve, qu'il tonne, qu'il vente,
>    qu'il fasse mauvais temps,
> L'on voit toujours sans cesse
>    le laboureur aux champs...

Et cette chanson des tondeurs, que le célèbre Gaultier-Garguille chantait sur le Pont-Neuf au XVII^e^ siècle :

> Il nous faut des tondeurs
>    dans nos maisons.
> C'est pour tondre la laine
>    à nos moutons.
> Tondre la nuit, tondre le jour
> Et tondre tout le long du jour
>    et toute la semaine...

Ce qui continuait par un couplet sur les cardeurs, un troisième sur les fileurs, un autre sur les fouleurs.

Les tisserands sont pires que des évêques,

dit une autre chanson :

Tous les lundis ils s'en font une fête,
Et le mardi ils ont mal à la tête,
Et le mercredi ils ne veulent rien faire.
*etc.*

Quant à la *Chanson des scieurs de long*, que Baudelaire admirait tant, son rythme épouse si étroitement le geste de l'ouvrier qu'elle a bien dû servir aux bâtisseurs des cathédrales :

N'y a rien de si drôle
que les scieurs de long.
Ils fabriquent les planches
et aussi les chevrons,
*etc.*

Le schéma initial de la *Vigne au vin* se retrouve également au XVIe siècle :

Plantons la vigne,
La voilà la jolie vigne.
Vigni, vignons, vignons le vin,
La voilà la jolie vigne au vin,
*etc.*

Quant à la *Chanson de l'aveine*, dont nous citerons le premier couplet, elle semble la survivance d'un ancien rite primitif de fécondité, une sorte d'incantation magique :

Voulez-vous savoir comment
On sème l'aveine.
Mon père la semait ainsi,
Puis se reposait un petit,
    Tapait du pied,
    Battait des mains,
Un petit tour pour son voisin;
Aveine, aveine, aveine,
Que le bon Dieu t'amène!

Finissons ce rapide panorama avec ces *Bruits de métiers :*

Quand le meunier s'en va moudre,
Trique, traque, fait la meule *(bis)*

De bon blé, de blé fin
Il met un quat'ron d'côté.

Quand le tailleur fait sa robe,
Rigue, rague, sur la table *(bis)*
De bon drap, de drap fin
Il met une aune d'côté.

Quand le tisserand se presse,
Zigue, zagu', d'ourdir sa pièce *(bis)*
De bon fil, de fil fin
Il met un p'loton d'côté.

Quand le charron fait sa roue,
Tique, tac, avec son maillet *(bis)*
De la jante au bouton
Il voit si le tour est rond.

On pouvait espérer trouver des chansons de métier dans le répertoire des compagnons du tour de France. Mais la muse compagnonnique ne connaissait que les fêtes, les banquets, les conduites, et surtout la glorification du compagnonnage (en dénigrant les sociétés adverses).

C'est ainsi que la *Polka des renards de liberté* attaque en ces termes les devoirants (ou compagnons du Devoir) :

Entre Muse et Vergese
Nos honnêtes Compagnons
Ont fait battre en retraite
Trois fois ces chiens capons.
Vivent les gavots.
Au compas, à l'équerre,
Vivent les gavots.

A quoi, d'ailleurs, les devoirants répondent dans une de leurs chansons :

Gavots abominables
Mille fois détestables
Pour toi quelle pitié
De te voir enchaîné.
Il vaudrait mieux te rendre
Chez la Mère, à Lyon.
Là, on pourrait t'apprendre
Le Devoir d'un Compagnon.

Le compagnonnage a un folklore particulier, avec ses amours, ses haines, ses plaisirs du tour de France (dans les chansons sur le voyage du compagnon, Piron, dit Vendôme-la-Clef-des-Cœurs, blancher-chamoisier, fut un auteur très en vogue), ses tristesses de l'adieu, ses joies du retour. Les chansons étant destinées à accompagner les réunions, beaucoup sont des chants bachiques; mais les plus goûtées étaient les satiriques dans le genre de celles que nous avons citées. Il faudra attendre Agricol Perdiguier et les premières esquisses du syndicalisme pour qu'apparaissent les chansons de régénération, les appels à la concorde, très en vogue sous Louis-Philippe.

## Almanachs et littérature de colportage

Si l'on en croit Charles Nisard, les almanachs sont « les plus anciens livres du monde après la Bible ». Les almanachs ont répondu aux goûts populaires pendant près de trois siècles. Reprenant les thèmes des fabliaux, des vieilles légendes orales, poursuivant le cycle des romans carolingiens, ils se sont fait l'écho des mythes les plus tenaces parmi le peuple. Les almanachs ont été, à la littérature lettrée, ce que les images d'Épinal sont à la peinture du Louvre, c'est-à-dire une sorte de littérature parallèle qui n'a été reconnue par les lettrés qu'au moment où elle fut mise en accusation par les pouvoirs publics. Le premier ouvrage qui lui fut consacré était un réquisitoire. Il s'agit de l'*Histoire des livres populaires ou de la littérature de colportage. Depuis l'origine de l'imprimerie jusqu'à l'établissement de la Commission d'examen des livres du colportage*, par Charles Nisard. Livre copieux, bien illustré, livre capital. Une somme! Mais Nisard, chargé par Napoléon III de faire un rapport sur les « livres populaires », en fait un inventaire prodigieux, mais un inventaire de censeur. Dans son rapport il condamne d'ailleurs ces « mauvais livres » dont l'influence, dit-il, est néfaste sur le peuple. Établi le 30 novembre 1852, le rapport de Nisard ne sera publié sous forme de livre qu'en 1854. Paradoxalement, cette condamnation de la « littérature populaire » devait faire son succès parmi les lettrés, et Nisard lui-même a écrit un livre trop passionnant pour ne pas avoir été fasciné par les brochures qu'il condamne.

Les écrivains de la génération romantique furent intrigués et séduits par ces brochures de colportage de petit format, que l'on appelait aussi la « Bibliothèque Bleue » en raison de la couleur des couvertures. Michelet rêve de ressusciter cette littérature populaire et d'en faire une arme politique. Le roman-feuilleton florissant au XIX^e^ siècle et qui ne diffusa pas seulement l'œuvre d'Alexandre Dumas et d'Eugène Sue, mais aussi celle de Balzac et de Hugo, fut un effort de la littérature lettrée de s'insinuer dans le public du colportage et d'y répandre des idéologies révolutionnaires comme le souhaitait Michelet. Mais avant que le Second Empire condamne à mort la littérature de colportage, celle-ci était beaucoup plus diffusée que n'importe quelle littérature lettrée. Près de mille deux cents titres ont été recensés qui représentent des millions d'exemplaires. Ces petites brochures, en général anonymes, étaient vendues à bas prix. Le fait que, du XVII^e^ siècle au milieu du XIX^e^ siècle, le peuple soit dit illettré et que la littérature de colportage rencontre un aussi vaste public fait supposer que beaucoup de gens du peuple achetaient des almanachs sans savoir lire et se faisaient lire « leur » livre par ceux d'entre eux qui savaient. Mais il est probable que toutes les classes de la société lisaient la « Bibliothèque Bleue », même si, avant le XIX^e^ siècle, les lettrés ne s'en vantaient pas.

Le premier almanach connu est le *Grand Compost des Bergers*, imprimé à Paris en 1493. On connaît un *Calendrier des Bergers* « avec leur astrologie et autres choses profitables », imprimé à Troyes en 1510. Le premier *Mathieu Laengbergh* connu est de 1635 [1].

On trouve de tout dans les almanachs, des nouvelles sensationnelles, des prophéties, des blagues, des traités de médecine pratique, des fables, des recettes de cuisine, de l'occultisme et des calembours, des prières et des sermons paillards, des histoires de brigands et des remèdes contre les péchés, des devinettes et des romans du cycle breton.

Almanachs et livres de colportage avaient pour auteurs des écrivains inconnus et vraisemblablement peu lettrés. Puisant dans les thèmes du génie populaire, ce sont sans cesse les mêmes histoires qu'ils adaptent, corrigent, augmentent de nouveaux faits. Mais le fond et la forme de cette littérature sont restés les mêmes à travers les âges, depuis les XV^e^ et XVI^e^ siècles. Seul, le langage a subi, de temps à autre, des rajeunissements. Si l'on y voit *Les Quatre fils Aymon* « assiégés à coups de canon *(sic)* par Charlemagne dans leur château des Ardennes », par contre, *La Danse macabre* et *La Vision de Lazare en enfer* sont inspirées du christianisme primitif, et *Le Guide des amants* vient en droite ligne du *Roman de la Rose* et de Christine de Pisan. Les *Bible de Noël* ne sont autre chose que des

1. Cf. *Histoire des livres populaires ou De la littérature du colportage*, par Ch. Nisard, 2 vol., 1854; le chapitre sur la littérature de colportage, par Victor Fournel dans ses recueils d'études sur le Vieux Paris; *De la littérature populaire*, par Rathery, articles parus dans *Le Moniteur* en 1853; *De la littérature populaire*, par Champfleury, 1861; *Les Almanachs populaires*, essai d'histoire sociale, par Geneviève Bollème, 1969; *La Bibliothèque Bleue*, par Geneviève Bollème, 1971; *Le Colportage de librairie en France sous le Second Empire : grands colporteurs et culture populaire*, par J.-J. Darmon, 1972.

fragments et épisodes d'anciens mystères et moralités. La *Chronique gargantuine*, datée de 1532, ne fait que recueillir le vieux mythe populaire du géant colonisateur que certains ont identifié à Gargan, fils de Belem, dieu des Celtes. Rabelais devait puiser dans cette histoire et dans bien d'autres pour édifier son œuvre colossale [1]. *Ulenspiegel, Le Juif errant, les Lettres d'Héloïse à Abélard, Cadet Rousselle, Polichinelle, La Mère Michel, Girofla joyeux buveur, Michel Morin roi des bedeaux, Monsieur de La Palice et Marlborough, Cartouche et Mandrin* (plus tard *Napoléon*), *Geneviève de Brabant* et L'*Enfant prodigue, Saint Nicolas et les trois petits enfants*, le *Roi Dagobert, Robert le Diable* (dont on fit le mythe faustien), *Pierre de Provence et la belle Maguelone, les Admirables secrets du grand et du petit Albert*, les *Prédictions de Nostradamus*, voici quelques titres, quelques types qui reviennent le plus souvent dans la littérature de colportage et l'imagerie. Nul doute que cette littérature n'ait eu un grand rôle dans l'éducation du peuple. Il n'y avait pas d'autre livre que l'almanach chez le paysan, si ce n'était un missel. L'almanach le renseignait à la fois sur le sort de son blé et sur la maladie de sa vache ou de sa femme, l'égayait les soirées d'hiver avec ses calembours et ses anecdotes égrillardes. Chaque génération se repassait l'almanach aux feuilles usées, et si le colporteur oubliait un village, la tradition orale perpétuait les vieilles histoires des trouvères du temps de Charlemagne.

Nous faisons une place spéciale à l'*Histoire nouvelle et divertissante du bonhomme Misère, qui fera voir ce que c'est que la misère, où elle a pris son origine, comme elle a trompé la mort, et quand elle finira dans le monde*. Tel est le titre alléchant d'un de ces innombrables livrets consacrés au bonhomme Misère, signés par « Monsieur Court d'Argent », et dont Mérimée se servit pour écrire son *Fédérigo*.

Saint Pierre et saint Paul, errant sur la terre, ne trouvent aucun asile si ce n'est la chaumière d'un vieux bonhomme qui a peu à offrir, mais le fait de bon cœur. Reconnaissants, les apôtres lui proposent de faire un vœu qui sera exaucé. Le bonhomme Misère n'a pas d'ambition. Il voudrait seulement que ses voisins ne lui volent plus les belles poires

1. Dans l'œuvre de Rabelais, les « beaux contes du temps jadis », racontés par son père vigneron, se mêlent aux proverbes tourangeaux; aux souvenirs d'enfance de l'ancien moine et de l'étudiant errant se mêlent les vieilles chroniques de Gargantua, de la fée Morgane et le voyage d'Ulysse rejoint les aventures contemporaines de Jacques Cartier découvrant le Canada. Bouffonneries, devinettes, calembours, plaisanteries graveleuses, mots crus, scènes de la vie paysanne, Rabelais a assimilé la littérature populaire des almanachs et des vieux fabliaux et l'a transcendée dans une sorte d'épopée populaire héroï-comique qui fit les délices des paysans avant de faire celles des lettrés.

de son unique poirier. Aussi, demande-t-il à ses hôtes de faire en sorte que celui qui montera sur son poirier sans son autorisation n'en pourra plus jamais descendre. Un jour, la mort vint. Le bonhomme Misère la reçut avec son amabilité coutumière. Avant de quitter sa chaumière à tout jamais, il demanda simplement à la mort d'aller lui cueillir une poire. La mort accepta et resta prisonnière des branches. Elle dut promettre une vie éternelle au bonhomme afin de pouvoir redescendre. Et c'est ainsi que Misère vit toujours et vivra tant que le monde sera monde.

Il y a dans ce petit chef- d'œuvre (un résumé ne peut donner une idée de la finesse des dialogues) tout un condensé de la philosophie paysanne, sa patience, sa ruse, son scepticisme.

***

Sur son tour de France, le compagnon emportait de ces livrets. Certains faisaient état des mœurs de sa corporation, comme le *Devoir des compagnons de la petite Manicle*, ou encore le *Fameux Devoir des savetiers* et L'*Arrivée du Brave Toulousain.*

Le *Fameux Devoir des savetiers, augmenté du Congé des garçons cordonniers*, est une petite brochure de dix pages, datant du XVII^e^ siècle. Nous y voyons un compagnon reçu par des ouvriers savetiers qui le présentent au patron. Celui-ci l'interroge :

*Le Maître.* — De combien d'alènes vous servez-vous pour carreler un soulier dans la perfection?
*L'Arrivé.* — De trois, maître, l'alène majeure, l'alène au petit bois et l'alène frétillante.
*Le Maître.* — Que signifient le tire-pied et le tranchet?
*L'Arrivé.* — Cela signifie un brave cavalier qui tient la bride de son cheval et le sabre à la main.
*Le Maître.* — Que signifie le baquet plein d'eau?
*L'Arrivé.* — Cela marque le passage du Rhin, où la cavalerie, à la nage, fut combattre les ennemis.
*Le Maître.* — Que signifie le petit pot rouge, appelé entre nous *valum coloratus?*
*L'Arrivé.* — Cela signifie le sang répandu au combat.
*Le Maître.* — Il a raison, pays.
*Tous.* — Honneur au pays, serviteurs, pays.

Après ce dialogue initiatique, le compagnon est embauché. On arrose cet événement et l'on commande un festin. Le petit livre se termine sur une note ironique, et assurément satirique :

*Monsieur Belle-Alène.* — Pourvu que vous soyez honnête homme, je vous donnerai ma fille Nicole en mariage.
*Talonnet.* — Mais, Maître, elle a fait deux enfants.
*Monsieur Belle-Alène* (lui donnant un soufflet). — Vous en avez menti, elle n'en a fait qu'un.
*Le Goret.* — Pays, Monsieur le syndic vous aime, il ne traite ainsi que ses amis, recevez l'honneur qu'il vous fait de vous choisir pour gendre. Si elle a commis une faute, la pauvre fille l'a fait innocemment; c'est un degré pour parvenir aux premières charges...

L'*Arrivée du Brave Toulousain* est aussi l'histoire de la réception d'un compagnon et la première partie d'une trilogie qui comprend :

Le Magnifique et Superlicoquentieux Festin fait à Messieurs, Messeigneurs les vénérables savetiers, carreleurs et réparateurs de la chaussure humaine, par le sieur Maximilien Belle-Alesne, nouveau reçu et agrégé au corps de l'État avec la liste de tous les régals, services de table, mets, desserts et préparatifs de festin, et la réjouissance, les danses et autres divertissements de l'illustre compagnie.

## Lettre du sieur Belle-Alesne à sa maîtresse

Mademoiselle,

Si le ligneul de mes services avec l'abîme de ma bienveillance et le charmant tire-pied de mon bonheur pouvaient joindre par une amoureuse rencontre votre cœur au mien, je me croirais le plus heureux Porte-Aumuche du monde; mais le malheur de mon peu de mérite m'abîme presque dans le désespoir. Persuadez-vous que j'ai l'âme si outre-percée du clou de vos perfections que jamais alumelle ni tranchet n'est entré plus avant dans le meilleur et le plus franc cuir roussi. Faites grâce à un amant transi, et employez en sa faveur l'entre-pointe de votre tendresse, et moi je vous jure d'employer ma forme, mes soies et ma manicle pour me guider à obtenir vos bonnes grâces. Ne doutez pas que mon amour s'aiguise sur la pierre à affiler de votre aimable maintien où j'espère un jour ficher la cheville de mes vœux. Mais si par la poix de mon attachement je puis tenir ma selle, je laisserai pour un temps ma linotte dans la cage de l'amour : croyez, Mademoiselle, que toute mon ardeur sera d'employer mon polissoir, afin de vous faire voir qu'un jour je ferai gloire d'être pour vous brelandier. Ce sont les vœux et les souhaits que je fais, pour être en quelque façon digne de me dire avec juste titre,

Mademoiselle, votre très passionné et à jamais esclave et orfèvre en cuir.

Belle-Alesne.

(Extrait de *L'Arrivée du Brave Toulousain*, 1731.)

Cette brochure, in-8, de quinze pages, fut publiée par Garnier, à Troyes, en 1731. L'année suivante, nous trouvons chez le même éditeur de livres de colportage, un livret de seize pages intitulé :

Fameuse harangue faite en l'assemblée générale de Messieurs, Messeigneurs les Savetiers, sur le Mont de la Savate, le lundi après la Saint-Martin, par Monsieur Maître Jérosme Piéfrelin, dit Cul-de-Bré, ancien carreleur, ministre et grand orateur de l'ordre, pour servir de défense à l'état contre un libelle, préteur du diffamatoire, sur l'honnête réception d'un maître savetier, carreleur et réparateur de la chaussure humaine, et sur tout ce qui s'est fait et passé, dans ladite réception, entre l'aspirant, les gardes et l'ancien desdits maîtres.

Nous trouvons dans ce petit livre un essai d'étymologie sur le mot savetier, pour le moins fantaisiste (l'auteur nous affirme que celui-ci viendrait de l'hébreu *sabat*, « car le savetier est un homme de paix »). Nous y voyons aussi les savetiers jurer de ne jamais travailler le lundi.

## Fameuse harangue faite en l'assemblée générale de messieurs messeigneurs les savetiers par Maître Jérome Piéfrelin, dit Cul-de-Bré

(Extraits.)

Savetier, diront quelques-uns, vient de sabot, il faudrait donc dire sabotier : laissons cela aux rebelles du Languedoc et de la Beauce. Le sabot ne se raccommode point, mais le soulier et la savate, il faudrait dire souletier. D'où vient donc ce beau titre qui fait notre distinction et notre caractère? Le voulez-vous apprendre, Messieurs? Ah! ce mot vient de l'hébreu et de la Judée : *sabat*, en général, signifie circuit, cessation et repos.

Savetier est un homme de paix et de repos, un homme constant et inébranlable sur sa selle, un homme muni de toutes parts contre les adversités, un homme toujours attaché à son travail, un homme qui regarde ce qui se passe dans les États et dans la Nature d'un œil de mépris et d'un cœur intrépide. De *sabat*, sabatier et sabate, c'est-à-dire un cuir délaissé pour un temps et en repos, et par corruption de langue savetier et savate. Quelle élévation et quelle excellence!

*Carreleur* vient de carreler, en latin suppingere, qui veut dire brunir, polir, peindre, orner et embellir de vieux souliers comme s'ils étaient neufs, et faire selon l'ancien proverbe de Normandie : *d'un vieux batel une neuve galère.*

*De ne jamais travailler le lundi.* Celui-ci, Messieurs, est un des plus grands points qu'il faut que je traite plus au long.

Nous ne sommes pas comme un tas de canaille et gens de la lie du peuple, qui emploient les dimanches et les fêtes à s'aller promener et divertir aux assemblées et aux foires, dans les cabarets et bourgades de la campagne;

pour nous, nous sommes occupés sainement dès les 2 heures du matin pour avertir, au son des cloches et des chants spirituels et harmonieux, les maîtres et les frères de nos confrères; ensuite tout le jour à servir dans les églises, tantôt en qualité de coutres, de sonneurs de cloches, de donneurs de pain bénit, de loueurs de chaises; nous prenons sur notre travail le lundi, premier jour de la semaine, comme gens désintéressés et hors du commun, pour nous divertir modestement entre nous et conférer ensemble, comme nous avons l'honneur de le faire aujourd'hui, des affaires importantes de l'état de notre république.

(*Livret de colportage*, 1732.)

Enfin, vient l'attaque habituelle contre la corporation des cordonniers :

Réparer est presque autant que créer. Hé! que messieurs les cordonniers ne fassent pas de comparaison avec nous, et qu'ils ne tirent pas vanité de ce que ce sont eux qui font les souliers, et que c'est nous autres qui les raccommodons. Nous faisons, Messieurs, mille fois plus qu'eux : ces sortes de gens font des souliers, mais ils coupent en plein drap, ils ont du cuir à choisir, rien ne les empêche de bien faire, il ne faut pas grand esprit quand la matière est toute prête pour mettre en œuvre. Mais pour nous, quand on met entre les mains d'un maître un vieux soulier crotté, tout tourné, tout usé, à moitié crevé, sans rivet et sans empoigne, je voudrais bien voir un de ces seigneurs cordonniers, qui font tant les suffisants, par quel bout ils s'y prendraient. Hé! Ne sont-ils pas tous les jours trop heureux de venir à notre école avant que de faire leurs chefs-d'œuvre et leurs apprentissages. Un maître habile, en deux coups de tranchet, vous enlève toute la boue (merde y fût-elle), il vous le retourne, le redresse, et le ramène si bien sur sa forme qu'il n'y paroît plus rien de son ancienne difformité.

C'est ensuite une attaque contre les maréchaux-ferrants, « qui ne réparent que la chaussure des ânes et des chevaux ».

Nous trouvons encore au XVIII^e siècle un long poème de cinq cents vers : *L'État de servitude* ou *Misère des domestiques*. Il s'agit des plaintes d'un laquais :

Tout le monde le fuit, le raille et le rebute,
A mille sots discours il est toujours en butte;
Mais bien plus, qu'une fille ait tant soit peu d'honneur
D'un habit de livrée elle aura de l'horreur...

Se lever tôt, se coucher tard, suivre Madame à l'église, accompagner Monsieur chez les grands, ne manger qu'après ses maîtres, tels sont quelques-uns des désagréments de la domesticité, énumérés dans ce poème.

***Explication de la misère des garçons tailleurs***, petit in-18 de vingt-deux pages publié à Épinal, à la même époque, par un nommé Dufresne, qui écrivit d'autres *Complaintes facétieuses* sur les compagnons de diverses professions, ne présente qu'un intérêt documentaire.

De Dufresne encore :

Là pour premier objet je trouve dans les Courts
Cinq ou six Malotrus ressemblant à des Ours.
L'un, des sabots aux pieds, roule à perte d'haleine
Une vilaine peau que partout il promène :
L'autre apprête de l'encre, et présente un minois,
Qui fait honte en noirceur au moins blanc des trois Rois.
Tirant de tout ceci mauvaise conjoncture,
De mon choix imprudent je gronde et je murmure;
Quand le Prote, d'un air dur et rébarbatif :
Est-ce vous qui venez ici pour Apprenti?
Oui, Monsieur. A ces mots la main il me présente,
Et me fait compliment sur ma force apparente.
Quel compère, dit-il! Vous suffirez à tout,
Et des plus lourds fardeaux seul vous viendrez à bout.
Portez donc ce papier et le rangez par piles.
Moi qui sens mon cœur faible et mes membres débiles,
Je ne veux pas chercher d'abord à m'excuser,
De peur que de paresse on ne m'aille accuser;
Je m'efforce, et ployant sous ma charge pesante,
Chaque pas que je fais m'assomme et m'accravante;
Je monte cent degrés, chargé de grand raisin;
J'en porte une partie au plus haut magasin,
Et pour le faire entrer dans une étroite place,
Avec de grands efforts je le presse et l'entasse.
N'ayant encore fait ma tâche qu'à demi,
J'entends crier en bas. Holà donc! Eh, l'ami!
Je descends pour savoir si c'est moi qu'on appelle;
Oui, dit le Prote, il faut allumer la chandelle.
Quand vous aurez rempli de charbon ce panier,
Vous viendrez allumer du feu sous le cuvier.
Tout fatigué déjà d'un si rude martyre,
Je recommence à me plaindre, à jurer et maudire.
Tantôt de mon malheur je n'accuse que moi,
Et tantôt je m'en prends à la mauvaise foi,
A l'avis séducteur d'un ami peu sincère
Qui me fit endosser ce collier de misère...

(Extrait de *La Misère des apprentis imprimeurs*, 1710.)

## Thomas Deloney et le roman de métier au temps de Shakespeare

Ces brochures sont loin de constituer des romans de métier. Ce sont des dialogues divertissants à l'usage des compagnons, et rien de plus. Les romans d'atelier et les chansons de métier du Moyen Age, dont on ne trouve aucune trace écrite en France, furent transmis de compagnon à apprenti et circulèrent à travers les âges de la même manière que le *Roman de Renart*, l'histoire de Gargantua et les différents thèmes populaires que nous avons pu suivre dans la littérature de colportage. Qu'ils aient existé, nous en sommes sûrs, puisque leur tradition se retrouve dans les quatre romans de métier de Thomas Deloney, tisseur de soie huguenot réfugié en Angleterre, seuls romans de métier connus avant le XIX^e siècle, et qui furent publiés de 1597 à 1600.

Grâce à ceux-ci, nous pouvons connaître la vie matérielle des artisans, les guildes, la révolution économique contemporaine de Shakespeare. Deloney, de par le chômage et de par son tempérament, avait circulé d'atelier en atelier, parcouru les routes d'Angleterre. Mélange d'ouvrier et de ménestrel, il chantait les ballades de sa composition, s'accompagnant de la viole, recueillant dans les auberges les histoires et les traditions de son métier. Il devint ainsi une sorte de poète populaire, un conteur recherché par les artisans. Il prend même parfois le visage de Robin Hood, excitant le peuple des faubourgs à la révolte, et doit fuir les gens d'armes... Enfin, en deux années, il publie ses quatre romans de mœurs ouvrières et devient aussi populaire que son contemporain Shakespeare. Fréquemment réimprimé en Angleterre, surtout dans les livrets de colportage, il fallut attendre l'année 1926 pour qu'il soit traduit en français et qu'une étude copieuse lui soit consacrée par Abel Chevalley.

Ses quatre romans sont intitulés : *Jack de Newbury* (1597), *The gentle craft* (Le Noble Métier, 1598), *Thomas de Reading* (1600). Un autre ouvrage, fait pour les tisseurs de soie, « de nature à provoquer de l'agitation », est disparu. Ses ballades sont nombreuses. Celle *Sur la disette du blé* (1596) lui valut des poursuites. Il semble que *Le Noble Métier* fut publié aux frais de la corporation des cordonniers, ce qui montre combien cet écrivain ouvrier restait lié à sa classe et en quelle estime celle-ci le tenait.

Deloney ouvre l'histoire de son *Jack de Newbury* par un fabliau. Il fallait d'abord s'attacher le lecteur en le faisant rire. Sur les tréteaux, Shakespeare faisait de même en introduisant des entrées de clowns dans ses drames les plus sévères. Alors que ses contemporains dédiaient leurs œuvres aux seigneurs et aux belles dames influentes, Deloney dédie son premier roman « A tous les célèbres travailleurs du drap anglais », en leur souhaitant « vie, prospérité et *affection fraternelle* ». Exagère-t-il l'importance des *clothiers*, ces « capitalistes » du XVIe siècle, à la fois éleveurs, lainiers et tisseurs; réunissant dans leurs « usines » deux cents métiers et autant de tisseurs, cent cardeuses et deux cents fileuses travaillant au fuseau, cent cinquante enfants occupés au triage de la laine, cinquante tondeurs, quatre-vingts rouleurs qui « finissent » l'étoffe, quarante teinturiers. Déjà, la centralisation des artisans était amorcée en Angleterre. On commençait à ravir à l'artisan son autonomie. Plus tard, on lui enlèvera ses outils. L'artisan prenait le chemin des renoncements successifs qui le mènera jusqu'au dépouillement total, jusqu'à la situation de « bras nu », de prolétaire moderne à qui rien n'appartient plus.

Mais dans *Thomas de Reading*, Deloney commet un anachronisme en situant son histoire au XIe siècle, car à cette époque l'industrie de la laine ne pouvait être poussée aussi loin. En plaçant dans un passé lointain l'histoire qu'il veut écrire, cela permettait à Deloney plus de liberté dans la satire. On y voit le roi faire une guerre glorieuse en France grâce aux générosités des *clothiers* et, à son retour, la corporation lui offrir un banquet fastueux.

*Le Noble Métier* est dédié aux cordonniers. C'est un curieux livre où l'origine de la corporation est tirée de la *Légende dorée* (saint Crépin) et où Deloney retrace la vie des grands cordonniers. De même que dans ses autres romans, Deloney y mêle paillardise et héroïsme, extravagance et réalisme social.

Je me suis attardé sur Thomas Deloney, bien que celui-ci, en tant qu'écrivain anglais, sorte du cadre de ce livre, mais cette œuvre méconnue en France, et qui n'y trouve point son équivalent avant le XIXe siècle, m'a semblé trop importante pour ne point la signaler. Je ne saurais trop inviter le lecteur à se reporter à l'ouvrage remarquable d'Abel Chevalley [1].

Deloney eut une influence certaine en Angleterre. Il fut plagié, imité, notamment par Thomas Dekker, qui publia en 1599 son *Shoemaker's Holiday* (Mardi-Gras des cordonniers).

1. Cf. *Thomas Deloney, le roman des métiers au temps de Shakespeare*, par Abel Chevalley. Gallimard, 1926.

## De la poésie populaire du XVIe siècle à Adam Billaut et autres poètes ouvriers du XVIIe siècle

Revenons en France, vers cet artisan que Jodelle nous décrit en 1552 :

L'artisan sans fin molesté
A peine fuit la pauvreté.

Exclu des fonctions municipales, l'artisan ne semble guère être prisé des beaux esprits. L'émailleur Bernard Palissy parle de sa « petitesse et abjecte condition ». Ronsard ne cache pas son mépris pour les travailleurs manuels. On ne trouve, dans la poésie du XVIe siècle, que chants de rossignols, effeuillements de roses et éclats d'une cour fastueuse. Pourtant l'expression populaire n'était pas silencieuse. Il nous suffit de nous référer à la chanson. Anonymes en général, les chansons populaires du XVIe siècle étaient souvent composées par des soldats et, de ce fait, s'étendaient plus sur la joyeuseté du vin et des filles que sur la vie de l'artisan. Relevons toutefois la chanson de *La Chambrière à tout faire*, où l'on voit une jeune fille normande aller à Paris chercher un emploi :

Chez les recommanderesses,
Au lieu où sont les adresses
Pour trouver servantes à louer.

Les bureaux de placement ne sont donc pas une invention moderne. Je donnerais bien des poèmes de Ronsard pour cette complainte intitulée le *Da pacem des laboureurs*, qui n'est point indigne des gravures de Callot sur les « Misères de la Guerre » :

A la sueur de mon visage
J'ai labouré et meurs de faim,
Trois jours et qu'un morceau de pain
Je ne mangeay en mon ménage,
Quia non est.

J'ai planté, pressé, vendangé;
J'ai fumé les champs et pâtis,
Pour donner vie à nos petits,
Mais je vois que tout est mangé,
Alius.

Mon Seigneur Dieu, tu sais combien
On m'a fait chacun jour d'alarmes;
Comme sergents royaux, gens d'armes
Et autres avec, qu'on sait bien
Qui

Pour à mes veaux la tête fendre,
Pour bien égorger mes moutons
Sont gens qui ont barbe au menton.
Mais cherchez qui pour me défendre,
Pugnet?

Hélas! c'est bien pour se débattre,
Entre nous, pauvres laboureurs,
Quand un tas de méchants coureurs,
Nous battent en lieu de combattre.
Pro nobis.

Enfin, au XVII^e^ siècle, vint Adam Billaut [1], que l'on appela en son temps le « Virgile au rabot ». Comme Burns devint poète en conduisant sa charrue, comme Hans Sachs trouva l'inspiration en faisant des souliers, Adam Billaut, né le 31 janvier 1602, à Nevers, d'une pauvre famille paysanne, fut à la fois menuisier et poète.

Adam Billaut vécut jusqu'à trente-cinq ans à Nevers, sa ville natale, célèbre parmi les Neversois, un peu écrivain public en même temps que menuisier. Les fiancés lui commandaient leur lit nuptial avec l'épithalame destiné à être chanté à la noce. S'il menuisait un cercueil, il devait écrire également l'épitaphe destinée à être gravée sur la tombe. C'est alors que l'abbé de Marolles le rencontra par hasard, lut ses vers et considéra ce menuisier « comme une des plus rares choses du siècle ». Il le fit connaître à la duchesse de Nevers et ainsi Adam Billaut fut lancé dans le monde, particulièrement dans cette société de « poètes crottés » et de belles dames que peignit Tallemant des Réaux et qui évoluait autour de Saint-Amant. Un moment à la mode, tous les écrivains parlent de lui. Corneille le met dans un sonnet, Rotrou lui consacre une épigramme, Scarron et Scudéry lui dédient des odes. Cette vogue, la pension que lui accorde Richelieu, l'accueil qui lui est fait à la cour devaient tourner la tête au pauvre artisan. Mais Adam Billaut s'aperçut que les beaux esprits qui le flagornaient voyaient surtout en lui une singularité amusante. Amer, le poète partit en Italie où il commença

1. Cf. *Rimailleurs et poétereaux*, par André Trofimoff, Chambriand, éd. 1951. Quarante et une pages sont consacrées à Adam Billaut, poète bachique. L'auteur fait peu mention du caractère ouvrier de ce poète.

# I. LITTÉRATURE DE COLPORTAGE EXPRESSION POPULAIRE

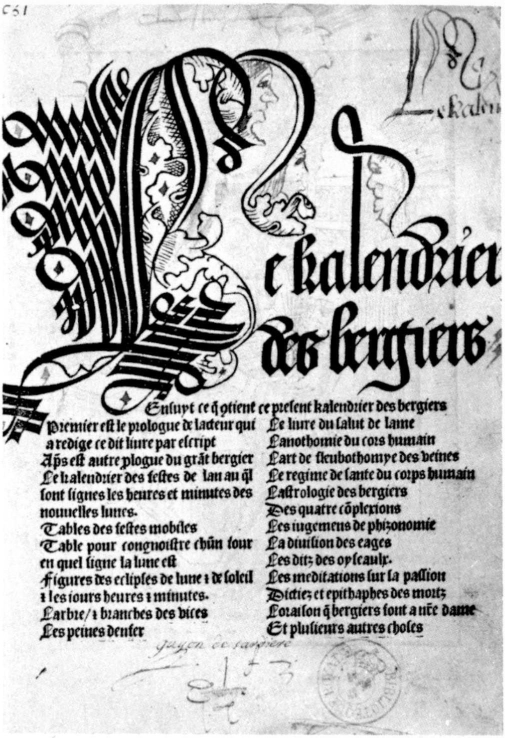

Le kalendrier des bergiers

Ensuyt ce q̃ cõtient ce present kalendrier des bergiers

Premier est le prologue de lacteur qui a redige ce dit liure par escript
Aps est autre plogue du grãt bergier
Le kalendrier des festes de lan au ql sont signes les heures et minutes des nouuelles lunes.
Tables des festes mobiles
Table pour congnoistre chũn iour en quel signe la lune est
Figures des eclipses de lune & de soleil & les iours heures & minutes.
Larbre/& branches des vices
Les peines denfer
Le liure du salut de lame
Lanothomie du cors humain
Lart de fleubothomye des veines
Le regime de sante du corps humain
Lastrologie des bergiers
Des quatre cõplexions
Les iugemens de phizonomie
La diuision des eages
Les ditz des oyseaulx.
Les meditations sur la passion
Dictiez et epithaphes des mortz
Loraison q̃ bergiers font a nr̃e dame
Et plusieurs autres choses

Grand Compost des Bergiers, 1497. *Bibliothèque nationale*

Prologue de lacteur qui par escript a mis ce kalẽdrier des bergiers

Ung bergier gardãt brebis aux champs qui nestoit clerc & si nauoit aucune con gnoissance des escriptures mais seulle ment par son sens naturel et entende ment disoit Cõbien q̃ viure et mourir soient au plaisir & volente de nostre sei gneur si doit lhõme naturellemẽt viure iusques a lxxii. ans ou plus. Sa raison estoit Au tant de temps que lhomme est a venir a force/vigueur et beaulte: autant en doit mettre pour enuellir/ affoiblir/et tourner a neant. Mais le terme de croistre et venir lhomme en

a ii

Grand Compost des Bergiers, 1497. *Bibliothèque nationale*

▶

Adam Billaut. Portrait en frontispice à son livre *Les Chevilles*, 1644. *Bibliothèque nationale*

Portrait de Babeuf. *Doc. M.R.*

Première page de *Misère des Apprentis imprimeurs*, par Dufrène, 1710. *Bibliothèque nationale*

Première page de *L'État de Servitude* ou *La Misère des Domestiques*, 1711. *Bibliothèque nationale*

Cy parle le bergier par vng prologue ꝯtenant la diuision de son compost et kalendrier.

On peult aussi sauoir et congnoistre par les douze moys de lan ⁊ par quatre saisons lesquelles y sont cestassauoir Printemps. Este Autonne.et yuer.que lhomme doit viure naturellement lxxii.ans ou plus. Nous bergiers disōs q̄ leage de lhōme lxxii.ans est cōme vng an seul: comprenant tousiours six ans pour chascun moys de lan. Car comme lan se change en xii.manieres diuerses par les xii. moys: ainsi lhōme se change en son eage pareillemēt de six ans en six ans iusques a douze foys qui font iustement lxxii.ans que peult viure par cours de nature. Ou qui veult ce cōgnoistre par les quatre saisons: doit sauoir q̄ leage de lhōme.lxxii. ans est diuisee par quatre parties lesquelles sont Jeunesse/Force/Sagesse/⁊ Viellesse

a iii

*Grand Compost des Bergiers*, 1497. *Bibliothèque nationale*

Colporteur de journaux, eau-forte allemande, 1588. *Bibliothèque nationale*.

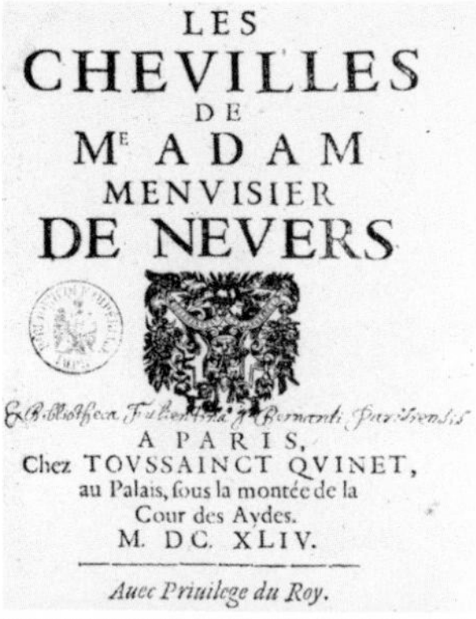
LES
CHEVILLES
DE
M^E ADAM
MENVISIER
DE NEVERS

A PARIS,
Chez TOVSSAINCT QVINET,
au Palais, ſous la montée de la
Cour des Aydes.
M. DC. XLIV.

*Auec Priuilege du Roy.*

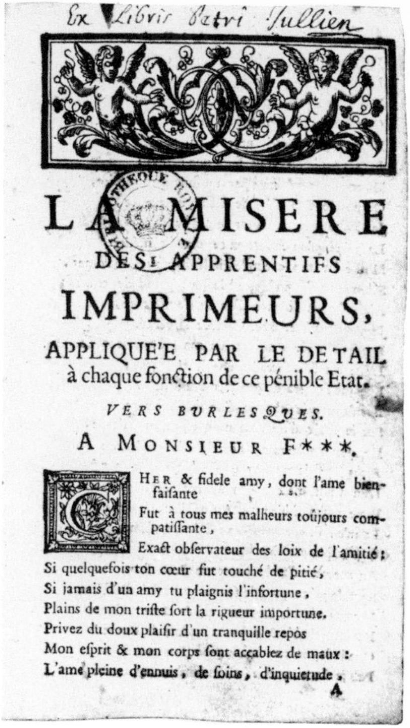


LA MISERE
DES APPRENTIFS
IMPRIMEURS,
APPLIQUE'E PAR LE DETAIL
à chaque fonction de ce pénible Etat.

*VERS BURLESQUES.*

A MONSIEUR F***.

CHER & fidele amy, dont l'ame bien-faiſante
Fut à tous mes malheurs toûjours compatiſſante,
Exact obſervateur des loix de l'amitié;
Si quelquefois ton cœur fut touché de pitié,
Si jamais d'un amy tu plaignis l'infortune,
Plains de mon triſte ſort la rigueur importune.
Privez du doux plaiſir d'un tranquille repos
Mon eſprit & mon corps ſont accablez de maux:
L'ame pleine d'ennuis, de ſoins, d'inquietude,

A

L'ETAT
DE
SERVITUDE,
OU
LA MISERE
DES DOMESTIQUES.



A PARIS,
Chez GUILLAUME VALLEYRE, ruë
S. Jacques, à la ville de Riom.
M. DCC XI.
*AVEC APPROBATION ET PERMISSION.*

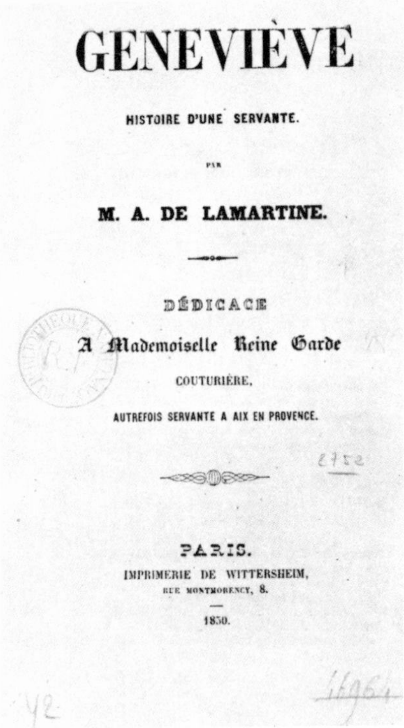

# GENEVIÈVE

HISTOIRE D'UNE SERVANTE.

PAR

M. A. DE LAMARTINE.

DÉDICACE

A Mademoiselle Reine Garde

COUTURIÈRE,

AUTREFOIS SERVANTE A AIX EN PROVENCE.

PARIS.

IMPRIMERIE DE WITTERSHEIM,

RUE MONTMORENCY, 8.

1850.

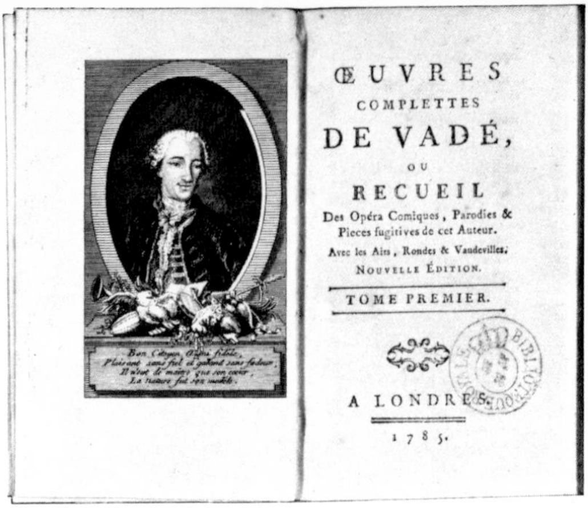

ŒUVRES COMPLETTES DE VADÉ, OU RECUEIL

Des Opéra Comiques, Parodies & Pieces fugitives de cet Auteur.

Avec les Airs, Rondes & Vaudevilles.

NOUVELLE ÉDITION.

TOME PREMIER.

A LONDRES.

1785.

Page de titre et frontispice des *Œuvres complètes* de Vadé, tome premier, Londres, 1785. *Bibliothèque nationale*

Page de titre de *Geneviève, histoire d'une servante*, par Lamartine, 1850. *Bibliothèque nationale*

« M. de Lamartine haranguant le peuple à l'Hôtel de Ville, le 26 février 1848 ». *L'Illustration*, 1848

à regretter sa rue de Nevers et ses outils. Brusquement, il quitta « le monde » et retourna à Nevers, près de sa femme et de ses trois enfants qu'il avait abandonnés, grisé par sa gloire imprévue.

Ses poésies bachiques, ses épîtres aux « grands », ses sonnets et ses odes forment le gros de son œuvre et ne diffèrent guère de la poésie flagorneuse et précieuse, à la mode sous Louis XIII. Ce qui lui vaut notre attention, c'est bien plutôt le revirement qui s'opère chez Adam Billaut lorsqu'il a renoncé à la cour et repris son métier. Il écrit alors à un ami :

Mais pourtant tu sauras que le bruit de ma scie
Me plaît mieux mille fois que le bruit de la cour.

Il s'affirme alors dans son originalité :

Le vice n'est pas grand de ne posséder rien;
Un homme de vertu ne manque pas de bien;
J'en trouverai toujours assez dans ma boutique
Suivant de mon rabot la première pratique...

Il devient le poète ouvrier, fier à la fois de son rabot et de ses vers :

Pourvu qu'en rabotant ma diligence apporte
De quoi faire rouler la course d'un vivant,
Je serai plus content de vivre de la sorte
Que si j'avais gagné tous les biens du Levant.
S'élève qui voudra sur l'inconstante roue
Dont la déesse aveugle en nous trompant se joue,
Je ne m'intrigue point de son funeste accueil.
...
Qu'on sache que je suis d'une tige champêtre,
Que mes prédécesseurs menaient les brebis paître,
Que la rusticité vit naître mes aïeux,
Mais que j'ai ce bonheur, en ce siècle où nous sommes,
Que, bien que je sois bas au langage des hommes,
Je parle quand je veux le langage des dieux.
...
Tel grand va s'étonnant de voir que je rabote,
A qui je répondrai pour le désabuser
En son aveuglement, que son âme radote
De posséder des biens dont il ne sait user;
Qu'un partage inégal des dons de la nature
Ne nous fait pas jouir d'une même aventure;

Mais que ma pauvreté peut vaincre son orgueil,
Pour si peu de secours que la fortune m'offre,
Puisque pour ses trésors, en pensant faire un coffre,
Peut être que du bois j'en ferai son cercueil.

Adam Billaut mourut le 19 juin 1662, après avoir publié en 1644 ses *Chevilles* et en 1651 une mazarinade : *Le Claquet de la fronde*. Un nouveau recueil de vers, *Le Vilebrequin*, parut en 1663. On n'a pu retrouver un quatrième volume dont il annonçait la parution : *Le Rabot*.

***

On sait peu de chose des autres poètes ouvriers, contemporains d'Adam Billaut, sinon qu'ils considéraient celui-ci comme un maître. Le serrurier Réault dédiait ce quatrain à « Maître Adam » :

Pour faire en ta faveur un ouvrage assez beau,
Qui, comme ta varlope illustrât mon enclume,
Il faudrait maintenant m'escrimer de la plume
Aussi bien que je sais m'escrimer du marteau.

Le pâtissier Ragueneau fut tiré de l'oubli par Edmond Rostand (cf. *Les Tartelettes amandines*). Après avoir été pillé par ces « poètes crottés » qui pullulaient au temps de Louis XIII, Ragueneau devint « moucheur de chandelles » dans la troupe de Molière. C'est encore à Adam Billaut qu'il écrivait ce sonnet :

Je croyais être seul de tous les artisans,
Qui fût favorisé des dons de Calliope;
Mais je me range, Adam, parmi tes partisans,
Et veux que mon rabot le cède à ta varlope.

Je commence à connaître, après plus de dix ans,
Que, dessous moi, Pégase est un cheval qui chope;
Je vais donc mettre en pâte et perdrix et faisans,
Et contre le fourgon me noircir en cyclope.

Puisque c'est ton mestier de fréquenter la cour,
Donne-moy tes outils pour échauffer mon four;
Car tes muses ont mis les miennes en déroute.

Tu souffriras pourtant que je me flatte un peu;
Avecque plus de bruit tu travailles, sans doute,
Mais, moi, je travaille avec plus de feu.

L'émailleur Jean Grillet dédiait un poème au coiffeur Champagne, adressait en vers une facture au Palais-Royal et écrivait parfois des poèmes non négligeables. Il publia en 1647 un recueil intitulé *La Beauté des plus belles dames de la Cour. Les actions héroïques des plus vaillants hommes de ce temps. Avec la rime heureusement rencontrée sur toutes sortes de noms. Et plusieurs autres pièces sur divers sujets gaillards et sérieux.*

L'ensemble de l'ouvrage est exécrable. Mais parfois Jean Grillet prend conscience de son état, et alors il devient émouvant. « Je me suis souvenu de mon métier d'émailleur, je l'ai émaillé de quantité de belles pensées », écrit-il. Que ne s'en est-il souvenu plus souvent! Il eût pu écrire d'autres poèmes comme celui du souffleur de verre :

N'étiez-vous pas au soir ravis
De me voir en soufflant le verre
Imiter le bruit du tonnerre?
Vous le fûtes, à mon avis,
Vous avez cru que les démons
M'aidaient à faire des babioles,
Surtout faisant ces grandes fioles
Avec le vent de mes poumons.

Cet objet si net et si clair
Qui semblait couvert d'étincelles
Le faisant éclater en l'air
En un million de parcelles.

Je vous étonnai grandement
Et de vous comme à la pareille
Je reçus de l'étonnement
Quand je fis péter la bouteille.

Devant la porte de son atelier, à Essonnes, Jean Grillet avait mis cette affiche :

Vous pouvez voir souffler le verre
Et faire des pièces d'émail,
C'est le plus bel art de la terre,
Pour cent francs l'on voit ce travail.
Mais je me trompe, cet écrit
Réduit mon gain à des oboles,
Apollon trouble mon esprit,
J'ai dit cent francs pour cent pistoles.

## Vadé, la Courtille, Sedaine
## Restif de la Bretonne, Jean-Jacques Rousseau

Placer dans le cadre de notre sujet, au XVIIIe siècle, Vadé et Restif de la Bretonne, peut paraître un choix contestable. Nous ne le faisons pas, non plus, sans réserves. Vadé et Restif se sont plus attardés avec les mauvais garçons qu'avec le peuple laborieux, mais Vadé est néanmoins le chantre de la Courtille et il a introduit en poésie le langage populaire tel qu'il se parlait aux Halles à l'époque des Encyclopédistes.

Qu'est-ce que la Courtille? Un quartier populaire. Une mode. Au milieu du XVIIe siècle, la guinguette du Tambour royal, tenue par le cabaretier Ramponneau, abreuvait la population des faubourgs. Les grands seigneurs et les grandes dames, comme plus tard rue de Lappe, aimaient venir s'y mêler à la populace. Ramponneau, caricaturé, gravé sur estampes, chansonné, fut une figure populaire aussi célèbre que Gaultier-Garguille, le chansonnier qui déclamait les vers d'Adam Billaut sur le Pont-Neuf. La Courtille devint un lieu de pèlerinages bachiques. Au temps de Vadé, la *Muse limonadière*, du perruquier André, est glorieuse. Les carrosses font queue à sa boutique. Sedaine, Piron, Grimm, le maréchal de Richelieu, sont des assidus de la Courtille. Vadé (1720-1757) est un employé de bureau qui écrit des opéras joués avec un certain succès. Il a son lieu de travail juste dans le quartier à la mode et ce hasard, plus que ses opéras, lui vaut de survivre. Son long poème de quarante-six pages, *La Pipe cassée*, en vers octosyllabiques, a tout à coup un accent profondément senti lorsqu'il parle de la Courtille. Carco ne fera pas mieux dans ses meilleurs vers.

Voir Paris sans voir la Courtille
Où le peuple joyeux fourmille,
Sans fréquenter les Porcherons,
Le rendez-vous des bons lurons,
C'est voir Rome sans voir le pape.
Aussi, ceux à qui rien n'échappe,
Quittent souvent le Luxembourg
Pour jouir dans quelque faubourg
Du spectacle de la guinguette.

Courtille, Porcherons, Villette.
C'est chez vous que puisant ces vers,
Je trouve des tableaux divers;
Tableaux vivants où la Nature

Peint le grossier en miniature.
...
C'est alors qu'il faisait beau voir
Cette troupe heureuse et rustique,
S'égayer dans un choc bachique.
Vous courtisans, vous grands seigneurs,
Avec tous vos biens, vos honneurs,
Dans vos fêtes je vous défie
De mener plus joyeuse vie.
Vos plaisirs vains et préparés
Peuvent-ils être comparés
A ceux dont mes héros s'enivrent!
Sans soins, sans remords, ils s'y livrent;
Mais vous prétendus délicats,
Dans vos magnifiques repas,
Esclaves de la complaisance,
Et gênés au sein de l'aisance,
Prétendez-vous savoir jouir?

Quel heureux tableau des réjouissances populaires! Les vers de Voltaire, qui traitait Vadé de « polisson », ne sont pas meilleurs, certes, que ceux de notre poète. Voyez aussi comment il sait nous décrire les débardeurs du Port-au-Blé :

On sait que sur le Port-au-Blé
Maints forts-à-bras sont assemblés,
L'un pour, sur ses épaules larges,
Porter ballots, fardeaux ou charges;
Celui-ci pour les débarquer,
Et l'autre enfin pour les marquer.
On sait, ou peut-être on ignore,
Que tous les jours avant l'aurore
Ces beaux muguets à brandevin
Vont chez la veuve Rabavin
Tremper leur cœur dans l'eau-de-vie,
Et fumer, s'ils en ont envie.

Bien sûr, les *Œuvres complètes* de Jean-Joseph Vadé, qui emplissent quatre volumes, sont loin d'être écrites dans une veine aussi heureuse. Mais il nous faut aussi citer ses *Bouquets poissards* où, avec verve, il nous fait une peinture de mœurs du monde des halles, et ses *Lettres à la Grenouillère* (1749), où il fait parler à un marinier et à une blanchisseuse leur vrai langage.

***

A la même époque, on chantait dans les rues de Paris les chansons du maçon Alexandre :

I

Hélas si je murmure
Ce n'est point sans raison;
Y a-t-il gens plus ridicules
Que Messieurs les Maçons?
Sitôt que l'on commande
Avec un ton brutal,
Il faut sans faire de réplique,
Au plus vite leur obéir
Tout ainsi qu'un esclave.

2

Si vous voulez l'entendre
Ce n'est point encore tout,
Dans le mois de décembre
L'on nous rabat trois sous.
Et pour mieux éprouver
La force de notre zèle,
Sans que nous puissions raisonner,
L'on nous oblige à travailler
Le soir à la chandelle.

3

Si l'on s'amuse à boire
Que l'on vienne un peu tard,
Un piqueur, d'humeur noire,
Vous jette un mauvais regard.
Et si cela arrive souvent,
Il vient bientôt au fait
En vous disant : mon enfant
Tenez, voilà de l'argent,
Ramassez vos éplettes.

4

Tout ce qui me chagrine
C'est que les maîtres maçons
Ont toute la farine.
Nous n'avons que le son,
Et souvent rien du tout,

Voilà ce qui me fâche;
N'est-ce pas avec raison
Que le proverbe dit sans façon :
Au plus pauvre la besace?

(Vers 1725.)

***

Quant à Michel-Jean Sedaine (1719-1798), à la mode par ses opéras-comiques et ses vaudevilles, il se souvenait dans la préface de ses *Poésies fugitives* qu'il avait été tailleur de pierre :

Pourquoi ne serais-je pas maçon et poète? Apollon, mon seigneur et mon maître, a bien été l'un et l'autre. Pourquoi ne tiendrais-je pas un petit coin sur le Parnasse auprès du menuisier de Nevers? Pourquoi n'associerais-je pas ma truelle au vilebrequin de Maître Adam? Je sais bien qu'on a lieu de se défier qu'un maçon poète ne maçonne mal, et qu'un poète maçon ne fasse de méchants vers. Là-dessus, j'ai fait mon choix : j'aime encore mieux passer pour mal versifier que pour mal bâtir; c'est pour vivre que je suis maçon; je ne suis poète que pour rire.

***

Restif de la Bretonne (1734-1806) parle aussi de la Courtille. Comment eût-il pu en être autrement! Cet autodidacte de génie qui, à onze ans, ne savait pas encore écrire, typographe à Auxerre puis à l'imprimerie du Louvre à Paris, crut gagner mieux sa vie en écrivant des livres qu'en les imprimant. Il avait trente-deux ans lorsqu'il se consacra à la littérature. C'était échanger la gêne pour la misère. Beaumarchais lui offrira bien une imprimerie clandestine pour éditer Voltaire, mais il refusera. On le verra fréquenter les salons de l'aristocratie dans ses habits d'ouvrier, déchirés, couverts de taches. Ce « paysan perverti » conservera un véritable culte pour ses origines paysannes. Atteint de la maladie de la transplantation, il errera dans le Paris nocturne, voulant tout voir et tout écrire, poussant le respect de la vérité jusqu'à ne rien omettre et devenant, par là, peu lisible. Torturé par ses vices, désespéré, en proie à des troubles inguérissables, hanté par trois « monstres » : sa femme, son gendre et le marquis de Sade; ne pouvant se passer de la fange et criant bien haut son besoin de vertu, son œuvre est un fatras ahurissant dans lequel, pourtant, des pages admirables sont à glaner.

Funk-Brentano le savait bien qui l'appelait, reconnaissant, « le plus grand écrivain du XVIIIe siècle ». Pour un spécialiste de la petite histoire, quelle mine d'or que Restif! « Restif est l'homme de Paris qui a le plus vécu dans la rue et le plus fréquenté le petit peuple », écrit Taine. Avoir la patience de lire ses *Nuits de Paris*, c'est découvrir, en effet, mieux que chez tout autre écrivain, un tableau de la société du XVIIIe siècle où le peuple est constamment présent. Les commérages des blanchisseuses, la nuit des halles, les foires, les ouvriers à la Courtille, les balayeurs, les crocheteurs, les bouquetières, les perruquiers, les menuisiers, tout est chez Restif. Et combien de tableautins pris sur le vif, comme celui de la chiffonnière qui vole les chats pour les vendre, de celui qui déchire les affiches pour faire de l'argent au poids du papier, comme celui de cette pauvresse qu'il fait secourir par une marquise de ses amies.

> De tous les gens de lettres, écrit Restif, je suis peut-être le seul qui connaisse le peuple en me mêlant à lui. Je veux le peindre.

Aigri, il n'est cependant guère tendre pour ce peuple dont il est issu. Et c'est en ces termes qu'il prédit la révolution de 1789 pendant laquelle il fut en proie à une véritable hystérie révolutionnaire, ne voyant dans ce renversement de régime qu'une sorte de brigandage légal :

> Il ne faut pas que le peuple gagne trop; il ressemble aux estomacs que trop de nourriture engorge et rend paresseux... Une révolution funeste se prépare. L'esprit d'insubordination s'étend, se propage. C'est dans la classe la plus basse qu'il fermente sourdement.

***

D'une génération l'aîné de Restif de la Bretonne, mais contemporain de Sedaine, Jean-Jacques Rousseau (1712-1778) n'est évidemment ni un écrivain ouvrier ni un écrivain prolétarien. Mais il serait anormal qu'il ne figure pas ici puisqu'il a été et demeure le modèle de la plupart des écrivains autodidactes.

Ce fils d'ouvrier horloger, qui passait des nuits avec son père à lire Plutarque et des romans, cet ancien apprenti graveur, cet ancien laquais, devenu auteur et musicien à la mode, resta plébéien dans une société aristocratique. Avec Rousseau éclate dans toute son ampleur l'aventure du déclassé. Mais, contrairement à ses lointains disciples qui se montreront déchirés entre deux classes, entre deux cultures, Rousseau affiche très vite sa préférence pour une liberté inconditionnelle. L'argent et les honneurs lui importent peu. Si les marquises et les comtesses ne cesseront de le fasciner, il n'en aura pas moins pour compagne une fille du peuple, illettrée. Alors que tout son siècle loue le progrès, les arts, le luxe, le plaisir, il proclame que la modernité est décadente, qu'elle suscite de faux besoins. Il crée dans ses romans des personnages qui mènent une vie saine à la campagne, demande aux mères d'allaiter leurs enfants, aux gentilshommes de manier le rabot. Cet original qui, au XVIIIe siècle, vit en sauvage et qui écrit surtout pour se justifier, aura sans doute la plus grande influence sur les goûts, les mœurs, la politique, que jamais écrivain ait eue. Les révolutionnaires de 1789 s'efforcent de mettre en pratique *Le Contrat social*, les écrivains romantiques mettent à la mode son goût solitaire de la nature sauvage. Il est aussi bien le précurseur du roman champêtre à la George Sand, que du roman autobiographique si abondant dans la littérature moderne. Mais un seul de ses livres peut être rattaché à notre propos : *Les Confessions* (1781-1788). A lui seul, il est vrai, il résume la plupart des confessions d'autodidactes ultérieures. Nul n'a fait mieux. Rousseau reste une sorte d'archétype : le plébéien en porte à faux dans la classe dominante. L'étonnant, c'est que, finalement, ce sont ses idées qui aient prévalu et qu'il soit à la source non seulement de la première révolution française, mais de toutes les utopies postérieures.

## Les cahiers aux États généraux
## Babeuf et les bourgeois révolutionnaires

Au moment où furent rédigés les *Cahiers* pour la réunion des États généraux, l'artisanat n'était plus, depuis longtemps, la fonction d'un ouvrier libre. L'artisan était devenu soit un bourgeois, soit un gueux sans outil, obligé de se louer à plus chanceux.

Les villes s'étaient encombrées de « paysans sans terre », de petits artisans dépossédés de leur métier par la bourgeoisie montante et qui venaient grossir le peuple misérable de ces prolétaires confondus avec le Tiers État.

Si le Moyen Age avait interdit le travail de nuit, de nombreuses dérogations à cette loi commencèrent au XVIe siècle et une discipline rigoureuse sévit dorénavant dans les ateliers. Au XVIIIe siècle, les règlements d'atelier interdisaient à l'ouvrier de blasphémer, de menacer, de railler, de causer, de se promener. Il devait être rentré chez lui à 10 heures du soir en été et à 8 heures du soir en hiver. Georges Renard cite, dans son *Histoire universelle du travail* (Alcan éd. 1920), cette déclaration d'un industriel : « Il est très important de retenir l'ouvrier dans un besoin continuel de travail, de ne jamais oublier que le bas prix de la main-d'œuvre est non seulement avantageux en lui-même pour le fabricant, mais qu'il le devient en rendant l'ouvrier plus laborieux, plus réglé dans ses mœurs, plus soumis à ses volontés. »

En 1789, d'après Lavoisier, la population industrielle de la France comprenait neuf millions d'individus. Mais seuls, les possesseurs de lettres de maîtrise, c'est-à-dire les maîtres artisans, furent admis à participer aux votes pour les délégations aux États généraux. Rien d'étonnant alors que sur les cinq mille brochures parues avant la réunion des États généraux, et que dépouilla A. Lichtenberger [1], il n'en put trouver qu'une vingtaine protestant contre les souffrances des salariés.

L'ouvrier, le « bras nu », n'avait pas encore dégagé la physionomie particulière d'une autre classe, d'un quatrième état. Depuis longtemps, il essayait pourtant de s'organiser. Les grèves furent fréquentes sous l'Ancien Régime. L'obligation du travail, les punitions de peines corporelles pour le chômage prolongé, les émeutes contre l'introduction des nouvelles machines [2], rien de toutes ces luttes ne figure dans les *Cahiers* aux États généraux.

Pourtant, des ouvriers de Caen firent une pétition destinée à la réunion des États généraux, par laquelle ils demandaient : « la suppression des méchaniques de filature... qui n'occupent qu'un dixième des ouvriers qu'occupaient auparavant les filatures à la main; et, par conséquent, enlèvent aux neuf autres dixièmes leur existence et leur pain ».

Le 3 mai 1789, une pétition rédigée au nom des cent cinquante mille ouvriers et artisans de Paris fut remise entre les mains du secrétaire de l'Assemblée du Tiers État :

1. Cf. *Socialisme au* XVIIIe *siècle* (Alcan, 1895) et *Le Socialisme et la Révolution française*, par André Lichtenberger.

2. Vaucanson, le célèbre créateur d'automates, ayant voulu apporter des améliorations aux métiers à tisser utilisés à Lyon en 1744, les ouvriers firent une chanson contre le machinisme :

*Un Certain Vocanson*
*Grand garçon*
*A reçu une patta (de l'argent)*
*De los maîtres marchands*
*Gara, gara la gratta*
*S'y tombe entre nos mains.*

Cette menace n'était pas que chansonnette car Vaucanson n'échappa de Lyon que déguisé en capucin. Pour se venger, il construisit l'automate de l'âne tissant.

Pourquoi nous oublier, nous, pauvres artisans, sans lesquels nos frères éprouveraient les besoins que nos corps infatigables satisfont ou préviennent chaque jour? Ne sommes-nous donc pas des hommes, des Français, des citoyens?

Les *Doléances du pauvre peuple*, au nom des « manouvriers, journaliers, artisans et autres, dépourvus de toute propriété », déplorent que le choix des représentants du Tiers État ne soit fait que parmi les propriétaires : « Parmi les représentants qui ont été choisis, il n'en est aucun de notre classe, et il semble que tout a été fait en faveur des riches. » Enfin, le *Cahier du quatrième ordre* demande que « cette classe immense de journaliers, de salariés, de non gagés... cette classe qui a tant de représentations à faire », soit constituée en Quatrième Ordre.

Demandes vaines. Ces observations furent rarement enregistrées. La situation misérable des ouvriers étant moins connue que celle des paysans, l'État négligea cette nouvelle force.

Il est assez curieux de voir les paysans de la province du Maine exprimer des doléances au sujet des ouvriers dans un *Cahier* de leur province. Non pas par sympathie, ni par charité, mais tout simplement parce que l'installation d'une forge dans leur pays ne leur apportait aucune prospérité et que, d'autre part, les ouvriers employés à cette forge étaient si misérables qu'ils constituaient un danger pour la population paysanne :

Toutes les matières nécessaires à la fabrique appartiennent au directeur, lit-on dans ce rapport. Le service de la forge occupe environ cinq cents personnes... Ce sont tous gens à la journée, tant fait, tant payé. Tout autre travail leur étant, pour ainsi dire, étranger, ils dépendent absolument du maître de forge, qui est le centre unique où vont aboutir tous les gains qui peuvent résulter de la manufacture. Aussi vit-il seul dans l'opulence, et la misère la plus noire est le partage de presque tous ceux qui travaillent pour lui. Il faudrait être sur les lieux pour se faire une idée fidèle de la position de ces malheureux. Dans les trois dernières années, nous avons vu jusqu'à cent quatre-vingt-trois chefs de famille demandant l'aumône et presque tous gens au service de la forge.

Les *Cahiers de compagnonnage* furent rares, la Monarchie voyant d'un mauvais œil les confréries et compagnonnages. Les quelques pages que nous citons constituent le premier témoignage de la collectivité ouvrière, de cette « classe négligeable » qui dut, pendant la Révolution, employer la violence pour forcer l'attention des assemblées législatives [1].

1. Cf. *Les Cahiers de 1789 et les classes ouvrières* (1910), et *La Théorie des classes au* XVIII^e^ *siècle* (1913) par Roger Picard. *La Lutte des classes sous la première République, bourgeois et « bras nus »*, 1793-1797 (2 vol., Gallimard, 1946), par Daniel Guérin.

***

Que la révolution de 1789 ait été la révolution de la bourgeoisie contre la noblesse, c'est un lieu commun de le répéter, mais que pendant cette révolution la bourgeoisie ait lutté contre le prolétariat avec la même férocité que contre la noblesse, ceci est moins souvent souligné. Comme l'écrivait Babeuf, « la tyrannie n'avait fait que changer de main ». Lorsque Robespierre et tous les « grands » de la Révolution furent guillotinés, on connaissait à peine le nom de Babeuf. Autodidacte, d'origine modeste, pendant dix ans domestique, Babeuf différait donc totalement des jeunes bourgeois : Robespierre, Danton ou Camille Desmoulins. Défenseur du peuple, promoteur de théories égalitaires, croyant en sa mission, porté en triomphe par les ouvriers et toujours sans un sou vaillant, Babeuf réclame une véritable société populaire, « où le peuple qui n'a point d'argent ne sera point en dessous de celui qui en a ». Cette attitude lui vaut de multiples persécutions de la bourgeoisie. Emprisonné, clamant plus fort que jamais que les bourgeois révolutionnaires « sont parvenus à pervertir entièrement la morale démocratique », lançant les numéros de son journal *Le Tribun du peuple* comme autant de bombes explosives, Babeuf adresse à l'Assemblée un appel solennel :

> Citoyens, ci-devant sociétaires, confondez-vous avec le peuple, soyez peuple vous-mêmes, rompez les barrières qui séparent votre enceinte de celle de vos concitoyens égaux.

Condamné à mort par le Directoire, Babeuf reste le premier tribun de ce Quatrième État, jusqu'alors sans voix. Le terrain est prêt, maintenant, pour une authentique expression ouvrière.

*Nous avons cité en notes les principaux ouvrages se rapportant directement aux sujets traités. Ceux-ci ne constituent qu'une part minime des ouvrages que nous avons consultés pour notre travail. Mais nous nous sommes borné, pour ce premier chapitre, comme pour ceux qui suivent, à ne citer en référence que les titres qui nous semblent les plus importants. Toutefois, en ce qui concerne la matière de ce premier chapitre, le lecteur aura intérêt à consulter sur les corporations : l'*Histoire des corporations de métier, *par Martin Saint-Léon (in-8, 1897) et l'*Histoire des corporations avant 1789, *par Coornaert (in-8, 1941);*

*sur le compagnonnage :* Le Compagnonnage, *par Martin Saint-Léon (in-16, 1901),* *et* Compagnonnage, *par Raoul Dautry, comprenant une bibliographie complète des ouvrages traitant du compagnonnage, par Roger Lecotté (in-16, 1951); sur la paysannerie :* Les paysans au Moyen Age, *par André Réville (in-8, 1896),* Les classes rurales et le régime domanial en France au Moyen Age, *par Henri Sée (in-8, 1901),* Les Prédications populaires, *par Ch. Petit-Dutaillis (in-8, 1896).*

## Lecture parallèle

ou

## De l'idée et de la représentation du peuple dans la littérature française aux XVIIe et XVIIIe siècles

## Jacques-Bénigne Bossuet, évêque de Meaux (1627-1704)

Ô pauvres, que vous êtes heureux! car le royaume céleste vous appartient. Quelle consolation aux pauvres, que Jésus, si riche et si pauvre par sa volonté, leur promette de si grandes richesses! Quelles meilleures nouvelles leur pouvait-il dire!

*(Caractère du Messie.)*

## Marquise de Sévigné (1626-1696)

Hier au soir, à Cosne, nous allâmes dans un véritable enfer : ce sont des forges de Vulcain; nous y trouvâmes huit ou dix cyclopes forgeant, non pas les armes d'Énée, mais des ancres pour les vaisseaux; jamais vous n'avez vu redoubler des coups si justes, ni d'une si admirable cadence. Nous étions au milieu de quatre fourneaux; de temps en temps ces démons venaient autour de nous, tout fondus de sueur, avec des visages pâles, des yeux farouches, des moustaches brutes, des cheveux longs et noirs : cette vue pourrait effrayer des gens moins polis que nous. Pour moi, je ne comprenais pas qu'on pût résister à nulle des volontés de ces messieurs — là dans leur enfer. Enfin nous en sortîmes avec une pluie de pièces de quatre sous dont notre bonne compagnie les rafraîchit pour faciliter notre sortie.

(A Mme de Grignan, 1er octobre 1677.)

## Boisguillebert (Pierre Le Pesant, sieur de) lieutenant général au bailliage de Rouen (1646-1714)

La condamnation que Dieu prononça contre les hommes en la personne du premier de tous, de ne pouvoir à l'avenir, après son péché, vivre ni subsister que par le travail et à la sueur de leur corps, ne fut ponctuellement exécutée que tant que l'innocence du monde dura, c'est-à-dire tant qu'il n'y eut aucune différence de conditions et d'états : chaque sujet était alors son valet et son maître, et jouissait des richesses et des trésors de la terre à proportion qu'il avait personnellement le talent de les faire valoir; toute l'ambition et tout le luxe se réduisaient à se procurer la nourriture et le vêtement. Les deux premiers ouvriers du monde, qui en étaient en même temps les deux monarques, se partagèrent ces deux métiers : l'un laboura la terre pour avoir des grains, et l'autre nourrit des troupeaux pour se couvrir, et l'échange mutuel qu'ils pouvaient faire les faisait jouir réciproquement du travail l'un de l'autre.

Mais le crime et la violence s'étant mis, avec le temps, de la partie, celui qui fut le plus fort ne voulut rien faire, et jouir des fruits du travail du plus faible, en se rebellant entièrement contre les ordres du Créateur; et cette corruption est venue à un si grand excès, qu'aujourd'hui les hommes sont partagés en deux classes, savoir : l'une qui ne fait rien et jouit de tous les plaisirs, et l'autre qui, travaillant depuis le matin jusqu'au soir, se trouve à peine en possession du nécessaire, et en est même souvent privée entièrement.

(*Dissertation sur la Nature des Richesses, de l'Argent et des tributs, où l'on découvre la fausse idée qui règne dans le monde à l'égard de ces trois articles*, vers 1700.)

## Montesquieu (Charles de Secondat, baron de) (1689-1755)

Ces machines, dont l'objet est d'abréger l'art, ne sont pas toujours utiles. Si un ouvrage est à un prix médiocre, et qui convienne également à celui qui l'achète et à l'ouvrier qui l'a fait, les machines qui en simplifieraient la manufacture, c'est-à-dire qui diminueraient le nombre des ouvriers, seraient pernicieuses; et si les moulins à eau n'étaient pas partout établis, je ne les croirais pas aussi utiles qu'on le dit, parce qu'ils ont fait reposer une infinité de bras, qu'ils ont privé bien des gens de l'usage des eaux, et ont fait perdre la fécondité à beaucoup de terres.

Un homme n'est pas pauvre parce qu'il n'a rien, mais parce qu'il ne travaille pas. Celui qui n'a aucun bien et qui travaille est aussi à son aise que celui qui a cent écus de revenu sans travailler. Celui qui n'a rien et qui a un métier n'est pas plus pauvre que celui qui a dix arpents de terre en propre, et qui doit travailler pour subsister. L'ouvrier qui a donné à ses enfants son art pour héritage leur a laissé un bien qui s'est multiplié à proportion de leur nombre. Il n'en est pas de même de celui qui a dix arpents de fonds pour vivre, et qui les partage à ses enfants.

(*De l'Esprit des Lois*, 1748.)

## Jean-Jacques Rousseau (1712-1778)

Je veux absolument qu'Émile apprenne un métier. Un métier honnête, au moins, direz-vous. Que signifie ce mot? Tout métier utile au public n'est-il pas honnête? Je ne veux point qu'il soit brodeur, ni doreur, ni vernisseur, comme le gentilhomme de Locke; je ne veux qu'il soit ni musicien, ni comédien, ni faiseur de livres. A ces professions près et les autres qui leur ressemblent, qu'il prenne celle qu'il voudra; je ne prétends le gêner en rien. J'aime mieux qu'il soit cordonnier que poète; j'aime mieux qu'il pave les grands chemins que de faire des fleurs de porcelaine. Mais, direz-vous, les archers, les espions, les bourreaux sont des gens utiles. Il ne tient qu'au gouvernement qu'ils ne le soient point. Mais passons; j'avais tort : il ne suffit pas de choisir un métier utile, il faut encore qu'il n'exige pas des gens qui l'exercent des qualités d'âme odieuses, et incompatibles avec l'humanité. Ainsi, revenant au premier mot, prenons un métier honnête : mais souvenons-nous toujours qu'il n'y a point d'honnêteté sans utilité.

(*Émile*, 1762.)

### [L'APPRENTI GRAVEUR]

Mon maître, M. Ducommun, était un jeune homme rustre et violent, qui vint à bout, en très peu de temps, de ternir tout l'éclat de mon enfance, d'abrutir mon caractère aimant et vif, et de me réduire, par l'esprit ainsi que par la fortune, à mon véritable état d'apprenti. Mon latin, mes antiquités, mon histoire, tout fut pour longtemps oublié; je ne me souvenais pas même qu'il y eût eu des Romains au monde. Mon père, quand je l'allais voir, ne trouvait plus en moi son idole; je le sentais si bien moi-même que M. et M^lle^ Lambercier n'auraient plus reconnu en moi leur élève, que j'eus honte de me présenter à eux, et ne les ai plus revus depuis lors. Les goûts les plus vils, la plus basse polissonnerie, succédèrent à mes aimables amusements, sans m'en laisser même la moindre idée. Il faut que, malgré l'éducation la plus honnête, j'eusse un grand penchant à dégénérer; car cela se fit rapidement sans la moindre peine; et jamais César si précoce ne devint si promptement Laridon.

Le métier ne me déplaisait pas en lui-même : j'avais un goût vif pour le dessin, le jeu de burin m'amusait assez; et, comme le talent du graveur pour l'horlogerie est très borné, j'avais l'espoir d'en atteindre la perfection. J'y serais parvenu peut-être si la brutalité de mon maître et la gêne excessive ne m'avaient rebuté du travail. Je lui dérobais mon temps pour l'employer en occupations du même genre, mais qui avaient pour moi l'attrait de la liberté. Je gravais des espèces de médailles pour nous servir, à moi et à mes camarades, d'ordre de chevalerie. Mon maître me surprit à ce travail de contrebande, et me roua de coups, disant que je m'exerçais à faire de la fausse monnaie, parce que nos médailles avaient les armes de la République. Je puis bien jurer que je n'avais nulle idée de la fausse monnaie, et très peu de la véritable :

je savais mieux comment se faisaient les as romains que nos pièces de trois sous.

La tyrannie de mon maître finit par me rendre insupportable le travail que j'aurais aimé, et par me donner des vices que j'aurais haïs, tels que le mensonge, la fainéantise, le vol. Rien ne m'a mieux appris la différence qu'il y a de la dépendance filiale à l'esclavage servile, que le souvenir des changements que produisit en moi cette époque. Naturellement timide et honteux, je n'eus jamais plus d'éloignement pour aucun défaut que pour l'effronterie. Mais j'avais joui d'une liberté honnête, qui seulement s'était restreinte jusque-là par degrés, et s'évanouit enfin tout à fait. J'étais hardi chez mon père, libre chez M. Lambercier, discret chez mon oncle; je devins craintif chez mon maître, et je fus dès lors un enfant perdu. Accoutumé à une égalité parfaite avec mes supérieurs dans la manière de vivre, à ne pas connaître un plaisir qui ne fût à ma portée, à ne pas voir un mets dont je n'eusse ma part, à n'avoir pas un désir que je ne témoignasse, à mettre enfin tous les mouvements de mon cœur sur mes lèvres, qu'on juge de ce que je dus devenir dans une maison où je n'osais pas ouvrir la bouche, où il fallait sortir de table au tiers du repas, et de la chambre aussitôt que je n'y avais rien à faire; où sans cesse enchaîné à mon travail, je ne voyais qu'objets de jouissances pour d'autres et de privations pour moi seul; où l'image de la liberté du maître et des compagnons augmentait le poids de mon assujettissement; où, dans les disputes sur ce que je savais le mieux, je n'osais ouvrir la bouche; où tout enfin ce que je voyais devenait pour mon cœur un objet de convoitise, uniquement parce que j'étais privé de tout.

(*Confessions*, 1766.)

## Voltaire (1694-1778)

Il est à propos que le peuple soit guidé, et non pas qu'il soit instruit; il n'est pas digne de l'être.

(Lettre du 19 mars 1766.)

Je crois que nous ne nous entendons pas sur l'article du peuple, que vous croyez digne d'être instruit. J'entends par peuple la populace, qui n'a que ses bras pour vivre. Je doute que cet ordre de citoyens ait jamais le temps ni la capacité de s'instruire; ils mourraient de faim avant de devenir philosophes. Il me paraît essentiel qu'il y ait des gueux ignorants.

(Lettre du 1er avril 1766.)

Distinguons, dans ce que vous appelez peuple, les professions qui exigent une éducation honnête, et celles qui ne demandent que le travail des bras et une fatigue de tous les jours. Cette dernière classe est la plus nombreuse. Celle-là, pour tout délassement et pour tout plaisir, n'ira jamais qu'à la grand-messe et au cabaret, parce qu'on y chante, et qu'elle y chante elle-même; mais pour les artisans plus relevés, qui sont forcés par leur profession même à réfléchir beaucoup, à perfectionner leur goût, à étendre leurs lumières, ceux-là commencent à lire dans toute l'Europe... Les Parisiens seraient bien étonnés s'ils voyaient dans plusieurs villes de Suisse, et surtout dans Genève, presque tous ceux qui sont employés aux manufactures passer à lire le temps qui ne peut être consacré au travail. Non, Monsieur, tout n'est pas perdu quand on met le peuple en état de s'apercevoir qu'il a un esprit. Tout est perdu, au contraire, quand on le traite comme une troupe de taureaux, car, tôt ou tard, ils vous frappent de leurs cornes.

(Lettre du 15 mars 1767.)

A l'égard du peuple, il sera toujours sot et barbare... Ce sont des bœufs auxquels il faut un joug, un aiguillon et du foin.

(Lettre du 2 février 1769.)

**Diderot (1713-1784)**

Il faut que le peuple vive, mais il faut que sa vie soit pauvre et frugale : plus il est occupé, moins il est factieux, et il est d'autant plus occupé, qu'il a plus de peine à pourvoir à ses besoins.

Pour l'appauvrir, il faut créer des gens qui le dépouillent, et dépouiller ceux-ci; c'est un moyen d'avoir l'honneur de venger le peuple, et le profit de la spoliation.

Il faut lui permettre la satire et la plainte : la haine renfermée est plus dangereuse que la haine ouverte.

(*Principes de Politique des Souverains*, 1775.)

**Restif de La Bretonne (1734-1806)**

Depuis quelque temps les ouvriers de la capitale sont devenus intraitables parce qu'ils ont lu, dans nos livres, une vérité trop forte pour eux : que l'ouvrier est un homme précieux. Depuis qu'ils l'ont lue, cette vérité, ils paraissent prendre à tâche de la rendre un mensonge en négligeant leur travail et en diminuant de valeur au moins de la moitié.

(*Les Nuits de Paris*, 7 novembre 1785.)

En m'en retournant, je trouvai deux hommes ivres assez plaisants. C'étaient deux ouvriers; l'un demandait à l'autre une prise de tabac.

— Non! Je ne communique pas avec un ivrogne comme toi, un sac à vin, un débauché, qui se passe par le gosier, avec des misérables comme lui, le pain, les habits, les coiffes, les souliers de sa femme et de ses enfants, les

cuillères, les fourchettes, les garnitures de lit, et jusqu'aux chenets et pincettes de son foyer.
— Mais c'est toi qui l'as fait!
— Si c'est moi, je ne veux plus boire avec moi. Je suis un gueux et je me méprise... comme un verre d'eau... As-tu bu avec moi, toi?
— Oui, tu le sais bien, nous venons de la Courtille.
— Tu as bu avec moi? C'est bien sûr?
— Oui, oui...
— Eh bien, tiens, prends ce bon soufflet et ce coup de pied... Tu es un misérable de boire avec un coquin comme moi, sans âme, sans conduite.
— Ah! tu me frappes? Tiens, voilà pour toi.

Ils se battirent et je les séparai. Je ramenai le plus ivre, auquel je tâchai de faire entendre la raison. Il m'écoutait; nous arrivâmes à sa porte. Il ouvrit et nous montâmes. Je trouvai une femme au désespoir, et des enfants demi-nus.

— Monsieur, me dit cette infortunée, pendant notre absence, il y a trois jours, il a tout vendu pour aller boire. Il est d'une profession dont la main-d'œuvre est augmentée depuis quelque temps, presque du double; mais maudite soit l'augmentation! Sous prétexte qu'il peut gagner en trois jours autant qu'en six, il libertine trois jours et mange, outre son gain, le peu que nous avions.

Je sentis combien cette femme avait raison! Je tâchai de la consoler, et je lui promis d'intéresser en sa faveur une dame respectable qui ferait intimider son mari. Je la quittai fort pensif et voici mes réflexions :

De tous les gens de lettres, je suis peut-être le seul qui connaisse le peuple, en me mêlant à lui. Je veux le peindre; je veux être la sentinelle du bon ordre. Je suis descendu dans les plus basses classes, afin d'y voir tous les abus. Prenez garde, philosophes! l'amour de l'humanité peut vous égarer. Ce que vous appelez le mieux pourrait être le pire. Il ne faut pas que le peuple gagne trop; il ressemble aux estomacs que trop de nourriture engorge et rend paresseux; en croyant bien faire, croyez-en mon expérience, vous pouvez tout perdre. Et vous, magistrats, prenez plus garde encore! Une révolution funeste se prépare. L'esprit d'insubordination s'étend, se propage. C'est dans la classe la plus basse qu'il fermente sourdement. Je vous le dénonce publiquement et, si vous daignez vous instruire, cent preuves pour une vous seront administrées. Les femmes des ouvriers même sentent l'abus de l'augmentation folle des salaires, qui tourne la tête à des hommes grossiers. J'ai vu, ô magistrats! que telle somme de bien-être, d'aisance, ne peut se digérer par le peuple des villes, quoique celui des campagnes s'en accommode. D'ailleurs, le gain actuel de certains ouvriers a l'inconvénient terrible d'ôter à nos arts et à nos métiers la possibilité de la concurrence avec l'étranger.

(*Les Nuits de Paris*, 1788.)

***

Les orateurs, tribuns et autres politiciens en vogue pendant la révolution de 1789 abstractisent le peuple à qui mieux mieux. Ces bourgeois en possession du pouvoir se servent du peuple comme d'un étendard. Se servent, mais ne le servent pas, ainsi que le comprirent Marat et Babeuf.

## Jean-Paul Marat (1743-1793)

Quant aux ateliers et aux manufactures que je propose d'établir dans Paris, la simple destination du couvent à cet établissement doit en assurer la réussite. A l'avantage inappréciable d'extirper la mendicité parmi nous, il réunira bientôt celui de régénérer les mœurs dans les classes inférieures de la société; car c'est la misère, le dégoût attaché à un travail ingrat, et le désespoir de ne pouvoir parvenir, à force de peines, à se faire un sort agréable, qui inspirent le découragement, l'oisiveté, la fainéantise, la dissolution et la débauche.

De quoi me servira à me morfondre à l'ouvrage? Je serai toujours gueux, se dit à lui-même l'homme qui n'a aucune propriété, l'homme foulé d'impôts, à qui le gouvernement enlève inhumainement le fruit de ses services, l'homme dont le mince salaire ne suffit pas pour lui procurer les choses de première nécessité; et il reste dans l'inaction, ou s'il travaille, ce n'est que pour s'empêcher de mourir de faim; sentant toute la journée le poids de sa triste existence et le malheur de sa condition, il cherche, dès qu'il le peut, à oublier quelque moment ses peines, et à noyer ses soucis dans le vin. Mais donnez à cet homme quelque mince propriété et qu'il puisse jouir un jour du fruit de ses travaux, il s'y attachera comme à la source de son honneur; il mettra tous ses soins à le conserver et à l'augmenter; c'est une vérité dont la Suisse, le pays du monde où l'on connaît le plus généralement les douceurs de la vie, offre un tableau touchant.

Avec la misère disparaîtront l'oisiveté, la crapule et le libertinage; le goût des plaisirs domestiques, inséparable de l'amour du travail, succédera à la dissipation et à la débauche; les mœurs s'épureront, les mariages se multiplieront, la population augmentera, et l'abondance, la vie réglée, la santé, la joie régénéreront l'espèce, abâtardie par la misère et par l'oppression.

(*Observations sur le projet d'établissements de bienfaisance et des moyens de détruire la mendicité*, 14 juin 1790.)

Il est certain que la révolution est due à l'insurrection du petit peuple et il n'est pas moins certain que la prise de la Bastille est principalement due à dix mille pauvres ouvriers du faubourg Saint-Antoine.

Qu'aurons-nous gagné à détruire l'aristocratie des nobles, si elle doit être remplacée par l'aristocratie des riches? Et si nous devons gémir sous le joug de ces nouveaux parvenus, mieux valait conserver les ordres privilégiés.

(*Supplique de dix-huit millions d'infortunés privés de leurs droits de citoyens actifs*, 30 juin 1790.)

**Babeuf (1760-1797)**

C'est en vain qu'on voudrait le dissimuler plus longtemps, tout nous prouve qu'une tyrannie nouvelle s'élève sur les débris du trône, tout nous prouve qu'au but sublime de la Révolution, le *Bonheur commun*, l'on a substitué cette devise atroce, le *bonheur du petit nombre fondé sur la misère du peuple*. Nous éprouvons déjà les effets désastreux d'un pareil ordre de choses, et les maux iront toujours en croissant.

(*L'Éclaireur du Peuple*, 12 ventôse an 4.)

CHAPITRE II

# *Socialisme romantique et littérature ouvrière au XIX^e^ siècle*

*Si je me suis hasardé à prendre la plume, moi simple ouvrier, c'est que j'estime que les travailleurs doivent s'instruire les uns les autres.*

Pierre Moreau

Le machinisme élimine les derniers artisans libres. Les ouvriers ont beau se rebeller, attaquer les convois qui amènent les nouvelles « mécaniques » ou s'organiser en mutuelles pour lutter contre la concentration industrielle, le progrès est en marche et la bourgeoisie victorieuse d'un prolétariat de plus en plus considérable.

Les manufactures de Vienne, dans l'Isère, occupent huit mille ouvriers. A Voiron, six mille hommes sont occupés aux fabriques de toiles. Les provinces déversent sur Paris des artisans ruinés, des journaliers en quête de travail. Les salaires sont infimes, les logements insalubres, les horaires de travail démesurément longs. Des essais de coopération ouvrière s'organisent, cependant que les compagnons continuent leurs rixes fratricides. En 1820, une véritable bataille entre les tailleurs de pierre lyonnais et leurs rivaux (qui avaient perdu la ville cent ans auparavant, jouée pour un siècle) fait de nombreuses victimes. La police combat à la fois les compagnons et les présyndicalistes. C'est alors que les écrivains romantiques découvrirent la misère ouvrière et se firent un apostolat d'aider à l'émancipation du prolétariat.

La pitié pour les humbles, le désir de réorganiser la société, font concevoir aux écrivains romantiques des utopies dont le peuple s'empare. La révolution de 1789 devient un mythe messianique. Fraternité et justice chrétienne se mêlent au panthéisme de Rousseau. Les plans de réforme de la société pullulent. Les prophéties de Fourier et des saint-simoniens sont des oracles qui soulèvent la foi des foules, comme les *Paroles d'un croyant* de Lamennais arrachent des larmes aux intellectuels, comme les cours de Michelet au Collège de France galvanisent les étudiants.

Entre 1820 et 1830, les jeunes revues littéraires font une large place aux problèmes sociaux. La *Revue des Deux Mondes*, fondée en 1825, est un organe politico-littéraire. L'*Avenir*, de Lacordaire, lu par les catholiques libéraux, prend pour devise : « Dieu et Liberté. » *Le Globe* est un grand journal qui, à partir de 1824, devient saint-simonien et passe sous la direction de Pierre Leroux en 1831. L'influence de cet ouvrier imprimeur fut considérable. Sainte-Beuve la subit, l'un des premiers,

*Pierre Leroux.*

qui pressait les écrivains de se consacrer aux problèmes sociaux. Mais il rompit avec l'auteur de *L'Humanité* en 1833, disant qu'il se refusait « de se laisser aller à de tels dadas ». *La Revue encyclopédique* de Pierre Leroux comprendra 60 volumes (1819-1833).

La poésie romantique, d'élégiaque et égotiste, se veut maintenant sociale [1]. Les prolétaires vénèrent ces poètes qui leur semblent des mages, des conducteurs d'hommes. Victor Hugo est sans doute celui qui prend ce rôle le plus au sérieux. Il ne cesse d'exalter la mission du poète et

1. Cf. *Le Romantisme social*, par Roger Picard (Brentano's, New York, 1944) ; *Pierre Leroux et le socialisme romantique*, par David Owen Evans (Marcel Rivière, 1948) ; *Tools and the man, étude comparative de l'ouvrier français et du chartiste anglais dans la littérature de 1830 à 1848*, par Helen Drusilia Lockwood (thèse de doctorat, Columbia University, 1927).

le rôle « sacré » de l'art social. Vigny sort difficilement de sa solitude hautaine, mais dans *Stello* il se sent emporté par le courant « à cause de la pitié sans bornes que m'inspirent les hommes, mes compagnons de misère, et aussi à cause du désir que je me sens de leur tendre la main, de les élever sans cesse par des paroles de commisération et d'amour ». Ami de Buchez dès 1829, Alfred de Vigny fut introduit par celui-ci chez les saint-simoniens. Le poète se présenta aux élections, en 1848, mais ne fut pas élu. Horrifié par les événements de juin, il retourna à sa tour d'ivoire. Plus populaire, Hugo fut élu au septième rang sur la liste des députés de Paris, après Thiers et Pierre Leroux, mais avant Proudhon. Il avait approuvé les ouvriers saint-simoniens qui avaient créé *La Ruche populaire* en 1839 et qui devint *L'Union* en 1841. Ses romans, particulièrement *Les Misérables*, se lisaient par fascicules dans les familles ouvrières, comme une sorte de geste épique du prolétariat.

Lamartine devint poète social à son retour d'Orient :

> Frère, le temps n'est plus où j'écoutais mon âme
> Se plaindre ou soupirer comme une faible femme.

Et il déclarait que la poésie « doit se faire peuple et devenir populaire ». En conséquence, il écrivait *Jocelyn* où les pages abondent sur le travail, la vie et la peine des hommes. *Le Tailleur de pierre de Saint-Point* (1851), *Geneviève, histoire d'une servante* (1850), sont encore des essais de romans populaires. Ses articles sur l'éducation furent recueillis sous le titre *Le Conseiller du peuple.*

Le discours de réception à l'Académie française de Nodier est une thèse pour l'art social. Balzac se veut « instituteur des hommes » et soutient que « l'écrivain a remplacé le prêtre ». Les *Iambes*, de Barbier, exaltent la passion sociale. Pierre Leroux invite l'art à « réfléchir son siècle », et Proudhon, dans ses *Principes de l'Art*, ne voit d'autre mission à l'artiste que l'utilitaire.

En 1832, la pièce de Félix Pyat, *Une révolution d'autrefois*, fut acclamée comme un acte révolutionnaire. Pris à son jeu, Pyat devint militant. Emprisonné, il atteignit l'apogée de sa gloire avec *Le Chiffonnier de Paris*, en 1847, plaidoyer pour les droits du peuple. Eugène Sue fut décoré par les fouriéristes en 1845, puis accaparé par les saint-simoniens après la publication du *Juif errant*. Peu fixé dans ses convictions et désireux de ne mécontenter aucune secte socialisante, l'auteur des *Mystères de Paris* adhéra à toutes les écoles. Émile Souvestre propageait également les croyances fouriéristes et saint-simoniennes dans ses nombreux romans de la vie simple : *Riches et pauvres*, etc.

Quant à George Sand, à laquelle les saint-simoniens proposèrent, vers 1836, de devenir papesse de la « religion » aux côtés du Père Enfantin, elle étudiait les fouriéristes dans son *Péché de Monsieur Antoine* (1847), mais n'adhérait à aucun mouvement. Enthousiasmée par Agricol Perdiguier et pour le collectivisme de Louis Blanc, trois influences devaient orienter son évolution politique. Celle, d'abord, de Michel de Bourges, son avocat à son divorce, qui la convertit au socialisme; celle de Lamennais et, enfin, Pierre Leroux dont elle se disait la disciple.

***

La littérature sociale, de 1830 à 1848, est un véritable réquisitoire décrivant la misère des ouvriers et les conditions inhumaines du travail industriel. Mais loin d'en rendre le machinisme responsable, les écrivains romantiques croient dans le progrès. Ils chantent la locomotive et le bateau à vapeur :

Un monde tout nouveau se forge en cette flamme.
(Vigny.)

Être Prométhéen, ô céleste machine.
(Antony Deschamps.)

Rouget de Lisle fait chanter un *Chant des industriels*, réplique de *La Marseillaise :*

Honneur à vous, enfants de l'Industrie...

En 1845, l'Académie met au concours de poésie : « La découverte de la vapeur. »

Mais Delphine Gay, dans ses *Ouvriers de Lyon* (1831), raille ce rêve d'un bien-être par l'industrie et montre que les ouvriers sont les premières victimes du machinisme. Auguste Barbier émet les mêmes doutes :

Le tout, pour enrichir quelque oisif fabricant
Qui, dans le fond du cœur, n'est souvent qu'un brigand.

Dumas fait aimer ou haïr par le peuple tel personnage historique. Les romans sont faits de nouveaux poncifs tendant à démontrer que la femme du peuple ne peut être que vertueuse et la grande dame dissipée. Eugène Sue envoie des grands seigneurs vivre dans les milieux populaires [1], et George Sand fait épouser par des ouvriers qui ne peuvent

1. E. Sue conduisait les personnages de ses *Mystères de Paris* au cabaret Le Lapin Blanc. Ce cabaret, acheté par le Père Mauras en 1836, était tapissé d'images, d'allé-

être que beaux, forts et purs, des aristocrates émancipées qui ressemblent à Flora Tristan.

Le théâtre met également en scène des gens du peuple. En 1836, le saint-simonien Duveyrier fait jouer *L'Ingénieur*, où le spectateur est mis au contact du travail des mineurs, et Frédéric Soulié dans *L'Ouvrier* (1840), donne celui-ci comme exemple de la vraie noblesse.

Les intellectuels voient le peuple tel que Hugo le décrit dans sa préface de *Ruy Blas* : « Le peuple, le peuple orphelin, pauvre, intelligent et fort, placé très bas et aspirant très haut, ayant sur le dos les marques de la servitude et dans le cœur les préméditations du génie. »

Dans ce concert démagogique, seuls Théophile Gautier et Alfred de Musset « ne marchent pas ». Gautier, qui se trouvera mieux dans le Parnasse que parmi les romantiques, ridiculise le fouriérisme dans sa préface à *Mademoiselle de Maupin* (1834) et « ces crétins utilitaires ». A. de Musset se moque des idées et des systèmes sociaux dans *Dupont et Durand* et se veut de ces poètes

Qui s'inquiètent peu d'être bons citoyens,
Qui vivent au hasard et n'ont d'autre maxime
Sinon que tout est bien, pourvu qu'on ait la rime.

Cette réaction minoritaire n'eut guère d'influence et, plus tard, Baudelaire, pourtant le type même de l'artiste asocial, écrira dans sa préface aux *Chansons* de Pierre Dupont, en 1852 : « L'art est désormais inséparable de la morale et de l'utilité. »

## Jules Michelet (1798-1874)

Faisons une parenthèse pour Michelet. Il y a entre Michelet et le peuple des affinités profondes qui n'existent pas chez les autres écrivains de l'âge romantique. Michelet est moins plébéien que Rousseau, mais comme Rousseau il est néanmoins un phénomène en son siècle. Ce fils d'imprimeur travailla avec son père au composteur dès l'âge de douze ans. Cependant, comme il consacre tous ses loisirs à l'étude et qu'il montre une intelligence peu commune, sa famille se cotise pour l'envoyer au lycée. En proie aux railleries de ses condisciples qui rient de ses vêtements de pauvre, il se venge en les dépassant tous, soutenant son doctorat

gories, de caricatures populaires. Les élégantes venaient y respirer les relents du Chourineur, de Rodolphe et de Fleur-de-Marie. Le Père Mauras composait lui-même des épigraphes : *A un chiffonnier, A une écaillère, A une marchande de légumes*, etc.

d'histoire à vingt et un ans, son agrégation à vingt-trois. Mais les livres, le travail dévorent sa jeunesse. Il est professeur au Collège de France lorsque sa femme meurt en 1839. C'était une fille du peuple qu'il avait rêvé d'éduquer mais qu'il avait peu à peu délaissée pour les livres. Veuf, quadragénaire, il s'évade de l'histoire pour regarder autour de lui et en lui. Politiquement, il s'affirme alors républicain et anticlérical. En lui, il retrouve l'ancien apprenti imprimeur et consacre, en 1846, un livre au peuple.

*Le Peuple*, c'est à la fois un acte d'allégeance à la classe sociale dont il est issu et une réponse au romantisme social :

> Ils ont dit : « Ce peuple est tel. »
>
> Et moi qui en suis sorti, moi qui ai vécu avec lui, travaillé, souffert avec lui, qui plus qu'un autre ai acheté le droit de dire que je le connais, je viens poser contre tous la personnalité du peuple...
>
> Les épreuves de mon enfance me sont toujours présentes, j'ai gardé l'impression du travail, d'une vie âpre et laborieuse, je suis resté peuple... Pour connaître la vie du peuple, ses souffrances, il me suffisait d'interroger mes souvenirs.

Deux livres de Michelet sont à créditer à l'actif de la littérature d'expression populaire, *Le Peuple* (1846) et *Ma Jeunesse*, œuvre posthume publiée en 1884.

A partir du moment où Michelet a pris conscience de l'originalité des classes populaires, il n'a cessé, comme plus tard Guéhenno, d'être déchiré entre deux cultures.

> Si l'on ouvre mon cœur à ma mort, a-t-il écrit dans *Nos Fils* (1869), on lira l'idée qui m'a suivi : Comment viendront les livres populaires ?... J'ai roulé ces pensées toute ma vie. Elles se représentaient toujours et m'accablaient. Là, j'ai senti notre misère, l'impuissance des hommes de lettres, des subtils. Je me méprisais.
>
> Je suis né peuple, j'avais le peuple dans mon cœur. Les monuments de ses vieux âges ont été mon ravissement. J'ai pu, en 1846, poser les droits du peuple plus qu'on ne le fit jamais ; en 1864, sa longue tradition religieuse. Mais sa langue, sa langue, elle m'était inaccessible. Je n'ai pas pu le faire parler [1].

1. Une même inquiétude se retrouve chez Lamartine. S'il écrivit *Geneviève, histoire d'une servante*, qu'il dédia symboliquement « à Mlle Reine Garde, couturière, autrefois servante à Aix-en-Provence », ce fut dans l'intention d'ébaucher une littérature populaire proche de la littérature ouvrière dont il remarquait les prémices. La longue préface à *Geneviève*, qui relate la visite que lui fit Reine Garde à Marseille, a, dans cette perspective, valeur de manifeste : « Il faut que Dieu suscite un génie populaire, un Homère ouvrier, un Milton laboureur, un Dante industriel... l'ère de la littérature populaire approche... Avant dix ans (...) vous aurez une librairie du peuple, une science du peuple, un journalisme du peuple, des romans du peuple. »

# 2. LITTÉRATURE COMPAGNONNIQUE

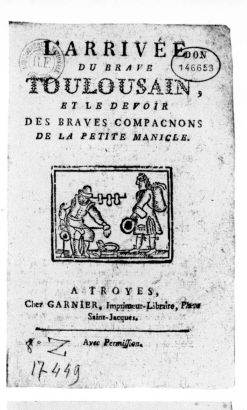

L'ARRIVÉE
DU BRAVE
TOULOUSAIN,
ET LE DEVOIR
DES BRAVES COMPAGNONS
DE LA PETITE MANICLE.

A TROYES,
Chez GARNIER, Imprimeur-Libraire, Place
Saint-Jacques.

Avec Permission.



Page de titre de l'*Arrivée du Brave Toulousain*, Troyes, 1731. *Bibliothèque nationale*

LE DEVOIR
DES SAVETIERS,

Ensemble le régal fait par MM. les Anciens du Corps à la réception de M. Talonnet, compagnon recarreleur, fils de noble et discret Robert Fort-empeigne, professeur en vieux cuir, tenant magasin sous la halle de Niort en Poitou, à l'enseigne du Lignol.

*A Paris, le lundi premier jour de la semaine.*

L'*Arrivé frappant trois coups sur le billot*: Ta, ta, ta, s'il y a quelque brave Pays, qu'il sorte en trois pas, en trois temps, que je lui dise trois paroles sur le pavé du roi.

*Le compagnon Goret sortant.* Honneur au Pays, serviteur au Pays.

*L'Arrivé.* Mon premier soin en entrant dans Paris, est de saluer messieurs de la communauté, et en leur offrant ma main, mon alêne et mon tranchet, mettre en pratique ce que notre art a de plus fin.

*Le Goret.* Les personnes capables ne manquent point d'occupations, sur-tout à présent que le vieux cuir passe pour neuf; mais comme il y va de l'intérêt public de

Première page de *Le Devoir des Savetiers*, 1732. *Bibliothèque nationale*

« Le Père Soubise » et « Maître Jacques ». Dessins de A. Perdiguier.
*Les Muses du Tour de France*

« Champ de conduite d'un compagnon charron », en 1841. *Les Muses du Tour de France*

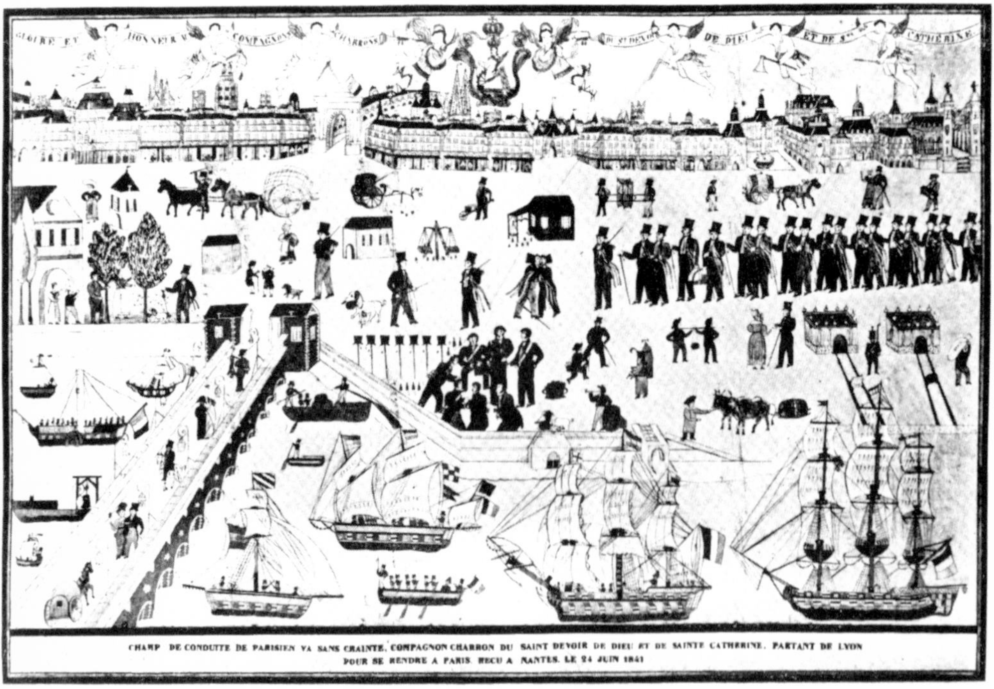
DE DIEU ET DE Ste CATHERINE
CHAMP DE CONDUITE DE PARISIEN VA SANS CRAINTE, COMPAGNON CHARRON DU SAINT DEVOIR DE DIEU ET DE SAINTE CATHERINE, PARTANT DE LYON POUR SE RENDRE A PARIS. RECU A NANTES. LE 24 JUIN 1841

« Compagnon passant charpentier ».

« Compagnon charpentier du Devoir de Liberté ».

« Tailleur de pierre du Devoir étranger ». Dessins de A. Perdiguier. *Les Muses du Tour de France*

**La fraternité des Enfants de Salomon**

« La Fraternité des Enfants de Salomon ». Chanson de A. Perdiguier. *Les Muses du Tour de France*

Couverture d'une brochure des *Muses du Tour de France*

Prix : 2 fr. 75

LES MUSES

DU TOUR de FRANCE

ENCYCLOPÉDIE ILLUSTRÉE

du COMPAGNONNAGE et du TRAVAIL

SON HISTOIRE — SES ARTISTES

SES LEGENDES — SES POETES ET

SES RITES — SES BARDES

Musique recueillie, transcrite et adaptée par F. DANJAUME

Édition périodique de la FÉD.·. DE LA SEINE
Publication dirigée par le C.·. BOYER Abel dit *Périgord Cœur-Loyal*

No 4bis

Abonnement : 10 fr. les 4 Nos

*5, Rue Mauriceau, Asnières (Seine)*

« Menuisiers du Devoir, au grade de capitaine ». *Les Muses du Tour de France*

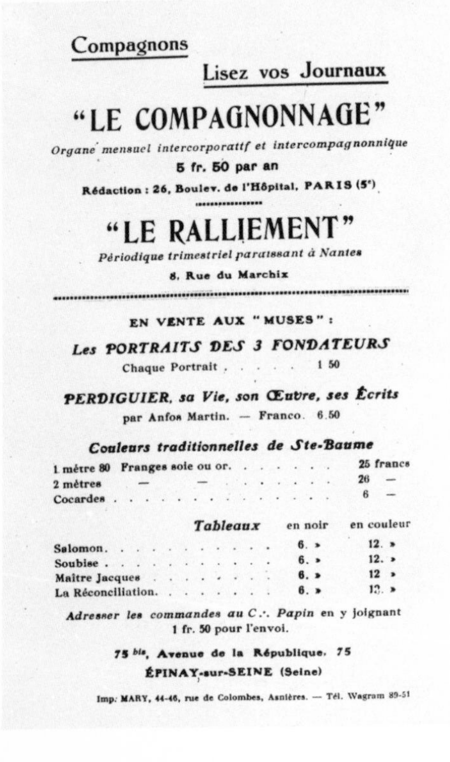
Compagnons

Lisez vos Journaux

"LE COMPAGNONNAGE"

*Organe mensuel intercorporatif et intercompagnonnique*

5 fr. 50 par an

Rédaction : 26, Boulev. de l'Hôpital, PARIS (5e)

"LE RALLIEMENT"

*Périodique trimestriel paraissant à Nantes*

8, Rue du Marchix

EN VENTE AUX "MUSES" :

*Les PORTRAITS DES 3 FONDATEURS*

Chaque Portrait . . . . . 1 50

*PERDIGUIER, sa Vie, son Œuvre, ses Écrits*

par Anfos Martin. — Franco. 6.50

*Couleurs traditionnelles de Ste-Baume*

| | | |
|---|---|---|
| 1 mètre 80 | Franges soie ou or. . . . . . . | 25 francs |
| 2 mètres | — — . . . . . . . | 26 — |
| Cocardes . . . . . . . . . . . . . | | 6 — |

| *Tableaux* | en noir | en couleur |
|---|---|---|
| Salomon. . . . . . . . . . . . | 6. » | 12. » |
| Soubise . . . . . . . . . . . . | 6. » | 12. » |
| Maître Jacques . . . . . . . . | 6. » | 12 » |
| La Réconciliation. . . . . . . . | 6. » | 12. » |

*Adresser les commandes au C.·. Papin* en y joignant 1 fr. 50 pour l'envoi.

75 bis, Avenue de la République. 75

ÉPINAY-sur-SEINE (Seine)

Imp. MARY, 44-46, rue de Colombes, Asnières. — Tél. Wagram 89-51

« Compagnons, lisez vos journaux ».
*Muses du Tour de France*

**Poésie sociale des ouvriers (1830-1848)**

Nous ne voulons pas dénigrer le socialisme des écrivains romantiques. Qu'il y ait eu dans leur attitude une part de cabotinage, de mode, voire d'opportunisme, cela paraît évident. Mais leur cabotinage est naïf, leur élan certainement sincère et la part qui leur revient dans l'émancipation du prolétariat, dans sa prise de conscience de classe, n'est pas infime. Ils étaient, bien sûr, loin du peuple réel qu'ils ne connaissaient guère que par ce que celui-ci avait de meilleur : ses militants, ses poètes. Bien qu'encore la plupart des leaders populaires ne fussent pas des ouvriers. Ni Saint-Simon, ni Fourier, ni Marx, ni Engels, ni Cabet, ni Enfantin, ni Pecqueur, ni Considérant, ni Buchez, ni Raspail, ni plus tard Kropotkine, Reclus, Pelloutier, etc., n'étaient des prolétaires d'origine. Les seules exceptions sont Pierre Leroux et Proudhon.

Le XIXe siècle ne manque pas cependant d'admirables figures de militants ouvriers, moins connus, dont le rôle fut moins considérable, mais peut-être plus profond. Je pense à l'ouvrier ciseleur Tolain, à l'ouvrier imprimeur Henri Leneveux, à Anthime Corbon, aux tisseurs Joseph et Benoît Greppo, qui suivaient à la lettre la leçon de Proudhon : la révolution doit d'abord être une « révolution capacité ».

Mais je suis obligé d'écarter de mon sujet les militants ouvriers, pour ne conserver que les littérateurs. Les deux genres s'interpénètrent souvent. Perdiguier et Nadaud furent des militants et leurs Mémoires nous retiennent pour leur valeur littéraire. Mais pour d'autres, tels Flora Tristan [1], Pierre Leroux, Louise Michel, etc., l'œuvre militante est plus considérable que l'œuvre littéraire, et leur place est dans l'histoire du syndicalisme et du mouvement ouvrier plutôt que dans une histoire de la littérature prolétarienne [2].

La propagation de l'instruction dans le peuple, l'abondance des

1. Le journal inédit de Flora Tristan, *Le Tour de France* (1843-1844), a été publié par les Éditions Tête de Feuilles en 1973. Ce *Tour de France* est sous-titré : « État actuel de la classe ouvrière sous l'aspect moral, intellectuel, matériel. » Flora Tristan, qui se croyait choisie par Dieu pour prêcher l'union ouvrière, fut très étonnée de l'accueil mitigé des ouvriers et surtout des réticences d'A. Perdiguier, Poncy, Jasmin, Reboul, S. Lapointe, Vinçard. Elle s'en venge par des portraits féroces de ces écrivains ouvriers qui contrastent avec les portraits aussi enthousiastes que naïfs de George Sand.

2. *Cf. Histoire des classes ouvrières avant 1789*, 2 vol., 1859, et *Histoire des classes ouvrières depuis 1789 jusqu'à nos jours*, 2 vol., 1867, par Émile Levasseur. *Histoire du Mouvement ouvrier*, par Édouard Dolléans, t. I : 1830-1871 ; t. II : 1871-1919; t. III : 1920-1952 (A. Colin éd., 1936-1939). *Histoire du Mouvement syndical en France*, t. 1 ; 1789 à 1918, t. 2 ; 1918 à 1948, par Paul Louis.

éditions populaires à bon marché des œuvres classiques et romantiques contribuèrent puissamment à faire naître dans le prolétariat un grand nombre de vocations littéraires. Les représentants du pouvoir établi n'étaient pas sans s'inquiéter de ce phénomène nouveau, et Guizot jetait un cri d'alarme en 1847 : « L'invasion des classes pauvres par l'instruction élémentaire est un élément qui doit miner la société dans ses fondements. »

De 1828 à 1846, le nombre d'hommes sachant lire augmenta de 52 %. Les cours du soir pour adultes, après la fermeture des ateliers, comptaient 115 164 élèves en 1847. Les écoles se multipliaient. 2791 communes nouvelles avaient un instituteur en 1830. Mais le nombre des couples illettrés au moment du mariage, s'il ne se chiffrait plus qu'à 31 % en 1855, n'était guère abaissé qu'à 25 % en 1866. Quant aux femmes, plus de la moitié ne savaient pas signer sur le registre du mariage en 1833 [1].

L'ouvrier cultivé était certainement (et est malheureusement toujours) une exception [2]. Aussi les poètes ouvriers du XIXe siècle sont-ils d'une fierté de héros de Plutarque et leur susceptibilité est grande.

Jérôme-Pierre Gilland (1815-1872), serrurier au faubourg Saint-Antoine, a fort bien conté cette initiation des ouvriers de son temps à la littérature, et quels sacrifices, quelle patience cette culture auto-didactique demandait :

> Vint l'époque où l'on vendait de grands ouvrages par livraisons, j'étais ouvrier alors et je souscrivais à tout. Pour cela, je vivais de pain sec une partie de l'année, mais je lisais et mon pain me paraissait délicieux. Un jour, j'ouvris J.-J. Rousseau et je fus tout à fait sauvé.

Et Gilland, qui fut l'une des plus belles figures de la littérature ouvrière, dit ailleurs cette phrase qui sera développée plus tard dans la thèse du « refus de parvenir » :

> J'aime mon état, j'aime mes outils, et alors même que j'aurais pu vivre de ma plume, je n'aurais pas voulu cesser d'être ouvrier serrurier.

Magu (1788-1860), beau-père de Gilland, tisserand à Lizy-sur-Ourcq (Seine-et-Marne), a la même attitude :

> Je suis le premier tisserand, je pense, qui se soit fait lithographier, on m'approuve d'avoir gardé le modeste tablier et d'avoir voulu paraître ce que je suis effectivement, un pauvre ouvrier.

1. Levasseur.
2. Le bourgeois cultivé était également (et est toujours) une exception.

*Gilland.*

Les encouragements des écrivains romantiques n'étaient pas négligeables, mais les prolétaires avaient déjà compris que le peuple devait s'émanciper seul, que l'union ouvrière, prônée par Flora Tristan (cinq ans avant le *Manifeste* de Marx et Engels), était une condition indispensable pour le salut du prolétariat. Aussi, les écrivains savent-ils la mission qui leur incombe. Agricol Perdiguier écrit :

C'est aux compagnons qu'il importe de se faire comprendre aux autres compagnons. Que ceux qui sont plus avancés appellent à ceux qui le sont moins.

Et Pierre Moreau, dans son essai sur la *Réforme des abus du compagnonnage et l'amélioration du sort des travailleurs* (1843), écrit :

Si je me suis hasardé à prendre la plume, moi simple ouvrier, c'est que j'estime que les travailleurs doivent s'instruire les uns les autres.

***

Les saint-simoniens eurent évidemment leurs poètes dont les plus brillants furent Vinçard, Savinien Lapointe et Lachambaudie.

Ils composaient, pour la secte, des chants spéciaux pour avant et après les repas, pour le soir et le matin, pour le « Retour du Père », etc. Vinçard et Brious, auteur d'un recueil : *La Foi nouvelle* (1831), étaient les poètes officiels de la liturgie.

Le paysan Lachambaudie avait publié des *Essais poétiques* (1829) lorsqu'il vint à Paris pour travailler aux chemins de fer. Il récita bientôt ses *Fables* (publiées en 1839 et souvent rééditées) aux réunions saint-simoniennes. Couronné par l'Académie en 1841, exilé après le coup d'État du 2 décembre, il devint fouriériste.

L'influence saint-simonienne est sensible sur *La Marseillaise* (1840) de Louis Festeau, horloger, qui composait également la musique de ses chansons, sur la *Paix* (1840) de Denis Ferrand, ainsi que sur les poèmes de Léon Halévy (père de Ludovic Halévy et grand-père de Daniel Halévy) et d'Achille Rousseau...

Fourier lança de nombreux appels aux poètes ouvriers. Avant Lachambaudie, Louis Festeau vint au fouriérisme dans ses *Chansons* et *Chansons nouvelles* (1847). Les poésies de Boissy, dédiées aux femmes « mères du genre humain », et publiées en 1881, après sa mort, sont à la fois saint-simoniennes et phalanstériennes. Fouriéristes encore sont Esquiros, auteur de *L'Évangile du peuple* et des *Chants du prisonnier* composés à Sainte-Pélagie, et François Rouget (1803-1868), ouvrier tailleur à Nevers, auteur d'une *Épître à Adam Billaut* et dont les *Poésies complètes* furent publiées en 1857. François Rouget a également écrit une *Histoire de ma vie*, dont le manuscrit inédit a été déposé à la Bibliothèque de Vendôme.

***

Lorsqu'en 1832, Vinçard, Béranger et Agricol Perdiguier introduisirent leurs chansons sociales dans les réunions ouvrières, ils furent assez mal accueillis. L'ouvrier était habitué aux chansons de compagnonnage ou aux chansons bachiques et égrillardes. Mais bientôt les ouvriers comprirent l'utilité de leurs propres poètes et leur firent fête. Une extraordinaire floraison de poètes ouvriers se produisit entre 1830 et 1848. La plupart, hélas, imitaient Hugo ou Lamartine. Le cordonnier Savinien Lapointe écrivait une tragédie en cinq actes et en vers : *Les Juifs sous*

*Charles* VI, versifiait sur le retour des cendres de Napoléon, etc. Mais lorsqu'il se laisse aller à sa propre vision du monde, sa poésie s'élève aussitôt et prend des accents émouvants.

***

Quelle pensée exprime la poésie ouvrière du milieu du XIXe siècle? L'espoir en une paix durable, en une vie nouvelle, fabuleuse. Encore un effort, et les portes de l'Arcadie vont s'ouvrir. Tout le monde rêve. Flora Tristan a la conviction d'être cette femme-messie que les saint-simoniens allèrent en vain chercher en Orient. Comment les poètes ouvriers ne rêveraient-ils pas aussi! Tout est nouveau pour eux dans ce monde de l'intelligence et ils sont bien excusables d'avoir pris les grands écrivains et les leaders socialistes de leur temps pour des demi-dieux.

Espoir chez Lachambaudie :

> Peuple dont le pied saigne aux buissons de la route,
> Bientôt tu parviendras à la terre promise
> Où doit briller pour tous un nouvel âge d'or.

Espoir chez le menuisier Michel Roly :

> Qui sera donc le rédempteur
> Qui d'un feu régénérateur,
> Répandra dans nos cœurs de glace,
> Une fraternelle chaleur.

Espoir chez le typographe J.-C. Sailer :

> Je crois en l'avenir et j'attends le messie,
> Les mains entre tes mains, les yeux au firmament.

Espoir chez le chapelier Claude Desbeaux :

> Dieu dit, après avoir, dans sa munificence,
> Fait le monde splendide : Homme, voilà ton bien.
> Mais l'homme dit à l'homme, usant de sa puissance,
> J'aurai tout, et toi rien.
>
> Le Seigneur avait fait de ces hommes des frères,
> Aux lois toutes d'amour il les avait soumis;
> Mais l'intérêt, séchant leurs cœurs et leurs paupières,
> En fait des ennemis.

Mais vois à l'Orient se lever cette étoile.
Lentement elle approche et semble s'agrandir.
C'est l'ange du Seigneur qui soulève le voile
D'un prochain avenir.

Sous l'influence des écrivains romantiques, le progrès industriel leur apparaît comme un gage certain de libération sociale. Ils chantent à leur tour les machines qu'ils commencèrent par briser.

Dans *Une lyre à l'atelier*, Paul Germigny s'exalte :

Homme, n'interromps point l'œuvre de l'industrie.
Tes efforts, à la fin, dompteront la vapeur,
Et les anges, un jour, envieront ta patrie.

Louis Festeau chante les *Chemins de fer :*

Gloire aux arts, aux progrès,
Qui font passer la terre
Des fureurs de la guerre
Aux travaux de la paix.

Le travail est exalté, sanctifié. Savinien Lapointe parle de « l'outil du saint labeur », et Lachambaudie identifie le travail et la prière. « Mais le travail est saint, sainte la dure peine », versifie le maçon Charles Poncy (1821-1891), auteur de *Chansons pour chaque métier* (publié en 1850). Ce travail « libérateur » « chassera la guerre ». Une grande religion fraternelle sera fondée grâce au progrès. Dans ce programme, l'ouvrier a la plus belle part, puisqu'il est le constructeur du monde nouveau édifié grâce à ses sueurs, à son effort.

Honneur à vous, travailleurs de nos villes,
Vous dont les bras portent de lourds fardeaux...

écrit Victor Gaucher, et P. Rogron identifie Christ et Liberté suivant la formule de Lamennais et de Lacordaire :

Jadis, le Christ, pour nous donner l'exemple,
A manié la hache, le ciseau,
Dans l'atelier heureux qui le contemple!
O mes amis, que le Christ était beau!
Par ses labeurs il a purgé le monde
Des vils tyrans qui l'avaient garrotté;
Puis il a mis dans notre main féconde
Tous les outils de notre liberté.

S'ils étaient séduits naïvement par toutes les utopies, les poètes ouvriers n'en prenaient pas moins conscience de l'exploitation de leur classe et c'est par là que leur rôle est important. Lus, récités, chantés, ils ont contribué à cette union ouvrière sans laquelle le prolétariat n'eût pas évolué.

Ponty, ouvrier en vidanges, invitait les « aigles » romantiques à descendre des nues afin de voir de plus près les *Truands modernes :*

> Vois les uns, tout noircis, pareils au cœur de l'âtre;
> Les autres tout souillés de plâtre;
> Leur pain au bras, pâture sans apprêt.
> ...
> Puis, ceux qui, tout crispés d'un repos fatigant,
> L'horrible faim dans la poitrine,
> Vont, demandant ce travail qui les mine...

Louis Festeau disait la misère des ménages d'ouvriers pour lesquels la naissance d'un enfant était une catastrophe.

Francis Tourte, peintre sur porcelaine, demandait :

> ... pitié pour ceux que l'indigence mine,
> Dont la privation rétrécit la poitrine!
> ...
> Je ne viens pas, ainsi que le vieillard débile,
> Au sortir du banquet vous tendre ma sébile;
> Non, non, je ne veux pas de votre charité;
> Non, mais ce que je veux, pour tous, c'est l'équité...

Lachambaudie décrit le vigneron « qui ne boira jamais le vin de ses vendanges »; le maçon « qui bâtit des châteaux et qui vit dans des granges »; les lavandières qui lavent « le linge éblouissant que leurs enfants n'ont pas ».

Magne versifiait avec bonhomie :

> J'ai lu que Dieu créa la terre
> Pour les hommes qu'il fit égaux.
> C'était bien agir en bon père,
> Si pour tous il eut fait les lots.
>
> J'arrive, mais on me repousse,
> Ma part est prise. Enfin je vois
> Que je n'en aurai pas un pouce.
> Le Bon Dieu s'est moqué de moi.

Plus brutal, Savinien Lapointe (1811-1893) s'écriait :

Qui donc a fait les lots, désigné le partage?
Quel ogre a dévoré le commun héritage?
Tel est le cri du peuple...

Oui, ces poètes étaient bien les frères de ces ouvriers logeant dans des caves ou des greniers comme les tisseurs de Lille, où l'on comptait quatre indigents sur treize habitants; frères de ces prolétaires dont la moyenne horaire du travail était de quinze heures par jour; dont les femmes, pâles et maigres, sortaient des usines, l'hiver, pieds nus dans la boue; dont les enfants, dès l'âge de cinq ans, étaient placés dans des manufactures de coton et tombaient souvent, épuisés, sur les machines; frères des canuts de Lyon, vainqueurs dans les batailles des rues qui les opposèrent à l'armée en 1831; frères des chômeurs d'Orléans qui gagnaient dans les ateliers de charité soixante-quinze centimes par jour alors que le « minimum vital » était évalué à trois francs; frères de tous ces travailleurs manuels qui commençaient à se reconnaître, à s'entr'aider, à s'organiser.

Piron, blancher-chamoiseur, dit Vendôme-la-Clef-des-Cœurs, dédie à Perdiguier son *Ordre du jour des Compagnons :*

Nous devons, ô chers compagnons,
Entre les mains de la Sagesse
Abjurer nos discussions.
C'est là que les fils de Soubise,
De Jacques et de Salomon,
En prenant la même devise
Doivent signer avec franchise
Le pacte de leur union.

***

Toutes ces œuvres, récitées dans les cercles ouvriers, étaient imprimées dans *La Ruche populaire*, journal dirigé par le poète Vinçard, fabricant de mesures linéaires, et qui parut de 1838 à 1849. *La Foi nouvelle*, *Le Globe*, *L'Atelier* publiaient également presque exclusivement des écrits d'ouvriers.

Trois anthologies de poésie ouvrière furent éditées au XIXe siècle. La mieux faite s'intitule *Poésie sociale des ouvriers* (1841). Les textes ont été choisis par Olinde Rodrigues, disciple préféré de Saint-Simon. Savinien Lapointe est la vedette de cette anthologie où figurent également le tourneur en cuivre P. Caplain, le menuisier en parquet Gauny, le menuisier et fabuliste Michel Roly, le peintre sur porcelaine Francis Tourte, auteur du recueil : *Les Brises du matin*, la brodeuse Élisa Fleury, Vinçard, Louis Festeau, L.-M. Ponty, etc.

*Les Poètes du peuple au* XIX^e *siècle* (1846), sont à la fois une suite de biographies et une anthologie, réalisées par Alphonse Viollet. Le choix des poètes ouvriers provinciaux y est abondant. On y retrouve évidemment les poètes ouvriers les plus connus et que nous avons déjà commentés ainsi que d'autres noms plus obscurs, aux œuvres moins originales, comme l'ouvrier tailleur Constant Hilbey, les typographes Eugène Orrit, Louis Voitelain, Bathild Bouniol, le bijoutier Marius Fortoul, cofondateur de l'Académie populaire : l'*Athénée Ouvrier*, le potier d'étain Beuzeville, Hippolyte Tambucci, garçon de salle au collège Charlemagne, Corréard, auteur de la *Prolétarienne*, etc.

*Les Muses prolétariennes* (1856), de François Gimet, tente de recréer le milieu où vécut chaque poète ouvrier par une suite de médaillons qui va d'Adam Billaut à Poncy et Reboul.

***

Il est curieux de rechercher les rapports, les liaisons qui s'établirent entre les écrivains romantiques et leurs modestes confrères. Si Béranger leur dédiait sa *Fée aux rimes*, où il ne ménageait pas ses éloges à « l'art sans étude et à la gloire en sabots », le professeur Lertimier, dont le seul titre de gloire est d'avoir été la tête de turc des étudiants de son époque, critiquait dans la *Revue des Deux Mondes* ce qu'il appelait « une production sans originalité ni génie ».

Par contre, George Sand devait se dévouer avec enthousiasme à la poésie ouvrière [1]. Imposant par ses préfaces élogieuses les œuvres du tisserand Magu et du maçon Charles Poncy, elle publia, dans la *Revue indépendante* de Pierre Leroux, un *Dialogue familier sur la poésie des ouvriers*, exprimant une sympathie sincère et une profonde compréhension de cet art encore en enfance. Béranger semblait faire avec George Sand un concours de préfaces. Quant à Victor Hugo, il se dépensait en lettres enthousiastes. Les poétesses ouvrières préféraient évidemment Lamartine qui patronna d'ailleurs Antoinette Quarré, Cécile Dufour et Reine Garde.

1. Cf. *George Sand amie des poètes ouvriers*, par Édouard Dolléans (Sirey, 1938) ; *Féminisme et Mouvement ouvrier, George Sand*, par Édouard Dolléans (Les Éditions Ouvrières, 1951).

Savinien Lapointe, qui avait dédié à Hugo son poème *Une voix d'en bas*, par reconnaissance populaire pour le poème du « maître », *Regards dans une mansarde*, reçut une réponse qui dut le combler d'aise :

Vous parlez au peuple de près, d'autres en parlent de haut. Votre parole n'est pas la moins efficace... Les hommes comme vous, parmi le peuple, sont des flambeaux qui éclairent le travail des autres.

Lamartine écrit à Antoinette Quarré, couturière à Dijon (1813-1847) :

Quand, assise le soir au bord de ta fenêtre,
Devant un coin du ciel qui brille entre les toits,
L'aiguille matinale a fatigué tes doigts
Et que ton front comprime une âme qui veut naître...

Allant à Smyrne, Lamartine s'arrêta à Marseille. Reine Garde (1810-1887), poétesse et mercière à Aix, apprit cet illustre voisinage et partit à pied pour Marseille où elle rencontra l'auteur de *Jocelyn*. Celui-ci raconta l'entrevue dans sa préface de *Geneviève :*

Elle était vêtue en journalière de peu d'aisance; une robe d'indienne rayée, déteinte et fanée, un fichu de coton blanc sur le cou, ses cheveux noirs proprement lissés mais un peu poudrés comme ses souliers, de la poudre de la route en été...

Puis il donne son jugement sur les poèmes de l'ouvrière qui ne devaient être réunis en volume qu'en 1851 :

C'était naïf, c'était gracieux, c'était senti... C'était elle; c'était l'air monotone et plaintif qu'une pauvre ouvrière se chante à demi-voix à elle-même, en travaillant des doigts auprès de la fenêtre, pour s'encourager à l'aiguille et au fil...

Et cela continuait de ce débit inlassable et monocorde qui caractérise le style de Lamartine. Noblesse de sentiments, générosité d'âme, on a souvent l'impression que tous ces pontifes appuient sur la pédale, en rajoutent, comme on dit vulgairement, et se laissent emporter eux-mêmes, grisés par leurs vertus qui ressemblent un peu trop à celles du pharisien de l'Évangile.

Visite-t-il le poète Jean Reboul (1796-1864), boulanger à Nîmes, Lamartine écrit :

Un jour, passant à Nîmes, je voulus, avant de visiter les arènes, visiter ce frère en poésie. Un pauvre homme que je rencontrai dans la rue me conduisit à la porte d'une petite maison noire sur le seuil de laquelle on respirait cette délicieuse odeur de pain cuit sortant du four. J'entrai : un jeune homme en manches de chemise, les cheveux noirs légèrement cendrés de farine, était au comptoir, vendant du pain à de pauvres femmes. Je me nommai, il ne rougit pas; il passa sa veste et me conduisit par un escalier de bois dans sa chambre de travail au-dessus de sa boutique.

Comme Reine Garde, Reboul a, lui aussi, les cheveux sales. Lamartine ne le dit pas aussi crûment, mais le style du temps veut que l'on enveloppe les mots déplaisants et qu'ils soient présentés avec des faveurs. Ceci n'est qu'une peccadille, d'ailleurs, mais où les choses se gâtent, c'est lorsque Lamartine présente les clientes du boulanger comme des pauvresses, quand il dit que Reboul ne rougit pas lorsque le poète du *Lac* se nomme. Pourquoi eût-il dû rougir? Pourquoi les clientes étaient-elles de pauvres femmes? N'y avait-il que des pauvres à Nîmes? Non, sans doute. Mais un poète ouvrier devait servir du pain à des femmes pauvres, tout comme ce ne pouvait être qu'un « pauvre homme » qui soit le guide de Lamartine. Pose que tout cela. Littérateur! eût dit Verlaine.

Le 15 juillet 1838, Chateaubriand vint aussi visiter Reboul. Il se fit annoncer par son laquais et attendit dans sa voiture que l'on vienne le prier d'entrer.

***

En province, les poètes ouvriers se multipliaient. Beaucoup ne virent jamais Paris, ne pouvant se payer un voyage aussi coûteux. Les sociétés locales leur faisaient fête. Marseille et Toulouse s'enorgueillissaient d'une abondante poésie ouvrière de laquelle se dégagent les œuvres du relieur Auguste Abadie et celles du portefaix Astouin. Rouen avait ses poètes ouvriers en la personne du menuisier Sécheresse et de Beuzeville; Reims avait le cordonnier Gonzale; Saumur avait Charles Marchand, passementier et chansonnier; Toulon avait Louis Pelabon, ouvrier voilier; la Normandie avait Marie Laure dont les *Églantines* furent publiées en 1842, et Théodore Lebreton, ouvrier imprimeur en indiennes, dont les *Heures de Liberté d'un ouvrier* (1837) furent attribuées à Marceline Desbordes-Valmore; Montargis avait le tonnelier Ch.-A. Grivot; dans les Deux-Sèvres, Élise Moreau publiait en 1832 ses *Rêves d'une jeune fille*, et les Sarthois achetaient les *Préludes* de Marie Carpentier. François Rouget, le tailleur de Nevers, adressait des stances à Alexis Durand, le poète menuisier de Fontainebleau et non loin, Paul Germigny, tonnelier à Châteauneuf-sur-Loire, travaillait à ses *Essais de poésie* (1842).

Moins effacé que tous ces poètes locaux, Magu, tisserand à Lizy-sur-Ourcq, avait conquis une large audience.

***

Un autre phénomène provincial, plus important, fut lié étroitement à l'expression populaire. Nous voulons parler du félibrige. Le méridional Alphonse Dumas, précurseur de Mistral, publia un recueil de poèmes en provençal à la gloire du travail : *La Cité des hommes* (1835). Reine Garde, elle-même, fit des vers dans la langue de l'auteur de *Mireille*. Mais le plus talentueux d'entre eux, le véritable pionnier qui dut créer une langue littéraire non encore codifiée par les félibres, fut le coiffeur d'Agen Jasmin (1798-1864). Jasmin disait des vers en coiffant ses clients lorsqu'il fut découvert par Nodier. De retour à Paris, Nodier présenta ainsi le poète dans *Le Temps* du 10 octobre 1835 : « Un poète phénomène, un Lamartine, un Victor Hugo, un Béranger gascon. » Dès lors, Jasmin fut célèbre et ses poèmes parurent en recueil la même année sous le titre *Les Papillotes*.

Encensé par Lamartine, reçu à la cour de Louis-Philippe comme plus tard à celle de Napoléon III, après chacune de ses « sorties » triomphales, Jasmin retournait à sa boutique et reprenait le rasoir.

> Telle est ma Muse, Ami, écrivait-il; en paysanne vêtue, elle rit, s'amuse, taquine, allume l'encensoir; elle est triste, tête folle, et la main qui la conduit conduira sans cesse le peigne et le rasoir.

Il recueillit des millions, mais les distribua aux pauvres, ne gardant pour lui que le nécessaire.

Après Jasmin, le félibrige, veillant à la conservation de la langue d'oc, était né. *L'Almanach Provençal* se répandait dans les campagnes et Mistral, Roumanille, Aubanel, Paul Arène continuaient la tradition des troubadours provençaux.

## Trois chansonniers : Béranger (1780-1857), Pierre Dupont (1821-1870), Eugène Pottier (1816-1887)

Plus populaire que les plus célèbres des écrivains romantiques et d'ailleurs placé aussi haut que Hugo ou Michelet par ses contemporains, plus influent sur le peuple que ne le fut aucun militant, aucun poète ouvrier, tel fut Béranger.

Un poète, écrit Levasseur, dont les chansons, répétées dans tous les ateliers, égayèrent pendant quinze ans le peuple par leur verve malicieuse et formèrent le code de sa politique. Béranger dénonçait les nobles, les jésuites, la police, et résumait en lui les instincts de la foule, d'autant plus facilement séduite qu'il ne faisait qu'interpréter ses propres pensées.

Béranger, pour le peuple, était un symbole. Son enfance avait été témoin de la Révolution. Il avait été apprenti imprimeur dès sa quatorzième année, longtemps miséreux, modeste employé jusqu'à l'âge de quarante ans, plusieurs fois emprisonné pour ses chansons satiriques comme le *Roi d'Yvetot* (1813) et le *Sacre de Charles le Simple* (1825).

A la Saint-Jean-Porte-Latine, fête des imprimeurs, il allait à Péronne porter le bouquet traditionnel à son ancien patron et improvisait dans l'atelier :

J'ai, pour chanter à cette fête,
Les droits d'un ancien ouvrier.

Avant Vinçard et Perdiguier, il introduisit la chanson sociale dans les cercles ouvriers. Modeste, refusant les honneurs, il répondait à ceux qui voulaient lui confier le ministère de l'Instruction publique en 1830, que s'il était nommé il ferait adopter ses chansons comme livres d'études dans les pensionnats de jeunes filles. On n'insista pas. Élu à l'Assemblée constituante en 1848, bien qu'il eût refusé de se présenter aux élections, il repoussa encore cette charge et vécut ses dernières années en ermite dans un modeste logement du Marais.

On a beaucoup médit de Béranger, de ses volte-face politiques. On lui a reproché d'afficher un titre de noblesse. Béranger s'est expliqué à ce sujet :

Mon père, qui était devenu notaire à Durtal, m'envoya à Péronne, ville aux environs de laquelle il était né dans un cabaret de village, ce qui ne l'empêchait pas d'affecter des prétentions à la noblesse. Il les appuyait de folles traditions de famille qui lui ont fait me donner, dans mon acte de naissance, la particule féodale dont il se para toujours, et à laquelle ma mère, bien que fille d'un tailleur, ne tenait pas moins que lui.

Fidèle au mythe napoléonien, comme l'ensemble du peuple, ridiculisant la Restauration, ayant comme Michelet la passion de la révolution de 1789, sa pensée n'est guère profonde mais elle épouse étroitement les sentiments populaires, ce qui lui valut son immense succès. A sa mort, en 1857, cinq cent mille Parisiens suivirent son convoi funèbre. En 1871, derrière le corbillard qui conduisait Pierre Leroux à sa dernière demeure, il n'y avait, par contre, qu'une seule personne. Une vieille femme nommée George Sand.

***

Sous le Second Empire, l'ouvrier ne chantait plus guère Béranger. Un nouveau chansonnier était apparu : Pierre Dupont. Son *Chant des ouvriers* (1846) avait précédé la révolution de février. Parmi les écrivains ouvriers du XIXe siècle pas un seul n'a produit un poème qui ait un accent aussi martial, qui se déroule avec un rythme aussi soutenu. C'est une réussite rare, et l'œuvre inégale de Pierre Dupont en contient d'autres, *Les Bœufs* par exemple, qui fut longtemps chanté dans nos campagnes.

*Pierre Dupont.*

De nombreuses chansons de Pierre Dupont font une description des métiers très réussie, comme cette *Chanson du Tisserand :*

Tendre une chaîne et l'ajuster
Étampée contre sa poitrine,
Nouer ses fils et les compter,
C'est minutieux, j'imagine :
Au fond des caves, le travail
Est plus beau, la toile est moins raide.
On perd la vue à fin de bail,
Les lunettes sont un remède.

Des deux pieds battant mon métier
Je tisse, et ma navette passe,
Elle siffle, passe et repasse
Et je crois entendre crier
Une hirondelle dans l'espace.

Pierre Dupont qui fut canut à Lyon comme son père, puis commis dans une banque, chantait lui-même ses chansons. Son ambition était de faire un chant pour chaque corps de la société, pour chaque outil, etc. *Chant des paysans* (1849), *Chant des transportés* (1849), *Chant du pain* (1849), *Chant du vote* (1850), *Chant de la soie*, *Chant du chauffeur de locomotive*, *Chant du tonneau*, *Chant de la fille du peuple*, etc.

Baudelaire a consacré sept pages enthousiastes à Pierre Dupont dans ses *Curiosités esthétiques :*

Personne n'a dit en termes plus doux et plus pénétrants les petites joies et les grandes douleurs des petites gens... Il possède sans s'en douter, un certain *turn of pensiveness* qui le rapproche des meilleurs poètes didactiques anglais...

***

Eugène Pottier, l'auteur de *L'Internationale*, n'a pas le talent de Pierre Dupont. Ses *Chansons de l'atelier* furent publiées en 1848. Dans les strophes de ses *Arbres de la liberté*, il mêle la gloire de Jésus mort sur le bois de la croix à l'arbre qui commence la floraison du peuple. Après la Commune, son *Jean Misère* fut très populaire.

Fils d'un ouvrier emballeur, lui-même apprenti emballeur dès l'âge de treize ans, puis commis papetier et dessinateur sur étoffes, Eugène Pottier adhéra à l'Internationale et fut membre de la Commune. *L'Internationale* fut écrite en juin 1871 alors que Pottier, proscrit, fuyait aux États-Unis. Ce chant demeura longtemps inconnu. C'est seulement après la mort de Pottier qu'un salarié d'usine, Pierre Degeyter, le mit en musique en 1888. Vulgarisé par les Congrès ouvriers de Lille en 1896 et de Paris en 1899, *L'Internationale* fut adoptée comme hymne révolutionnaire par l'ensemble des partis ouvriers socialistes vers 1910.

## Le Second Empire : Agricol Perdiguier (1805-1875), Martin Nadaud (1815-1895), Norbert Truquin (1833-?)

La révolution de 1848 sembla, aux écrivains ouvriers, la réalisation de leurs rêves. On peut même dire que, pendant quelques mois, la II^e République fut une république de poètes. Ceux-ci étaient nombreux à l'Assemblée nationale et le chef de l'État n'était-il pas Lamartine?

Mais lorsque le gouvernement s'opposa aux ouvriers dans les luttes fratricides qui, de mai à juin, amenèrent le règne de Napoléon III, les poètes ouvriers, endeuillés par la mort de leurs camarades, s'aperçurent du cruel tribut payé pour la conquête de leur liberté de nouveau perdue. Savinien Lapointe s'écriait, découragé :

> Non, l'avenir n'est plus sur une barricade!
> Assez de sang coula sur nos pavés déserts...

Victor Hugo et Eugène Sue exilés... Pierre Leroux, Agricol Perdiguier, Martin Nadaud exilés... Proudhon emprisonné... Les poètes ouvriers se turent peu à peu et furent vite oubliés. Les fêtes populaires, devenues moins brillantes, le cabaret fut « l'église de l'ouvrier » [1]. Il semble bien que le prolétariat, privé alors de son élite, subit une forte régression intellectuelle. Paul de Kock et le licencieux Pigault-Lebrun étaient des auteurs populaires loin de valoir Hugo ou Eugène Sue. Les publications relatant les procès criminels, les souvenirs de l'épopée révolutionnaire et de l'Empire, connaissaient une grande vogue. Seule, une faible élite avait lu Michelet. On peut d'ailleurs dire que les lecteurs de Pierre Dupont et de Proudhon étaient des ouvriers non conformistes, comme les lecteurs de Baudelaire et de Flaubert étaient des bourgeois non conformistes [2].

Cependant, le succès de la *Bibliothèque Utile* et des collections d'ouvrages scientifiques indiquent que les goûts du peuple se détachaient de la littérature pour aller vers les sciences pratiques. Aux écoles du soir, les élèves adultes étaient plutôt des artisans. Un grand nombre d'ouvriers se formaient par eux-mêmes, tels le teinturier Benoît Malon et le relieur Varlin (nés tous deux en 1840). Le nombre des illettrés diminuait et n'était plus que de 30 % en 1857 parmi les conscrits. Mais Tolain et Verdier redoutaient l'influence sur les ouvriers des romans populaires en vogue du genre *Mylord l'Arsouille* ou *Les Mystères de la Courtille.*

1. Lire à ce sujet *Le Sublime*, de Denis Poulot, publié en 1870. Denis Poulot, que Zola consulta pour écrire *L'Assommoir*, était un ancien ouvrier, devenu manufacturier, qui disait écrire plus spécialement pour les mécaniciens de Paris. Le « sublime », c'est l'ivrogne, dans l'argot ouvrier d'alors. « Sublimisme, lèpre capitale qui ronge la classe laborieuse. » Le livre de Poulot est une étude sociologique, faite de l'intérieur, sur l'ouvrier du Second Empire. Les descriptions minutieuses des différents types d'ouvriers sont sans complaisance.

2. *Cf. La Vie ouvrière en France sous le Second Empire* (Gallimard, 1946) et *La Pensée ouvrière sur l'éducation sous la II^e^ République et le Second Empire*, par Georges Duveau (Domat-Montchrestien, 1948).

Michelet n'avait pas partagé l'enthousiasme délirant des écrivains romantiques pour la poésie ouvrière des années 1830 à 1848. Il la jugeait à sa juste valeur :

Le tort du peuple, quand il écrit, disait Michelet, c'est toujours de sortir de son cœur, où est sa force, pour aller emprunter aux classes supérieures des abstractions, des généralités. Il a un grand avantage, mais qu'il n'apprécie nullement, celui de ne pas savoir la langue convenue, de n'être pas, comme nous le sommes, obsédé, poursuivi de phrases toutes faites...

Presque toujours ceux qui montent y perdent, parce qu'ils se transforment, ils deviennent mixtes, bâtards; ils perdent l'originalité de leur classe, sans gagner celle d'une autre. Le difficile n'est pas de monter, mais en montant, de rester soi.

Une question hantait sa vieillesse : « Comment naîtront les livres populaires? Les lettrés font pour les lettrés des livres, des journaux, des drames; c'est comme un cercle enchanté où la petite nation travaille à l'insu de la grande. Il faut franchir le cercle. »

Il s'ouvrait un jour de ce problème à Béranger :

— Oh! qui saura parler au peuple? lui faire les nouveaux évangiles? Sans cela nous mourrons.

— Patience, répondit Béranger, ce sont eux qui feront leurs livres.

Ces livres naissaient. Jérôme-Pierre Gilland écrivait en 1849, profitant d'un séjour forcé à la prison de Meaux, sa *Biographie des hommes obscurs* (1850); Agricol Perdiguier, proscrit, rédigeait ses *Mémoires d'un compagnon* (1854); Martin Nadaud, après son exil à Bruxelles et à Londres, publiait en 1895 ses *Mémoires de Léonard, ancien garçon maçon;* Norbert Truquin, émigré au Paraguay après la Commune de Lyon, écrivait en 1888 ses *Mémoires et aventures d'un prolétaire.*

Ces quatre livres ne sont pas des œuvres littéraires au sens usuel du mot. Gilland se fait le biographe des militants ouvriers et, par là, son œuvre entre plutôt dans la catégorie de l'histoire sociale. Mais les autobiographies de Perdiguier, de Nadaud et de Truquin dépassent cette qualification. Œuvres documentaires, parfois malhabiles, où l'expérience de la vie n'est pas suffisamment transcendée, elles ne comportent pas moins nombre de pages émouvantes près desquelles l'œuvre « populiste » de George Sand paraît bien pâle et le naturalisme de Zola bien outrancier.

***

Proudhon a dit de Perdiguier que celui-ci fut « le saint Vincent de Paul du compagnonnage » et Daniel Halévy (qui le tira de l'oubli en 1914) le désigne comme « le premier syndicaliste ».

Lorsque Perdiguier fit son tour de France, la canne enrubannée à la main et ses outils de menuisier dans sa besace, les luttes fratricides entre gavots et devoirants étaient toujours aussi farouches et « se mettre en route pour faire son tour de France, écrit Perdiguier, c'était presque partir pour la guerre ».

*Agricol Perdiguier.*

Il avait quitté Avignon en 1824 et ne devait « boucler la boucle » qu'en 1828. Mais la soif de connaître le possédait et, après avoir vécu neuf mois dans la maison paternelle, il repartit pour Paris. S'aidant de la métrique de Voltaire, il compose des chansons de compagnonnage et les publie en 1833, fonde une école de dessin industriel pour les ouvriers, écrit enfin ce *Livre du compagnonnage* qui devait le faire connaître de George Sand et trouver en elle une protection bienfaisante.

Rêvant de concorde et d'entraide entre les ouvriers, il se voit bientôt accablé d'injures. On l'accuse de vouloir supprimer le compagnonnage, alors qu'il ne veut qu'en réprimer les abus. Répondant à cette campagne de calomnie, il publie en 1846, *Biographie de l'auteur du livre du compagnonnage et réflexions diverses ou complément de l'histoire d'une scission dans le compagnonnage.*

Ce livre est à la fois une apologie du tour de France, un essai d'autobiographie et un appel pressant à l'association ouvrière. Élu représentant du peuple en 1848, Agricol Perdiguier fut proscrit en 1852 par le coup d'État de Napoléon III et vécut à Anvers puis à Genève. De ses souvenirs d'enfance et d'adolescence, de ses voyages d'ouvrier errant, il fit un livre : *Mémoires d'un compagnon.* Le mérite de cet ouvrage vient de ce qu'il ne présente pas seulement avec sincérité la vie d'un ouvrier à une époque donnée, mais que ce cas particulier est lié étroitement au cadre général de la vie ouvrière.

Ma vie, dit-il justement, se lie à la vie des ouvriers en général, en parlant de moi, je parle d'eux. Je fais communs nos travaux, nos études, nos peines, nos misères, nos plaisirs, nos amusements, nos habitudes, nos mœurs, nos défauts, nos préjugés, nos qualités.

Que faisait le peuple pendant les Cent Jours ? Comment vivait-il sous le règne de Louis XVIII ? Agricol Perdiguier nous apprend tout cela. Nous assistons à la fameuse terreur blanche. Nous voyons le peuple bonapartiste. Nous suivons les compagnons à la recherche du travail, de ville en ville. Nous les voyons se battre, danser aux fêtes champêtres dans les villages, besogner quinze heures durant dans un atelier pour un maigre salaire.

Je vis en bas de l'échelle sociale et j'y raconte ce qui s'y passe, dit encore Agricol Perdiguier.

Déçu par les utopistes, Perdiguier qui, d'ailleurs, ne s'était jamais grisé des illusions romantiques comme tant de poètes ouvriers, ses contemporains, donne en conclusion de son livre ce conseil :

Restez avec le peuple, penseurs, avec le peuple réel, et n'allez plus vous perdre dans le pays des chimères, dont les détours, dont les labyrinthes infinis, où l'on s'enfonce, où l'on se perd, vous ont déjà trop égarés. Travaillez pour ce qui existe, et cessez de poursuivre des ombres et de rêver tout éveillés.

***

La même attitude réaliste se trouve chez Martin Nadaud qui écrit dans ses *Mémoires de Léonard, ancien garçon maçon :*

> Si je ne puis présenter à mes lecteurs une œuvre de style, j'ai du moins la prétention d'offrir au peuple, aux ouvriers mes camarades, un livre de bonne foi qui ne les égarera pas dans des subtilités fausses et mensongères.

Agé de quinze ans, Martin Nadaud émigra de sa Creuse natale vers Paris avec d'autres Auvergnats. La caravane vint à pied jusqu'à la capitale. Maçon, il fréquente les cours de l'école du soir. Élu représentant du peuple en 1849, il prend un professeur de grammaire et d'histoire pour combler les lacunes de son instruction. Arrêté et emprisonné à Sainte-Pélagie avec Proudhon en 1851, il est ensuite exilé. Préfet de la Creuse en 1870, conseiller municipal de Paris de 1871 à 1876, il contribue à la constitution des coopératives, défend les syndicats, écrit une *Histoire des classes ouvrières en Angleterre*, publiée en 1873.

Ses *Mémoires de Léonard*, tout comme les *Mémoires d'un compagnon* de Perdiguier, sont une précieuse contribution à l'histoire ouvrière, un acte utilitaire, dit-il lui-même :

> Être utile au peuple, chercher à élever son esprit, son cœur et sa conscience, le pousser vers des études sérieuses afin de lui apprendre à connaître ses droits et les moyens de les faire valoir : tel a été mon but. En racontant ma vie, je n'ai nullement cherché à tirer vanité des épisodes les plus saillants qui la composent, j'ai voulu surtout la soumettre à mes compatriotes, aux jeunes ouvriers de notre époque, pour qu'elle soit pour eux un exemple et un espoir.

***

Norbert Truquin est moins connu. Aussi lui ferai-je la part plus belle. De vingt-huit années plus jeune que Perdiguier, c'était donc presque encore un enfant à la révolution de 48 et un homme jeune en 1870. L'expérience de Norbert Truquin diffère de celle de Perdiguier et de Nadaud par ce décalage d'une génération. Je dirai aussi que son livre est mieux écrit, mieux composé que ceux de ses devanciers, que son expérience de la vie est plus riche, ses aventures plus nombreuses et mieux senties, que certaines de ses pages sont même tout à fait remarquables. J'ai tenté de faire rééditer ses *Mémoires et aventures d'un prolétaire à travers la Révolution, l'Algérie, la République Argentine et le Paraguay.* En vain... C'est dommage, car l'ouvrage, écrit au Paraguay en 1888 et publié à la « Librairie des Deux Mondes », l'éditeur de la revue libertaire : *La Tribune des peuples*, est depuis longtemps introuvable.

Dans sa préface, l'éditeur résume assez bien l'action de cet ouvrage qui se lit comme un roman d'aventures :

> Dans les milieux divers où il transporte le lecteur, l'auteur nous fait assister aux scènes tout à tour navrantes, pathétiques ou gaies, de l'existence des ouvriers; il nous dépeint l'horreur des bagnes industriels où il a passé de longues heures, courbé sur son métier de tisseur; l'intérêt devient encore plus palpitant lorsque, à peine sorti de l'enfance, il nous initie aux péripéties de la formidable insurrection de juin 48, et nous promène, en se jouant, à travers la fusillade et la mitraille, en attendant qu'il prélude à la tentative d'instauration de la Commune à Lyon...

Né dans la Somme, le 7 juin 1833, Norbert Truquin fut placé par son père, dès sa septième année, chez un peigneur de laine. L'enfant crut d'abord à une plaisanterie puis, lorsqu'il dut faire les courses, lorsqu'il fut payé à coups de corde, il comprit qu'il n'en était rien. Pendant trois ans, il vécut chez cet ouvrier brutal et miséreux, couchant sous l'escalier, dans le parc à charbon, se levant à 3 heures pour allumer le feu, cardant la laine avec ses dents (les mains étant occupées à tirer la laine) de 4 heures du matin à 10 heures du soir, et recevant une gifle chaque fois qu'il succombait au sommeil.

Mais un mauvais patron vaut mieux encore qu'un complet abandon. Lorsque le cardeur mourut, l'enfant vécut en vagabond, ramassant les légumes jetés dans les ordures pour s'en nourrir. Recueilli par des prostituées, puis par un chiffonnier, se reposant à l'hôpital pour servir ensuite de domestique à des terrassiers, reprendre son vagabondage et mendier sur les routes, travailler dans une briqueterie, ramasser des os pour les vendre, filer de la laine, colporter des bibelots avec des marchands italiens... Lorsqu'il atteint sa treizième année, il avait déjà vécu nombre d'aventures.

C'était en 1846. Il ne savait ni lire ni écrire mais avait entendu parler de Cabet dans un atelier. Ses pérégrinations avaient conduit l'enfant à Paris, à la suite des colporteurs italiens. A la veille de la révolution de 48, les vieux ouvriers lui conseillaient de ne pas se mêler à l'insurrection qui se préparait : « C'est toujours le peuple qui paie les pots cassés, disaient-ils. Nous l'avions bien vu en 1830; nous nous sommes fait casser la gueule pour ces gros bonnets qui, une fois arrivés au pouvoir, nous donnèrent du pied au derrière. »

Que voilà donc un style dru qui sonne juste! La description que Truquin fait de la Révolution est également tout à fait remarquable et n'est pas sans faire songer à la manière de Stendhal décrivant la bataille de Waterloo. En février, l'enfant voit la foule provoquer les gardes municipaux à la Bastille. « Pas un de ces provocateurs était de la classe ouvrière », note-t-il. Mais à une barricade de la rue de l'Échaudé, bourgeois et ouvriers se confondent. Près des Tuileries, on fusille un voleur. On brûle le trône, place de la Bastille. M$^{me}$ de Lamartine fait l'aumône aux indigents, ce qui valut à son mari, dit Truquin, « des centaines de milliers de voix aux élections... L'ouvrier est bon et reconnaissant jusqu'à la bêtise ». Les soldats fusillent ceux qui ont les mains sales ou noircies par la poudre. L'enfant se glisse partout, veut tout voir. La révolution est pour lui une sorte de jeu. « Je ne pensais qu'à faire une guerre de gamin. »

Ayant retrouvé son père dans la capitale, il persuade celui-ci d'émigrer en Algérie. Il y restera sept ans, domestique d'un cercle d'officiers. Le tableau qu'il nous fait de la colonisation n'est pas rose, et nous voyons des femmes d'émigrés fuir la misère en rentrant dans les maisons publiques d'Oran.

Norbert Truquin retourne en France. Il a vingt-deux ans. Tour à tour puisatier, terrassier, tisseur, il nous décrit les « bagnes lyonnais » et la misère des jeunes ouvrières : « En travaillant dix-sept heures par jour dans des ateliers souvent malsains, où ne pénètrent jamais les rayons bienfaisants du soleil, la moitié de ces jeunes filles deviennent poitrinaires avant la fin de leur apprentissage. » C'est parmi ces ouvrières qu'il devait trouver sa femme : « Pendant nos premiers six mois de lune de miel nous ne vécûmes que de pommes de terre cuites à l'eau », écrit-il.

En 1870, il avait trente-sept ans. Ayant participé à la Commune de Lyon, il fut arrêté. Libéré après vingt-cinq jours de prison, il proposa à quarante ouvriers, las comme lui d'une vie sans espoir, d'émigrer en Argentine. Mais ceux-ci se moquèrent de ses plans d'association ouvrière. Il partit seul, sachant à peine lire et pas du tout écrire. Domestique à Buenos Aires, il ne put réaliser cette association dont il rêvait, ne rencontrant qu'égoïsme et chamailleries parmi les autres émigrés. Avant de retourner en France, cet aventureux trouva encore le moyen de se faire une réputation de médecin en soignant avec la méthode Raspail. Enfin, après un séjour d'un an à Lyon, où il fit un travail double pour économiser le prix d'une nouvelle traversée, il repartit en Amérique avec sa famille et se fixa au Paraguay où il monta une petite ferme.

La conclusion de ses Mémoires comportait des conseils aux émigrants pour la culture au Paraguay, quelques portraits de ses voisins sauvages de la forêt, les Indiens, pour lesquels il avait une grande sympathie, et un pressant appel pour une littérature ouvrière de témoignage.

Il est urgent que tous ceux qui travaillent et souffrent des vices de l'organisation sociale ne comptent que sur eux-mêmes pour se tirer d'affaire et se créer un présent et un avenir meilleurs par la solidarité. Il importe donc que chacun d'entre eux apporte sa pierre à l'édifice commun, en publiant ses notes, ses cahiers, ses Mémoires, en un mot tous les documents qui peuvent contribuer à détruire les iniquités du vieux monde et hâter l'avènement de la révolution sociale.

## LE COMPAGNONNAGE

Artisans d'élite ne connaissant pas la misère des ouvriers de l'industrie (le Dr Guépin écrit qu'un ouvrier de l'industrie gagne 300 francs par an aux alentours de 1830, alors que les compagnons : maçons, charpentiers, menuisiers, etc., gagnent 600 à 1.000 francs par an), les compagnons formaient une caste fermée au sein du prolétariat, une caste qui, d'ailleurs, se partageait en sociétés rivales dont les luttes souvent sanglantes retardèrent l'union ouvrière. Le plus célèbre des écrivains ouvriers du compagnonnage fut Agricol Perdiguier. Le compagnonnage a un folklore particulier, avec ses réceptions d'aspirants, ses conduites, ses chants bachiques et de combat.

### Pierre Moreau, ouvrier serrurier

Il est évident que dans l'origine, les sociétés de compagnonnage répondaient, autant que possible, aux besoins de leur époque, et qu'elles exerçaient une grande puissance morale sur les ouvriers; aussi ceux qui, par suite de mauvaise éducation ou de circonstance exceptionnelle, oubliaient les lois de l'honneur et de la probité en trompant la confiance de leurs coassociés ou de ceux avec qui ils se trouvaient en relations, étaient promptement punis, soit par amendes, interdictions soit par l'exclusion s'ils ne voulaient rentrer dans leurs devoirs. La société lançait contre eux une espèce de bulle d'excommunication qui les qualifiait d'*espontons*, les dégradait et les rendait odieux à tous les associés. Le peu d'assurance qu'ils avaient après cette dégradation, leur signalement donné à toutes les villes, faisaient facilement entrevoir la flétrissure morale que leur avait infligée la Société; et ne trouvaient plus ni travail, ni secours, ni crédit et amis sur le tour de France.

Les *indépendants* proprement dits se tiennent en dehors des sociétés, par égoïsme et orgueil, ou pour se soustraire à toute règle de surveillance, dans l'intention de faire plus facilement des dupes; ou enfin par faiblesse envers des maîtres, car il en est qui désirent que les ouvriers brisent tous les liens qui les unissent, afin de les exploiter plus facilement; et cela sans réfléchir que les consommateurs improductifs y gagneraient seuls. Il en est d'autres aussi qui ont été découragés par d'anciennes et bizarres lois et coutumes.

En dehors des sociétés, il y a encore, d'après le compagnonnage, deux classifications d'ouvriers. Ce sont les *armagnols* et les *cornichons* ou *agrichons*, noms assez fantasques créés par les compagnons.

Les armagnols sont des jeunes gens qui travaillent dans leur pays, sans faire partie d'aucune Société, et les cornichons ou agrichons sont des ouvriers mariés non établis.

Ces ouvriers, ainsi que les *espontons* et les *indépendants* vivent dans un isolement absolu et sont sédentaires. C'est pour ces motifs qu'ils sont moins rétribués que ceux qui, à chaque vexation, sont toujours disposés à partir. Ainsi, si les ouvriers ne voyageaient plus, et s'ils écoutaient les conseils perfides de ceux qui cherchent à les diviser en faisant l'éloge de l'égoïsme le plus grossier et en réchauffant les idées de domination, nous tomberions dans l'apathie et nous partagerions le sort de ceux qui travaillent dans les fabriques et manufactures.

(*De la réforme des abus du compagnonnage
et de l'amélioration du sort des travailleurs*, 1843.)

## Chansons de compagnonnage

### LE TRAVAIL

Air du *Vigneron*.

Je suis un joyeux Compagnon,
Et n'ai jamais craint la besogne;
J'aime le vin du Bourguignon,
Pourtant je ne suis pas un ivrogne,
La France est mon pays natal,
Le bon vieux vin est mon régal,
Et pour en avoir
Du matin au soir,
Travail, travail,
Avec nous prolonge ton bail;
C'est le souhait des Compagnons
Du travail, du vin, des chansons,
C'est le refrain des Compagnons *(bis)*

Guait, dit Lyonnais-la-Fidélité,
Compagnon tisseur-ferrandinier du Devoir.

### LE VOYAGEUR

Air : *Laissez les roses aux rosiers.*

Mon paquet est sur mon épaule,
Ma gourde pend à mon côté;
Pendant que l'heure vole et vole,
Moi je chemine en liberté.
Mes pieds se couvrent de poussière,
L'air dans ma poitrine descend,
Et j'avance dans la carrière
L'âme en paix et le cœur content.

Agricol Perdiguier, dit Avignonnais-la-Vertu.
Compagnon menuisier du Devoir de Liberté.

### LA FRATERNITÉ OUVRIÈRE

Air des *Trois Couleurs* ou *T'en souviens-tu.*

Mes chers amis, c'est au sein de la gloire
Que le guerrier se couvre de lauriers;
Mais entre nous, la plus belle victoire
C'est l'unité de tous les ouvriers.

Rivalisons de force et de courage
Pour le travail, notre pain quotidien;
Avec ardeur rendons-nous à l'ouvrage
C'est le devoir de tout homme de bien.

L'oisiveté engendre tous les vices,
Le paresseux connaît la pauvreté,
Car, malgré lui, il subit ses caprices,
Puis il est nul pour la fraternité.

Longtemps déchus, redevenons des hommes;
L'instruction fera notre bonheur;
A l'insolent prouvons donc que nous sommes
Des citoyens et des hommes de cœur...

Benjamin Lafaye,
menuisier à Castillon-sur-Dordogne.

### CHANT DES TISSEURS-FERRANDINIERS

Air : *Elle aime à rire, elle aime à boire.*

Quand le quinze d'août nous rassemble
Au sein d'un banquet si joyeux,
Le verre rempli de vin vieux,
Frères, gaiement, trinquons ensemble.
A notre art offrons des lauriers;
Ce n'est pas tout que de bien boire :
En ce beau jour chantons la gloire
Des Compagnons Ferrandiniers *(bis)*.

Du beau pays de Cachemire
Nos beaux châles portent le nom,
Mais aujourd'hui, c'est à Lyon
Qu'est le siège de leur empire.
Du beau pays des bananiers
Pourtant respectons la mémoire;
Il fut vaincu mais par la gloire
Des Compagnons Ferrandiniers *(bis)*.

Beaux ouvrages de Saint-Étienne,
Paris vous imite tout bas,
Tours fait brocatelle et damas;
Le drap vient d'Elbeuf et de Vienne;
Partout gagnons de beaux deniers!
Le Rhône, la Seine, la Loire,
Sur leurs bords rediront la gloire
Des Compagnons Ferrandiniers *(bis)*.

Qu'elle est belle notre science!
De nos tissus quel riche essaim...
Au tour gracieux du dessin
Se joint l'éclat de la nuance.
Notre art, déjà l'un des premiers,
Peut grandir encor, j'aime à croire.
Ah! qu'il grandisse pour la gloire
Des Compagnons Ferrandiniers *(bis)*.

Galibert, dit Dauphiné-la-Clef-des-Cœurs,
compagnon tisseur-ferrandinier du Devoir.

### LES BIENFAITS DU COMPAGNONNAGE

Air de *La Cardeuse de matelas.*

Compagnon sur le tour de France
Si je bénis mon existence,
Si je rencontre le bonheur
En voyageant avec honneur,
Si je recherche la sagesse
Par-dessus toute autre richesse,
C'est que, voulez-vous le savoir?
Je suis compagnon du Devoir.

Quand je descends chez une mère
Si l'on m'accueille comme un frère,
Si l'on me reçoit tout de bon,
Comme le fils de la maison;
Là, si je suis comme en famille,
Si pour moi le bon vin pétille,
C'est que, voulez-vous le savoir?
Je suis compagnon du Devoir.

Des charmes de la bienfaisance
Si je sens la douce influence
De ses dons si je suis l'objet,
Si je sais garder un secret;
Dans le sentier de la justice,
Si je cherche à vaincre le vice,
C'est que, voulez-vous le savoir?
Je suis compagnon du Devoir.

Si l'amitié daigne sourire
Aux sentiments qu'elle m'inspire,
Si je fais des vœux constamment
Pour acquérir le vrai talent;
Loin d'une famille chérie,
Si je passe gaiement ma vie,
C'est que, voulez-vous le savoir?
Je suis compagnon du Devoir.

Des bienfaits du compagnonnage
Qui nous peint ici l'assemblage,
Par ces couplets, en traits flatteurs?
C'est Vendôme-la-Clef-des-Cœurs.
S'il nous a consacré sa muse,
Sans que jamais il n'en abuse,

C'est que, voulez-vous le savoir ?
Il est compagnon du Devoir

Piron, dit Vendôme-la-Clef-des-Cœurs,
blancher-chamoiseur.

## Agricol Perdiguier

*Il y a quelques années, mon type de Pierre Huguenin pouvait paraître embelli pour les gens du monde qui n'avaient pas de rapports directs avec ceux de l'atelier. Cependant, Agricol Perdiguier, lui-même, était au moins aussi intelligent, aussi instruit que Pierre Huguenin*

G. SAND.

*Agricol Perdiguier, dit Avignonnais-la-Vertu, a ceint le tablier de cuir, et est menuisier en Suisse... On voit de ces choses-là dans Plutarque.*

V. HUGO, *Histoire d'un crime.*

*Agricol Perdiguier fut le premier syndicaliste, voilà son titre historique, que les historiens n'ont pas connu.*

DANIEL HALÉVY.

Pendant que je travaillais chez M. D..., j'étais en rapports journaliers avec les devoirants ou compagnons du Devoir, et si j'avais commencé mon tour de France en sortant de cet atelier, j'aurais été l'un des membres zélés de leur société. M. Poussin occupait des gavots ou compagnons du Devoir de Liberté; à leur contact, mes idées devaient se modifier. Pourtant, les premiers jours, des membres et des adhérents de la société, que je ne connaissais pas encore, furent loin de m'être sympathiques.

Je sortais d'un atelier de devoirants. Je devais être un petit aspirant, à tout le moins un esponton, c'est-à-dire un polisson qui aspire à une indépendance absolue et fuit toute société... J'étais jeune, je ne pouvais être qu'un mauvais ouvrier... De cette pensée naissait la disposition de quelques-uns à me railler, des apprentis surtout, qui étaient au nombre de trois, dont deux, Louiset et Pinçu, étaient mes aînés de quelques années, et l'autre de mon âge. Le jour de mon entrée dans l'atelier, j'avais fait un maillet qui m'était nécessaire, et refendu quelques pièces de bois. On me loua dérisoirement sur mon habileté. Je les compris et ne dis mot. Mais lorsque j'eus terminé les quatre pièces croisées que le patron m'avait données à faire, ils s'adoucirent, devinrent polis; lorsque j'eus assemblé mes quatre premières persiennes, et que l'on vit les traverses, les lames, avant même d'avoir été chevillées, joindre d'une manière parfaite contre les battants, je reçus des félicitations unanimes, sincères. Les deux apprentis qui avaient terminé leur apprentissage, et qui se croyaient mes supérieurs, comprirent qu'ils s'étaient trompés et devinrent tout autres à mon égard : ils furent mes amis. Je me rappelle avec plaisir Louiset d'Orgon, Pinçu de Carpentras, Ravoust de Barbentane. Je serais heureux de les revoir tous.

Je veux placer ici un fait particulier. Lorsque je n'en étais qu'à mes premières croisées, et qu'on n'avait pas encore pu apprécier ce que je pouvais valoir comme ouvrier, un compagnon, qu'on appelait Vivarais, se permit l'acte que voici : mes croisées étaient mises en bois. L'une d'elles était couchée sur deux tréteaux, les châssis dans le dormant. Les sergents étaient serrés vis-à-vis la traverse du haut et la pièce d'appui. J'allais percer des trous avec le vilebrequin et cheviller ensuite. Je me détourne un moment. Vivarais arrive, fait lâcher prise aux sergents, et les emporte. Je me plains à M. Poussin de ce sans-gêne. Il va le trouver et lui dit d'une voix ferme : « Vivarais, rendez donc, et tout de suite, les sergents que vous venez de prendre — Quoi, vous préférez un esponton à un compagnon? — Je préfère ce qui est juste à tout le reste. — Eh bien, je vais m'en aller. — Partez quand vous voudrez. » Les sergents me furent rendus. Vivarais, outré de ce qu'on avait préféré, selon son dire, un esponton à un compagnon, prit congé à l'instant même.

J'ai raconté ce fait pour montrer combien un ignorant revêtu d'un titre quelconque se croit supérieur aux autres hommes et tranche du grand seigneur. Il dirait volontiers au peuple : « Bas le pavé, manant... »

Je gagnai vite l'affection de tout l'atelier.

Tous les compagnons furent sympathiques, doux, bienveillants, serviables pour moi. Ces gavots, que leurs adversaires m'avaient peints si noirs, si affreux, et dont le nom seul me faisait frissonner, me parurent charmants, délicieux. Ils m'entraînèrent promener avec eux le dimanche, me menèrent chez leur mère à plusieurs reprises, et j'étais toujours bien reçu. Je voyais avec plaisir, avec joie, des jeunes hommes, venus de tous les points de France, vivre en frères, s'aider, se soutenir mutuellement. Le calme, l'honnêteté, le respect qui régnaient dans cette maison me frappèrent extrêmement.

Chez la mère des aspirants, j'avais remarqué plus de gaieté, entendu plus de bruits, plus de propos grivois; tout le monde se tutoyait, se plaisantait. Autre était l'aspect, le caractère du nouvel intérieur que j'avais sous les yeux. Pas de tutoiement, pas de mots saugrenus; mais quelque chose de grand, de sublime, de fraternel. Tout cela m'attirait, me gagnait, j'étais déjà moitié gavot...

A Nîmes, j'assistai à une fête de Saint-Anne. Le matin, nous allâmes à la messe : ensuite nous fîmes l'élection du nouveau chef de la société, que nous renouvelons tous les six mois. Le soir eut lieu le banquet. Rien de beau, rien de doux, rien de fraternel comme ces fêtes de compagnons... On y chante en chœur, on s'y livre à l'amitié, à l'enthousiasme. On s'y rend capable de se dévouer, de mourir les uns pour les autres... Mais malheureusement, des ombres fatales assombrissent le tableau; il y a des luttes sans motif, sans but, de société à société. Les contrées du Midi ont été témoins de véritables guerres entre travailleurs. La plaine de la Crau fut un lieu de carnage dans les vieux temps. Vergèse et Mus, près de Lunel, ainsi que le village de Ners, peu distant d'Alès, ont vu le sang rougir leurs campagnes : des compagnons y furent blessés en grand nombre, d'autres laissés là sans vie. Au moment de mon arrivée à Nîmes, les deux partis venaient de terminer un différend par le combat de quatre champions gavots contre quatre champions devoirants. Ceux-là célébraient leur victoire par un chant de triomphe. Je ne sais si ceux-ci avaient rien composé de semblable en faveur de leurs combattants.

Nous avions alors dans les villes du Midi de rudes jouteurs : c'étaient Dupuy-la-Résistance, Vaudois-l'Hercule, Artois-le-Décidé et d'autres. Ils étaient les héros de notre société : aussi leur renommée était-elle grande.

Dans chaque compagnonnage, on apprenait à manier la canne, le bâton, à assommer promptement son homme. Les plus forts, les plus terribles, les plus audacieux étaient les plus célèbres, les plus aimés des compagnons. Tuer son semblable, du moment qu'il n'était pas de notre petite société, ce n'était pas un crime, c'était un acte de bravoure. Le tour de France était tout belligérant. Les compagnons étaient des guerriers, les compagnonnages des armées ennemies, des nationalités rivales qui ne rêvaient que de s'écraser les unes les autres.

En dépit des agents de police, des gendarmes, des soldats, des juges, des prisons, des punitions les plus rigoureuses, l'esprit de guerre ne s'affaiblissait point, chaque société vénérait ses héros, ses martyrs, et maudissait tout ce qui lui était opposé. Cet esprit-là nuisait à l'instruction, à l'éducation de la jeunesse de toute la classe travailleuse. Aussi point d'idées politiques, point d'idées philosophiques, point de connaissances historiques, littéraires, morales chez elle. L'ouvrier qui lisait était, à moins que son caractère ne commandât fortement le respect, un objet de raillerie. Nos chansonniers chantaient la guerre, exaltaient notre orgueil, notre supériorité, nos préjugés, nos préventions. Nous étions des dieux, et nos adversaires étaient, selon leurs dires, des brigands, des sots, des bêtes stupides et méchantes, indignes de vivre, qu'il fallait exterminer.

Voici, comme échantillon, un couplet d'un hymne guerrier d'une longue étendue, qu'alors on chantait avec passion, avec frénésie, ardeur, en trépignant, en frappant du poing sur les tables, les yeux enflammés, la physionomie terrible...

*Entre Mus et Vergèse,*
*Nos honnêtes compagnons*
*Ont fait battre en retraite*
*Trois fois ces chiens capons.*
*A coup de canne et de compas*
*Nous détruirons ces scélérats;*
*Nos compagnons sont bons là.*
*Fonçons sur eux le compas à la main,*
*Repoussons-les, car ils sont des mutins.*

*Pas de charge, en avant,*
*Repoussons tous ces brigands,*
*Ces gueux de dévorants*
*Qui n'ont pas du bon sang.*

Quand ils avaient fait entendre, avec une énergie indescriptible, des chants de cette nature, les compagnons, de part et d'autre, ne se possédaient plus : ils étaient prêts à combattre, à tuer, à mourir. Combien de scènes affreuses la France n'a-t-elle pas vues ? C'étaient des hommes jeunes, au cœur chaud, à l'esprit généreux, enfants du même pays, des frères qui, par un zèle mal entendu, un courage mal dirigé, s'égorgeaient les uns les autres impitoyablement...

Cependant, cet esprit de bataille, de guerre, de haine, qui entravait le développement de l'intelligence, tuait l'idée politique, l'idée philosophique, l'idée morale, l'idée religieuse, avait laissé vivre l'amour du métier, du travail tout en paralysant, il est vrai, une partie de ses bons effets.

(*Mémoires d'un compagnon*, 1854.)

## Poésie sociale des ouvriers :

### Jules Michelet

Je croirais volontiers que dans l'avenir, les grandes originalités inventives appartiendront aux hommes qui ne se perdront point dans ces moyennes bâtardes où s'énerve tout caractère natif. Il se trouvera des hommes forts qui ne voudront pas monter; qui nés peuple, voudront rester peuple. S'élever à l'aisance, à la bonne heure. Mais entrer dans la bourgeoisie, changer de condition et d'habitudes, cela leur paraîtra peu souhaitable; ils sentiront qu'ils y gagneraient peu. La forte sève, le large instinct des masses, le courage de l'esprit, tout cela se conserve mieux chez le travailleur, lorsqu'il n'est point brisé par le travail, lorsqu'il a la vie un peu plus facile, avec quelques loisirs.

Les changements continuels de condition, de métier, d'habitudes, empêchent tout perfectionnement intérieur; ils produisent ces mélanges qui sont tout à la fois vulgaires, prétentieux, inféconds. Celui qui, dans un instrument, sous prétexte d'améliorer les cordes, changerait leur valeur et les rapprocherait toutes d'une moyenne commune, au fond il les aurait annulées, rendu l'instrument inutile, l'harmonie impossible.

Rester soi, c'est une grande force, une chance d'originalité. Si la fortune change, tant mieux; mais la nature reste. L'homme du peuple doit y regarder, avant d'étouffer son instinct, pour se mettre à la suite des beaux esprits bourgeois. S'il reste fidèle à son métier et qu'il le change comme Jacquard; si d'un métier il fait un art, comme Bernard Palissy, quelle gloire plus grande aurait-il en ce monde ?

(*Le Peuple*, 1846.)

Dans ma jeunesse un mot me frappait quelquefois, un mot que l'ouvrier, le pauvre, répétait volontiers : « Mon livre. »

On n'était pas, comme aujourd'hui, inondé de journaux, de romans, d'un déluge de papiers. On n'avait guère qu'un livre (ou deux), et on y tenait fort, comme le paysan tient à son almanach. Ce livre unique inspirait confiance.

C'était comme un ami. A tel moment de vide, où un ami vous eût mené au cabaret, on restait près des siens, et on prenait « son livre ».

On lisait beaucoup moins, avec un esprit neuf, on y mettait du sérieux, et la disposition qu'on avait ce jour-là. Selon qu'il faisait beau ou laid, selon qu'on était gai ou triste, heureux ou non, plus ou moins pauvre, ce livre complaisant se colorait diversement...

On l'avait lu vingt fois. Il ne dominait point par l'attrait de la nouveauté, comme tant de livres d'aujourd'hui qui prétendent être neufs et s'imposent à ce titre. Ce livre aimé était réellement un livre élastique, qui laissait le lecteur broder dessus. Il ne pouvait donner l'information diverse des livres d'aujourd'hui. Mais en revanche, il stimulait, éveillait l'initiative. La pensée solitaire, se lisant à travers, souvent entre les lignes, voyait, trouvait, créait. C'est ainsi que Rousseau, qui eut si peu de livres, ressassant du Plutarque, finit par y trouver et *L'Inégalité* et *Le Contrat social*, et tant d'autres de ses écrits...

Un des grands stoïciens, fondateur du portique (Zénon) était un ouvrier qui travaillait la nuit de ses mains, gagnait sa vie, pour librement philosopher le jour. J'ai vu avec vénération un ouvrier (Ponty) qui ne voulut jamais que des métiers de nuit. Longtemps chiffonnier, puis veilleur au chemin de Saint-Germain, le matin, après un court somme, proprement habillé, il se mettait à lire, à penser, à écrire. Nature forte et sérieuse à qui la volonté si haute donnait une vraie distinction.

Que lisait-on alors ? Les réimpressions de Voltaire furent avidement achetées sous la Restauration. Lecture assez confuse... Juillet et les années suivantes furent un volcan de livres, une éruption trouble d'utopies, de romans socialistes. Bibles nouvelles, bien plus confuses encore, mêlées d'idées ingénieuses et de chimères, souvent touchantes par un sentiment vrai. Les hommes valaient mieux que les livres. Plusieurs furent des natures excellentes, adorables. En 1839, à Lyon, conduit par un homme très bon qui n'inspirait nulle défiance, je vis une chose attendrissante et dont le souvenir m'émeut toujours. Je vis la chambre nue d'un apôtre de ces idées, pauvre ouvrier sans pain, ses enfants maigres et chétifs. La femme (une vraie lionne) rôdait pour la pâture de la famille. Il s'était épuisé d'argent et de santé pour acheter, donner, répandre ces petits livres qui allaient nous faire tous heureux. Tout l'accablait, surtout sa femme qui haussait les épaules. Mais sa sérénité, sa douceur étaient incomparables. Jamais je n'avais vu un cœur plus généreux, plus tendre. Son communisme était de tout donner, de se donner et sa vie même. C'était fait. Il était perdu, fort malade de la poitrine, mais toujours souriant, aimable et bon, sans haine pour la société.

Un tas de ces brochures étaient sur sa table. J'en lus. Ce qui me frappa, c'est que toutes partaient de l'idée d'*un miracle* qu'elles proposaient sérieusement : d'un trait biffer un monde, et en refaire un autre...

Les livres qu'il nous faut, ce sont précisément les plus contraires à l'idée de miracle. Ce sont *les livres d'action*.

J'entends par là ceux qui apprennent à agir, à compter sur soi, la foi aux seuls effets du travail, de la volonté.

Des livres vrais d'abord. La vie est courte. Nous n'avons pas le temps de nous farcir l'esprit d'un tas de vains mensonges qu'il faudra oublier demain.

Les enfants ont ici l'instinct droit de nature. Quand vous leur racontez quelque chose : « Est-ce vrai ? » C'est le mot qu'ils disent d'abord.

(« Mon Livre », in *Nos Fils*, 1869.)

## Magu, ouvrier tisserand

*Le plus naïf et le plus aimable de ces poètes nouvellement éclos au sein du peuple, dont nous avons déjà plus d'une fois signalé l'avènement, c'est le bonhomme Magu. Artisan rustique né au village, sachant à peine lire, il précéda de beaucoup d'années Beuzeville et Lebreton, Poncy, Savinien Lapointe et, même, je crois, Durand qui est de plusieurs années plus jeune que lui.*

GEORGE SAND.

*J'ai trouvé en vous le poète artisan, tel qu'il me semble devoir être : occupé de rendre ses sentiments intimes avec la couleur des objets dont il vit entouré, sans ambition de langage et d'idées, ne puisant qu'à sa propre source et n'empruntant qu'à son cœur, et non aux livres, des peintures pleines d'une sensibilité vraie et d'une philosophie pratique.*

BÉRANGER.

### A MA NAVETTE

Cours devant moi, ma petite navette.
Passe, passe rapidement!
C'est toi qui nourris le poète
Aussi, t'aime-t-il tendrement.

Confiant dans maintes promesses,
Eh quoi! j'ai pu te négliger...
Va, je te rendrai mes caresses,
Tu ne me verras plus changer.

Il le faut, je suspends ma lyre
A la barre de mon métier;
La raison succède au délire,
Je reviens à toi tout entier.

Quel plaisir l'étude nous donne!
Que ne puis-je suivre mes goûts!
Mes livres, je vous abandonne...
Le temps fuit trop vite avec vous.

Assis sur la tendre verdure,
Quand revient la belle saison,
J'aimerais chanter la nature...
Mais puis-je quitter ma prison ?

La nature... livre sublime!
Le sage y puise le bonheur
L'âme s'y retrempe et s'anime,
En s'élevant vers son auteur.

A l'astre qui fait tout renaître
Il faut que je renonce encor :
Jamais à ma triste fenêtre
N'arrivent ses beaux rayons d'or.

Dans ce réduit profond et sombre,
Dans cet humide et froid caveau,
Je me résigne, comme une ombre,
Qui ne peut quitter son tombeau.

Qui m'y soutient ? C'est l'espérance.
C'est Dieu; je crois en sa bonté
Tout fier de mon indépendance,
J'y retrouve encor la gaieté.

Non je ne maudis pas la vie,
Il peut venir des temps meilleurs.
Quelque peu de philosophie
M'en fait supporter les rigueurs.

Tendre amitié qui me console,
Ne viens-tu pas me visiter ?
Ah! combien j'aime ta parole,
Et qu'il m'est doux de l'écouter!

Je me soumets à mon étoile!
Après l'orage, le beau temps...
Ces vers, que j'écris sur la toile,
M'ont délassé quelques instants.

Mais vite, reprenons l'ouvrage.
L'heure s'enfuit d'un vol léger.
Allons, j'ai promis d'être sage.
Aux vers il ne faut plus songer.

Cours devant moi, ma petite navette,
Passe, passe rapidement!
C'est toi qui nourris le poète,
Aussi t'aime-t-il tendrement.

## Charles Poncy, maçon

*Voici les poésies d'un ouvrier, non pas d'un ouvrier sur le livret imaginaire de l'éditeur, mais d'un véritable et tout jeune ouvrier maçon qui a pour lui une bonne santé, deux bons bras, une inspiration du ciel, et deux francs soixante-quinze centimes par jour. (Note de l'éditeur.)*

### AUX MAÇONS

Effilons nos marteaux pour raser trois maisons;
Du travail tout l'hiver, du travail aux maçons!
Oh! si nos jours sont froids et sombres,
Nous nous réchauffons par un chant fraternel;
Et nos bras lanceront aux nuages du ciel
D'autres nuages de décombres.

Sur le seuil du chantier, déposons nos chagrins;
D'une douce gaieté que nos fronts soient empreints
Et qu'avec nos bouteilles pleines
La joie et la vigueur de nos paniers,
Jusqu'à ce que les fleurs des beaux jours printaniers
Constellent le gazon des plaines.

Qu'il est beau de sentir s'abîmer sous nos pieds
Tous ces planchers, fumant comme de grands trépieds;
Comme la mer dans les tempêtes!
Et qu'il est doux de voir ces murs, que nous ouvrons,
Nous montrer le soleil, à travers leurs chevrons,
Ainsi que d'immenses squelettes!

Après avoir construit des demeures pour tous,
Si nous pouvions, amis, bâtir un toit pour nous!
Si nous étions propriétaires
D'un petit coin des champs qu'au loin nous découvrons
Pour voir grandir nos fils, pour reposer nos fronts,
Que nous serions heureux, mes frères!

Et puis, si nous pouvions saper comme ces murs
Les hideux préjugés et les vices impurs,
Si nos efforts pouvaient détruire
Cette société, que de sublimes fous,
Architectes divins, ébranlent à grands coups,
Et, sur leurs plans, la reconstruire!

La force, la beauté, l'harmonie et l'amour
Seraient inaugurés tous ensemble en un jour.
Comme ces pierres entassées
S'élancent dans les airs en murailles de grès,
Nous élèverions tous, vers le ciel du progrès,
Nos cœurs, nos chants et nos pensées.

Nous aurions le bonheur, la foi, la liberté!
Et peut-être qu'enfin la sainte vérité
Luirait dans notre nuit profonde,
Qu'à nos désirs ardents l'infini répondrait,
Qu'en un immense amour la haine se fondrait
Et que Dieu bénirait le monde!

## Savinien Lapointe, cordonnier

### TOUT NOUS ÉCHAPPE, HÉLAS!

Que se passe-t-il donc de funeste et d'étrange?
Hélas! l'orage a-t-il saccagé la vendange,
Incendié nos bois? Ou bien a-t-il couché
Le blé sur notre sol avant qu'il soit fauché;
Arraché tout le fruit qui pendait à la branche
De l'arbre sous lequel on courait le dimanche,
S'asseoir et s'égayer? Et nos pauvres abris
Ont-ils par l'ouragan été mis en débris?
Tout nous échappe, hélas! pain, fruits; à notre table
Le vin ne vient jamais comme un convive aimable,
Y semer la gaieté; nous grelottons : le froid
Aux trous de nos haillons s'engouffre, et point de toit
Où l'on puisse un moment se débleuir la face,
Réchauffer nos pieds nus engourdis dans la glace;
Il fait pourtant bien froid et rien pour nous couvrir;
Et nous sommes à jeun. Que la faim fait souffrir!
Ah! sur ce globe étroit la multitude abonde;
Oui, le pauvre est de trop... Pourtant la sève inonde
Blés, ceps, bois, fruits et fleurs, chanvre et lin. Il nous faut
Subir la faim, la soif et le froid et le chaud!
Qui donc a fait les lots, désigné le partage?
Tel est le cri du Peuple; il s'élève, il se perd,
Emporté par le vent comme un bruit au désert.

## Francis Tourte, peintre sur porcelaine

### JE NE VEUX PAS DE VOTRE CHARITÉ

Ah! pitié pour tous ceux que l'indigence mine,
Dont la privation rétrécit la poitrine!
Ne me repoussez pas, c'est pour eux, voyez-vous,
Que je viens, en esclave, embrasser vos genoux.
Je ne viens pas, ainsi que le vieillard débile,
Au sortir du banquet vous tendre ma sébile;
Non, non, je ne veux pas de votre charité;
Non, mais ce que je veux pour tous, c'est l'équité;
C'est l'agile industrie éveillée à l'aurore;
C'est du fer à broyer sous l'enclume sonore;
De la terre où leurs bras fécondent les moissons,
Dans nos champs orgueilleux de leurs riches toisons.

## Michel Roly, menuisier

### NOTRE SORT EST-IL DONC DE NAITRE ET DE SOUFFRIR?

Rêvons-nous, mes amis, un meilleur avenir?
Voulons-nous secouer le joug qui nous opprime?
On ose nous en faire un crime.
Notre sort est-il donc de naître et de souffrir?
L'existence, pour nous, sera-t-elle donc sans charmes?
Verserons-nous toujours, sueurs, sang et larmes?
D'un destin si fatal, comment parer les coups?
Quel chemin faut-il prendre? On les encombre tous!
On connaît tous nos maux; on entend nos prières,
Et lorsque nous voyons notre ordre social,
Dans son égoïsme glacial,
Rire de nos misères,
Et comme une avalanche, enfin, fondre sur nous,
Si nous crions, on nous traite de fous.
Mais, mon Dieu, de souffrir l'humanité se lasse :
Quel sera donc le rédempteur
Qui, d'un feu régénérateur,
Répandra dans nos cœurs de glace,
Une fraternelle chaleur?

### Louis Festeau, horloger

D'un fils chaque hochet, chaque pulsation,
Coûte au petit ménage une privation.
A quatre ans, le bambin, cherchant la picorée,
Va sans guide, vaquant sous sa triste livrée;
Il combat dans la rue, abrité d'un auvent,
Le chaud, le froid, la faim, et la pluie et le vent;
Il est vrai qu'à Paris, par faveur singulière,
Il peut se faufiler à l'école primaire,
Ou puiser, dans l'argot d'un frère ignorantin,
Le secret d'agrandir son âme et son destin...
Plus tard, sous l'œil d'un maître et pour un gain minime,
Courbé sur le rabot, la pioche ou la lime,
Il arrache avec peine à ses rudes labeurs,
Des aliments grossiers détrempés de sueurs;
Réduit aux fonctions, au rang d'homme-machine,
Il ne doit pas sentir un cœur en sa poitrine;
Par malheur, s'il comprend ses droits, sa dignité;
S'il veut par des talents couvrir sa pauvreté;
Si le travail mûrit sa mémoire et sa tête,
Alors l'infortuné! que de maux il s'apprête!

### Jasmin

*Comme le poète écossais Burns, Jasmin enrichit de son dialecte et de son âme poétique la grande littérature nationale, dont il ne parle pas la langue. Jasmin, le coiffeur d'Agen, le poète du Midi, qui fait accourir les foules à sa voix, qui embellit les fêtes de l'opulence, qui assainit les joies du peuple, qui dote en passant des établissements de charité, et achève ou rebâtit des églises, Jasmin, cette gloire de sa patrie locale dans la patrie commune, mérite d'être adopté par la France entière et proclamé par elle.*

(Discours de Villemain,
de l'Académie française le 20 août 1852.)

A MES COLLÈGUES COIFFEURS DE PARIS

Parce que j'ai écrit quelques mots harmonieux,
Amis, vous me donnez une fleur,

Et puis vous proclamez dans les airs
Que j'orne le peigne d'honneur;
Et de la main qui frise tout aussi bien
Et la petite dame et la marquise,
Vous couronnez aussi ma muse;
Amis, c'est trop, je sais bien
Que j'ai souvent eu l'habitude
Du fameux barbier espagnol;
D'une dent de mon peigne j'ai fait une plume;
Ensuite je m'en suis servi, quelquefois, le lundi;
Mais vous, vous faites mieux; votre peigne, qui brode,
A l'univers lance la mode;
J'obéis alors et prends ma leçon;
Et quand je vois sur la tête d'une femme coiffée
Luire la poésie emperlée, embaumée,
Je reconnais que vous êtes plus poètes que moi!

(*Les Papillotes*, 1842.)

**Pierre Dupont**

LE CHANT DES OUVRIERS

1

Nous dont la lampe, le matin
Au clairon du coq se rallume,
Nous tous qu'un salaire incertain
Ramène avant l'aube à l'enclume,
Nous, qui des bras, des pieds, des mains,
De tout le corps luttons sans cesse,
Sans abriter nos lendemains
Contre le froid de la vieillesse,

Aimons-nous, et quand nous pouvons
Nous unir pour boire à la ronde,
Que le canon se taise ou gronde,
Buvons *(ter)*
A l'indépendance du Monde!

2

Nos bras, sans relâche tendus
Aux flots jaloux, au sol avare,
Ravissent leurs trésors perdus,
Ce qui nourrit et ce qui pare :

Perles, diamants et métaux,
Fruit du coteau, gain de la plaine;
Pauvres moutons, quels bons manteaux
Il se tisse avec notre laine!

*(Refrain)*

3

Quel fruit tirons-nous de nos labeurs
Qui courbent nos maigres échines?
Où vont les flots de nos sueurs?
Nous ne sommes que des machines.
Nos Babels montent jusqu'au ciel,
La terre nous doit ses merveilles :
Dès qu'elles ont fini le miel,
Le maître chasse les abeilles.

*(Refrain)*

4

Au fils chétif d'un étranger
Nos femmes tendent leurs mamelles
Et lui, plus tard, croit déroger
En daignant s'asseoir auprès d'elles;
De nos jours, le droit du seigneur
Pèse sur nous plus despotique :
Nos filles vendent leur honneur
Aux derniers courtauds de boutique.

*(Refrain)*

5

Mal vêtus, logés dans des trous,
Sous les combles, dans les décombres,
Nous vivons avec les hiboux
Et les larrons amis des ombres,
Cependant notre sang vermeil
Coule impétueux dans nos veines;
Nous nous plairions au grand soleil
Et sous les rameaux verts des chênes.

*(Refrain)*

6

A chaque fois que par torrents
Notre sang coule sur le monde,

C'est toujours pour quelques tyrans
Que cette rosée est féconde;
Ménageons-le dorénavant,
L'amour est plus fort que la guerre,
En attendant qu'un meilleur vent
Souffle du ciel ou de la terre.

*(Refrain)*

**Eugène Pottier**

1

Décharné, de haillons vêtu
Fou de fièvre au coin d'une impasse
Jean Misère s'est abattu.
« Douleur, dit-il, n'es-tu pas lasse ? »
Ah! mais...
Ça ne finira donc jamais ?

2

Pas un astre et pas un ami!
La place est déserte et perdue.
S'il faisait sec, j'aurais dormi,
Il pleut de la neige fondue.
Ah! mais...
Ça ne finira donc jamais ?

3

Est-ce la fin, mon vieux passé ?
Tu vois : ni gîte, ni pitance,
Ah! la poche au fiel a crevé,
Je voudrais vomir l'existence.
Ah! mais...
Ça ne finira donc jamais ?

4

Je fus bon ouvrier tailleur.
Vieux, que suis-je ? une loque immonde.
C'est l'histoire du travailleur,
Depuis que notre monde est monde.
Ah! mais...
Ça ne finira donc jamais ?

5

Maigre salaire et nul repos,
Il faut qu'on s'y fasse et qu'on crève,
Bonnets carrés et chassepots
Ne se mettent jamais en grève.
Ah! mais...
Ça ne finira donc jamais?

6

Malheur! ils nous font la leçon,
Ils prêchent l'ordre et la famille;
Leur guerre a tué mon garçon,
Leur luxe a débauché ma fille!
Ah! mais...
Ça ne finira donc jamais?

7

Un jour, le ciel s'est éclairé,
Le soleil a lui dans mon bouge;
J'ai pris l'arme d'un fédéré
Et j'ai suivi le drapeau rouge.
Ah! mais...
Ça ne finira donc jamais.

8

Adieu, martyrs de Satory,
Adieu, nos châteaux en Espagne!
Ah! mourons. Ce monde est pourri;
On en sort comme on sort d'un bagne.

(*Jean Misère*, 1880.)

**Le sottisier des bonnes intentions bourgeoises**

Un livre ne suffirait pas si nous voulions réunir les perles de l'ouvriérisme romantique. Voyez plutôt comment parle le tailleur de pierre, créé par Lamartine, de « l'agrément de son état ». Voyez comment, sur un thème qui lui est cher, George Sand fait dialoguer un jeune ouvrier et une jeune châtelaine qui, évidemment, sont amoureux l'un de l'autre. Évidemment, c'est la mâle châtelaine qui séduit, qui se déclare, etc., et tout cela pour le plus grand bien du peuple opprimé.

Quant à la « fille du peuple déshonorée » que nous présente Eugène Manuel, thème non moins cher à une multitude d'écrivains, elle nous fait penser à cette « erreur » de Michelet, rapportée sans humour par lui-même :

Un doux visage de femme, épuisé, mais fin, joli, distingué, suivait la voiture, me parlant inutilement, car je n'entendais pas l'anglais. Ses beaux yeux bleus, suppliants, paraissaient souffrants, profonds, sous un petit chapeau de paille.

— Monsieur, dis-je à mon voisin, qui entendait le français, pourriez-vous m'expliquer ce que me dit cette charmante personne, qui a l'air d'une duchesse, et qui, je ne sais pourquoi, s'obstine à suivre la voiture?

— Monsieur, me dit-il poliment, je suis porté à croire que c'est une ouvrière sans ouvrage, qui se fait mendiante, au mépris des lois.

## Alphonse de Lamartine (1790-1869)

J'aimais le creux des carrières, le ventre de la montagne, les entrailles secrètes de la terre, comme ces matelots que j'ai connus à Marseille aiment le creux des vagues, le fond de la mer, l'écume des écueils, comme les bergers aiment le dessus des montagnes, comme les bûcherons aiment à plonger leur hache saignante de sève dans le tronc fendu des vieux chênes et des châtaigniers. Dieu a donné à chacun son goût, pour qu'on fît tous les états avec contentement. Ce qui m'a toujours retenu au mien, c'est qu'on le fait tout seul. On peut, sans que ça vous dérange, siffler, chanter, penser, rêver, prier le bon Dieu. L'ouvrage va toujours sous la main, pendant que le cœur et l'esprit vont de leur côté là où ils veulent. Voilà l'agrément de l'état de tailleur de pierres...

Ensuite, c'est un joli état pour l'oreille, Monsieur. Quand je suis à genoux devant ma pierre bien équarrie et portée sur deux rouleaux de sapin qui m'aident à la remuer à ma fantaisie; quand dans un coin de la carrière, bien au soleil l'hiver, bien à l'ombre l'été, j'ôte ma veste et retrousse mes manches de chemise; que je prends le ciseau de ma main gauche, le maillet de la main droite, que je me mets à creuser ma rainure ou à arrondir ma moulure à petits coups égaux, comme l'eau qui tombe goutte à goutte, en sonnant du haut de la source dans le bassin, il sort de ma pierre, si elle est bien franche, une musique perpétuelle qui endort le cœur et la tête aussi doucement que le carillon lointain du village. On dirait que mon maillet est un battant et que ma pierre est le bord d'airain d'une cloche. Vous ne sauriez croire combien ce son encourage à l'ouvrage.

(*Le Tailleur de pierre de Saint-Point*, 1851.)

## George Sand (1804-1876)

Au moment où il se baissait pour prendre le sac de cuir où étaient ses instruments de travail, il sentit une main se poser doucement sur son épaule, et, en relevant la tête, il vit mademoiselle de Villepreux rayonnante d'une beauté qu'elle n'avait jamais eue avant ce jour-là. Toute son âme était dans ses yeux, et cette force qu'elle comprimait toujours au fond d'elle-même éclatait en elle à cette heure, sans qu'elle cherchât à la reprendre. C'était comme une transfiguration divine qui s'était opérée de tout son être. Pierre l'avait vue souvent exaltée, mais toujours un peu mystérieuse, et, dans tout ce qui avait rapport à leur amitié, s'exprimant par énigme ou par réticences. Il la vit en cet instant comme une pythie prête à répandre ses oracles, et, transporté lui-même d'une confiance et d'une force inconnues, pour la première fois de sa vie il prit la main d'Yseult dans la sienne.

— Mon escalier est fini, lui dit-il; c'est vous qui, la première, poserez votre main sur cette rampe.

— Ne parlez pas si haut, Pierre, lui dit-elle. Pour la première et la dernière fois de ma vie, j'ai un secret à vous dire; un secret qui demain n'en sera plus un. Venez!

Elle l'attira dans son cabinet, dont elle referma la porte avec soin; puis elle parla ainsi :

— Pierre, je ne vous demande pas, comme le Corinthien faisait tout à l'heure, si vous êtes amoureux de moi. Entre nous deux, ce mot me paraît insuffisant et puéril. Je ne suis pas belle, tout le monde le sait, je ne sais pas si vous êtes beau quoique tout le monde le dise. Je n'ai jamais cherché dans vos yeux que votre âme, et la beauté morale est la seule qui puisse me fasciner. Mais je viens vous demander devant Dieu qui nous voit et nous entend, si vous m'aimez comme je vous aime.

Pierre devint pâle, ses dents se serrèrent; il ne put répondre.

...

— Dans deux ans, Pierre, votre ami sera mon cousin et le neveu de mon père. Vous voyez que, si vous m'aimez, si vous m'estimez, si vous me jugez digne d'être votre femme, comme moi je vous aime, vous respecte et vous vénère, je vais trouver mon aïeul et lui demander de consentir à notre mariage. Si je n'avais pas la certitude de réussir, jamais je ne vous aurais dit ce que je vous dis maintenant dans tout le calme de mon esprit et dans toute la liberté de ma conscience.

Pierre tomba à genoux et voulut répondre; mais cet amour, si longtemps comprimé, eût éclaté avec trop de violence. Il n'avait pas d'expressions; des torrents de larmes coulaient en silence sur ses joues.

— Pierre, lui dit-elle, vous n'avez donc pas la force de me dire un mot? Voilà ce que je craignais; vous n'avez pas de confiance : vous croyez que je fais un rêve, que je vous propose une chose impossible. Vous me remerciez à genoux, comme si c'était une grande action que je fais là de vous aimer. Eh! mon Dieu, rien n'est plus simple, et si vous me voyiez choisir un grand seigneur, c'est alors qu'il faudrait vous étonner et penser que j'ai perdu la raison... Dès le jour où j'ai pu raisonner sur mon avenir, j'ai résolu d'épouser un homme du peuple, afin d'être peuple, comme les esprits disposés au christianisme se faisaient baptiser jadis afin de pouvoir se dire chrétiens.

(*Le Compagnon du tour de France*, 1840.)

**Eugène Manuel (1823-1906)**

Dans ces terribles ateliers
Qui vendent du travail aux femmes,
Il est des tableaux familiers
Faits pour troubler longtemps les âmes,

Sous ces châssis et ces plafonds
Où logent cent visages blêmes,
Le vice aux mystères profonds
Nous pose d'effrayants problèmes.

Un rien parfois découvre à l'œil
D'obscurs secrets, dont l'analyse
Est un défi pour notre orgueil
Qui raisonne et qui moralise!

Et tous les livres les plus beaux
Ont peine à rendre l'épouvante
Que font naître ces longs tombeaux
Où la pudeur descend vivante!

Un jour, distrait aventurier,
J'entrepris un pèlerinage
Aux vertes pentes du mûrier
Dans les cantons du moulinage

J'admirais comme en longs fils d'or,
Sur les métiers, de broche en broche,
La soie invisible se tord,
Se double, et fuit, et se rapproche!

Je vis, par hasard, en passant
Au milieu de faces hideuses,
Un profil pur et ravissant,
Dans l'atelier des dévideuses;

Un être frêle qui semblait
A quinze ans n'en compter que douze;
Une fillette, qu'affublait
Une robe en forme de blouse,

Un petit ange en cet enfer
Où la matière est tyrannique,

Où l'âme passe dans le fer,
Et par le fer se communique!

Parmi ces vieilles au front gris,
Je distinguais ses blondes tresses.
Et ses pauvres bras amaigris
Racontaient d'affreuses détresses;

Mince et pâlotte à son métier
Elle s'agitait sans relâche;
Le jour, pour elle, tout entier
N'était qu'une implacable tâche;

Sur les bobines qui tournaient,
Rattachant chaque brin de soie,
Ses petits doigts allaient, venaient,
Serraient ou lâchaient la courroie;

Elle était là, sur ses talons,
Depuis l'aube, auprès des machines.
Et secouant ses cheveux longs
Pour rire avec ses deux voisines.

Elle riait, oui! — Je voulus
La voir de plus près à l'ouvrage,
Sourire à ces doigts résolus,
Et saluer ce fier courage.

Je la prenais pour une enfant;
Quand je vis — abîme insondable!
Sa taille épaisse, et, par-devant,
Sa robe au relief formidable!

Le vice infâme et sans dessein
Avait fait son œuvre sommaire;
Et le lait lui montait au sein,
A cette enfant, près d'être mère!

Mais ce qui me glaça le cœur,
C'est qu'elle était calme et paisible,
L'air satisfait, plutôt moqueur,
Dans une attitude indicible;

Et qu'avec son regard charmant
Et sa lèvre au rire si prompte,
Elle portait effrontément
Le poids sacré de cette honte.

(« La Fille aux Bobines », 1868,
extrait des *Poèmes Populaires*)

**François Coppée (1842-1908)**

(ou : *L'Éloge du briseur de grève*)

Je résolus d'aller me remettre à l'ouvrage;
Et, quoique me doutant qu'on me repousserait,
Je me rendis d'abord dans le vieux cabaret
Où se tenaient toujours les meneurs de la grève.
Lorsque j'entrai, je crus, sur ma foi, faire un rêve.
On buvait là, tandis que d'autres avaient faim;
On buvait! — Oh! ceux-là qui leur payaient ce vin
Et prolongeaient ainsi notre horrible martyre,
Qu'ils entendent encore un vieillard les maudire!
...
— Laissez-moi retourner tout seul chez le patron.
J'ai voulu mendier, je n'ai pas pu. Mon âge
Est mon excuse. On fait un triste personnage
Lorsqu'on porte à son front le sillon qu'a gravé
L'effort continuel du marteau soulevé
Et qu'on veut au passant tendre une main robuste.
Je vous prie à deux mains. Ce n'est pas trop injuste
Que ce soit le plus vieux qui cède le premier.
Laissez-moi retourner tout seul à l'atelier.
Voilà tout. Maintenant dites si ça vous fâche.

Un d'entre eux fit vers moi trois pas et me dit :
Lâche!
Alors j'eus froid au cœur et le sang m'aveugla.
Je regardai celui qui m'avait dit cela.
C'était un grand garçon, blême au reflet des lampes,
Un malin, un coureur de bals qui, sur les tempes,
Comme une fille, avait deux gros accroche-cœurs...

(*La Grève des Forgerons*, 1869.)

CHAPITRE III

# *Concilier l'art et le peuple*

## (Discussions, essais et réalisations au début du xx^e^ siècle)

*Les lettrés font pour les lettrés des livres, des journaux, des drames; c'est comme un cercle enchanté où la petite nation travaille à l'insu de la grande. Il faut franchir le cercle.*

Jules MICHELET.

L'art et le peuple, unis à l'époque romantique, s'étaient peu à peu séparés. Les écrivains ouvriers, innombrables entre 1830 et 1848, devinrent rares après le Second Empire. La nouvelle génération ouvrière avait été décapitée de son élite par les répressions après la Commune. Les uns fusillés, les autres déportés en Nouvelle-Calédonie ou émigrés, le peuple restait seul et les intellectuels s'étaient réfugiés, à la fin du XIXe siècle, dans le confort du Parnasse ou les déliquescences du symbolisme. Les plus grands, Lautréamont, Rimbaud, Laforgue, étaient eux-mêmes des « maudits » sans influence sur la masse et méprisés de la bourgeoisie.

Enrichi, prétentieux et borné, le bourgeois voulait un art à sa mesure, un art rassurant, codifié, immuable. Sa classe ayant conquis le pouvoir au XVIIIe siècle, il se meublait en Louis XV ou en Directoire, achetait des gravures libertines dans le goût de Boucher et lisait les descendants de Voltaire dont la lignée devait aboutir à Anatole France. La société lui paraissait avoir atteint à la perfection. Les professeurs sortaient de l'École Normale, les ingénieurs de Polytechnique, les officiers de Saint-Cyr, les peintres de l'École des Beaux-Arts, les musiciens du Conservatoire, etc. Quiconque voulait échapper à ce système devenait un paria. Les peintres impressionnistes étaient chassés des salons. Cézanne peignait à Aix, ignoré. Van Gogh sombrait dans la folie. Gauguin cherchait à Tahiti cette « pierre où poser sa tête » que Rimbaud était allé quérir au Harrar.

Les artistes authentiques (les autres n'étaient que des fonctionnaires) avaient rompu avec un public qui refusait l'aventure.

C'est alors que, méprisant leur propre classe, passant outre, des écrivains résolurent de reprendre le contact avec le peuple. Des Universités populaires ouvrirent leurs portes et l'on vit, le 9 octobre 1899, à l'inauguration de l'Université populaire du faubourg Saint-Antoine, Fernand Gregh déclamer un long poème, *La Maison du peuple.* On alla voir jouer à la Comédie-Française le drame de l'universitaire Eugène Manuel (1823-1906), *Les Ouvriers.* Celui-ci, dans ses *Poésies populaires* (1871), avait insisté déjà sur la nécessité d'une poésie sociale.

> La pauvreté, écrivait-il, l'ignorance, le travail pénible, la vie dégradante, l'héroïsme obscur, toutes les inégalités, toutes les détresses et toutes les résignations, voilà le thème de cette poésie nouvelle.

Clovis Hugues, François Coppée, Jean Richepin le suivirent dans cette voie. Mais cela n'allait pas sans naïveté, et l'on se souvient des bourdes de Jean Aicard et de Sully Prudhomme, écrivant en toute sincérité sans doute :

Chante, chante dès l'heure où ta forge s'allume,
Frappe, bon ouvrier, gaiement, sur ton enclume!
Le pont ne rompra pas! Le pont n'a pas rompu!
Car le bon ouvrier a fait ce qu'il a pu,
Car la barre de fer est solide et sans paille...
Chante, bon ouvrier, chante en rêvant, travaille;

Règle tes chants d'amour sur l'enclume au beau son!
Ton cœur bat sur l'enclume, et bat dans ta chanson!...
... Les étincelles d'or en tous sens élancées,
C'est le feu de ton cœur et tes bonnes pensées.

(Jean Aicard, *La Légende du forgeron.*)

Le laboureur m'a dit en songe : « Fais ton pain
Je ne te nourris plus, gratte la terre et sème. »
Le tisserand m'a dit : « Fais tes habits toi-même. »
Et le maçon m'a dit : « Prends la truelle en main. »

(Sully Prudhomme.)

L'action de Maurice Bouchor, qui se consacra à la régénération de la poésie populaire, reconstitua des noëls et des mystères, entre 1890 et 1892, adapta des vieilles chansons, etc., fut autrement efficace et servit notamment aux animateurs des Universités populaires.

L'humanisme de Fernand Gregh, le naturisme de Saint-Georges de Bouhélier, Maurice Magre avec la *Chanson des Hommes*, le rôle de Léon Bocquet avec sa revue et ses éditions *Le Beffroi*, le théâtre Antoine et, bien entendu, le naturalisme avec l'œuvre gigantesque de Zola contribuèrent puissamment à ramener le peuple, sinon à la littérature, du moins dans la littérature.

Les poètes sociaux furent nombreux au début du siècle et il serait fastidieux de les nommer tous. Citons cependant les poésies sur les *Petites ouvrières*, de Jean Ajalbert; *La Plainte du paysan* et *La Plainte de l'ouvrier* de Camille Cé; les poèmes d'André Spire, avant que celui-ci ne se tourne vers le sionisme.

La puissante personnalité politique de Jaurès, les théories du syndicalisme révolutionnaire et de la morale des producteurs de Georges Sorel (1847-1922), les *Cahiers de la quinzaine* de Péguy (1900-1914), le mouvement démocrate chrétien de Marc Sangnier, le Sillon (1894-1910), Daniel Halévy : *Essai sur le Mouvement ouvrier en France* (1900), *Visite aux paysans du Centre*, etc., furent parmi les courants les plus décisifs qui amenèrent les intellectuels vers le prolétariat.

Une fois encore, d'ailleurs, un certain opportunisme politique apparaissait. Tout le monde crie haro sur le baudet lorsqu'il vacille, mais les admirateurs pullulent s'il rue bien.

Georges Valois publiait dans *L'Action française*, d'avril 1908 à mai 1909, une enquête sur la *Monarchie et la Classe ouvrière*.

> Royalistes, écrivait-il, nous sommes syndicalistes... nous souhaitons que la classe ouvrière fasse un bloc... rien ne nous séparerait si la croyance républicaine ne s'était transformée chez les prolétaires en croyance à la révolution sociale... Syndicalistes, la révolution nous sépare.

Émile Guillaumin, Georges Sorel et Jean Grave répondirent à cette enquête qu'ils ne voyaient guère de conciliation possible.

Ce thème du syndicalisme était d'ailleurs repris par le prétendant au trône, Henri, comte de Chambord, lorsqu'il parlait dans sa *Lettre aux ouvriers*, de « la nécessité d'associations volontaires et libres des ouvriers pour la défense de leurs intérêts communs ».

Par ailleurs, dans *L'Action française*, Léon Daudet fut toujours un laudateur de la littérature ouvrière.

***

Michelet, dont on retrouve toujours la pensée à la base des initiatives en faveur de l'éducation populaire, écrivait dans ses leçons aux étudiants, en 1847-1848 :

Donnez-lui (au peuple) l'enseignement souverain, qui fut toute l'éducation des glorieuses cités antiques : un théâtre vraiment du peuple. Et sur ce théâtre, montrez-lui sa propre légende, ses actes, ce qu'il a fait. Nourrissez le peuple du peuple... Le théâtre est le plus puissant moyen de l'éducation, du rapprochement des hommes.

De nombreuses tentatives furent faites dans ce sens au début du siècle. Maurice Pottecher fonda à Bussang, dans les Vosges, le Théâtre du Peuple, en plein air, où il voulait représenter les fêtes populaires médiévales. Les Universités populaires s'attachèrent à créer en province des spectacles répondant à la même formule et Charles Le Goffic et Anatole Le Braz firent représenter, en août 1898, en Bretagne, un vieux mystère du XVIe siècle, *La Vie de saint Guénolé*.

Par son « théâtre historique », Romain Rolland voulait aussi « ressusciter les forces du passé, ranimer ses puissances d'action ». Projet ambitieux de créer, ou de recréer en quelque sorte une mythologie populaire révolutionnaire où le peuple fêterait le *14 juillet* (1902), *Danton* (1900) et les *Pâques fleuries* (1926), assisterait à son propre drame, à son folklore vivant.

C'était reprendre les idées de Robespierre que cette volonté de « fêtes du peuple » où le public mêlerait ses chants aux chants des acteurs, comme dans la finale du *14 juillet* de Romain Rolland et dans les Fêtes du Peuple de Georges Chennevière et Albert Doyen.

Jean-Richard Bloch, Jacques Copeau [1], Léon Chancerel, Henri Ghéon, s'attachèrent eux aussi à trouver ou à créer un répertoire populaire. Mais tant de bonnes volontés, tant de grands talents ne réussirent guère à remener le peuple, ce peuple médiéval dont tous avaient la nostalgie, dans les salles de représentations. Un art nouveau avait déjà conquis le peuple moderne, qui lui restera fidèle. Je veux parler du cinéma.

***

Ces tentatives de décentralisation théâtrale et de manifestations folkloriques, devaient correspondre à une renaissance provinciale dans la littérature. Nous avons vu les félibres renouer avec la langue des troubadours provençaux. Mistral fut porté aux nues comme étant un « pur

1. *Cf. Le Théâtre populaire*, par Jacques Copeau (P.U.F., 1941).

latin » en réaction contre les influences nordiques. Batisto Bonnet écrivit un roman paysan qui fut traduit par Alphonse Daudet. Il y avait aussi des félibres ouvriers continuant Jasmin, comme Charloun et le boulanger Gelu.

En Bretagne, Brizeux (1809-1858) avait déjà écrit des poèmes en breton pour le peuple des villages et des ports. Rassemblés en une brochure intitulée *Telen Arvor* (harpe du littoral), cette modeste publication se trouvait sur les cheminées bretonnes avec les récits édifiants des curés, les proverbes que Brizeux publia sous le titre *Furnez Breiz* (sagesse de Bretagne) et le chef-d'œuvre breton *Barzaz Breiz*, publié en 1839. Les musiciens nomades colportaient de village en village les chansons de Théodore Botrel. Ce fils de forgeron chantait lui-même ses chansons dans les auberges où les paysans venaient l'entendre par tribus entières.

Anatole Le Braz et Charles Le Goffic devaient révéler la Bretagne à la France, puisant dans la chanson populaire bretonne les légendes, les complaintes. *Le Foyer breton* (1845) d'Émile Souvestre présente un choix important de contes perpétués par la tradition orale.

Mais c'est Claude Tillier, l'instituteur pamphlétaire (*Mon oncle Benjamin*, 1843), Erckmann-Chatrian (*L'Ami Fritz*, 1864, etc.), Léon Cladel (*Va-nu-pieds*, 1872) et surtout Eugène Le Roy (1836-1907) et les romans champêtres de G. Sand qui devaient avoir une influence durable et susciter maintes vocations d'écrivains régionalistes.

*Le Moulin du Frau* (1891), publié en feuilleton dans un journal périgourdin par un vieux bonhomme, percepteur dans un village de Dordogne, devait, par le hasard des vacances d'un critique, devenir célèbre et soulever l'enthousiasme de Paris. Alphonse Daudet disait que c'était « un livre de raison incomparable, comme chaque province devrait en avoir un ». Cette œuvre d'Eugène Le Roy (1836-1907) n'est point inférieure en effet à ce *Jaquou le Croquant* que tout le monde a lu. Quant à l'*Année rustique en Périgord* (1893), ces douzes poèmes de la terre ont valu à leur auteur d'être comparé à Hésiode.

Chaque province eut ses écrivains. René Bazin en Anjou, Jean Yole en Vendée, Émile Moselly en Lorraine, Charles Sylvestre en Limousin, Henri Pourrat en Auvergne, Joseph de Pesquidoux en Armagnac, Ernest Pérochon et Gaston Chérau en Poitou, Alphonse de Châteaubriant et Marc Elder en pays nantais, Maurice Genevoix aux bords de Loire, Jean Rameau, sabotier et maître sonneur de cornemuse à Bourges *(Les Veillées au Berry)*; Max Buchon dans le Jura (*Noëls et chants populaires de la Franche-Comté*, 1863); Gabriel Vicaire en Bresse;

Gaston Roupnel (1871-1946) en Bourgogne *(Nono, le Vieux Garain, Histoire de la campagne française)*.

*Gaston Roupnel.*

Une Société des Écrivains de province se fonda, ayant son siège à Bordeaux, ainsi qu'une Académie de province et un Centre régionaliste sous la direction de Charles Brun [1]. Des congrès, des prix littéraires spéciaux, des revues : *L'Action régionaliste*, *La Renaissance provinciale*, etc. contribuèrent à la découverte de talents originaux souvent pénétrés de la vie populaire rurale et d'une grande compréhension du monde paysan [2].

Mais toutes les choses dignes d'éloges ont plus ou moins leur envers critiquable. Si la littérature régionaliste nous donne une vision du monde champêtre et des mœurs des petites et des grandes villes, trop souvent délaissées par les écrivains au seul profit de Paris; si le folklore nous

1. *Cf. Le Régionalisme*, par Charles Brun (Bloud, 1911).

2. Une géographie littéraire de la France a été tracée par Christian Sénéchal dans son ouvrage très remarquable sur *Les Grands courants de la Littérature française contemporaine* (E. Malfère, 1941).

*Cf. Situation du Roman régionaliste français*, par G. Roger (Jouve et C^e^ éd., 1951), restitue le visage populaire de nos vieilles provinces, on peut reprocher à cette littérature un ton vieillot, gris et morne comme l'existence de vieilles filles derrière des rideaux de dentelles. On peut lui reprocher son caractère rétrograde, sa méconnaissance des besoins du monde moderne, son attachement à un artisanat périmé, à des coutumes anachroniques. Certes, la connaissance du folklore est aussi indispensable à qui veut bien connaître l'âme populaire européenne que l'ethnologie est nécessaire à celui qui veut comprendre le caractère de l'Africain moderne.

> C'est grâce au folklore et aux vieilles chansons populaires françaises, a dit Rictus, que je me suis trouvé. J'y découvre la simplicité dans le drame, le tact le plus exquis, la mesure la plus fine, la plus nuancée.

Que ce soient Péguy, Claudel, Francis Jammes, Paul Fort ou Fagus, tous ceux-là, et bien d'autres que nous étudierons plus particulièrement, ont su s'imprégner du folklore, des traditions populaires et les transcender dans une œuvre moderne.

Les meilleurs écrivains dits régionalistes ne sont d'ailleurs pas tombés dans les travers que nous redoutons. C.-F. Ramuz protestait contre ce titre appliqué à son œuvre, en disant :

> La littérature régionaliste n'apporte que de faux éléments de surprise. Elle les cherche dans le particulier, l'occasionnel, l'accidentel, tandis que je voudrais les trouver dans le général, le quotidien, le permanent.

Et Henri Pourrat répondait à Frédéric Lefèvre en 1925 :

> Leur régionalisme (des félibres) n'est guère qu'une manière de sous-exotisme. Vieilles chansons interprétées par les enfants de Montmartre, noces villageoises reconstituées, vieilles cabrettes, coq au vin et soupe aux choux... Le régionalisme, ami du tourisme, risque de tourner à une sous-littérature qui ne comptera pas plus que les cartes postales posées par des artistes de casino en travestis rustiques... Assurément, c'est bien de s'intéresser aux particularités régionales. Là où s'arrête le pittoresque, là commence le vrai régionalisme... Ce ne sont pas les particularités régionales qui ont un intérêt véritable, mais bien le vieux fonds paysan...

### Poètes argotiques et patoisants
### Aristide Bruant (1851-1925)
### Jehan Rictus (1867-1933), Gaston Couté (1880-1911)

Jehan Rictus eut un devancier en la personne d'André Gill qui publia des poèmes argotiques en 1881 sous le titre *La Muse à Bibi*. L'argot avait d'ailleurs des lettres de noblesse littéraires fort anciennes. Nous avons vu au XVIII^e siècle Vadé et sa muse « poissarde ». Nous pourrions aussi citer, parmi les livres de colportage, les nombreux traités et dictionnaires de l'argot qui furent régulièrement publiés depuis le XV^e siècle.

La vogue de l'argot, autour des années 1900, correspondit à la vogue des cabarets de Montmartre, où des chansonniers, ouvriers pour la plupart, s'étaient groupés sous le signe de la *Muse Rouge*. Ch. Chambiet, cordonnier, y interprétait des poèmes de Rictus. Clovys déclamait Pottier et Gaston Couté. Rictus lui-même, d'ailleurs, disait ses poèmes au *Chat Noir* en 1897, et le « patoisant » Gaston Couté « montait » parfois sur la Butte pour y réciter, avec l'accent de la Beauce et en costume beauceron, ses chansons « d'un gâs qu'a mal tourné ».

Jules Jouy, Xavier Privas : *Chansons pour les enfants du peuple;* Marcel Legay : *Vendémiaire*, *Le Coq rouge*, avaient repris la tradition de la chanson sociale inaugurée par Béranger et Pierre Dupont. Aristide Bruant devait insuffler à cette forme poétique une vie nouvelle et ses chansons argotiques ont retrouvé de nos jours un accueil mérité.

Ancien ouvrier bijoutier, puis employé à la Compagnie des Chemins de fer du Nord, Aristide Bruant fréquente ces guinguettes de Ménilmontant et de Belleville qui avaient vu passer Vadé cent ans plus tôt. Dans ces cafés de quartier, les ouvriers se retrouvent en famille et chacun pousse sa romance. Bruant prend goût à la chanson, compose lui-même les siennes et se fait une réputation, de 1878 à 1885, avec des refrains dans le goût du café-concert. Mais une fois engagé au Chat Noir, Bruant se transforme et inaugure ses chansons faubouriennes et naturalistes qui devaient être recueillies sous le titre *Dans la rue* (1889). Quand le Chat Noir « s'embourgeoisa » et que l'équipe de ses chansonniers alla s'installer dans un local plus spacieux, Bruant resta dans l'ancien cabaret qu'il fit sien et baptisa Le Mirliton.

Orné de dessins de Steinlen et de Toulouse-Lautrec, Le Mirliton fut la coqueluche des gens du monde qui y venaient dans l'espoir de ressentir le « grand frisson » et se délectaient des engueulades et des grossièretés du maître de céans. Accueillir les clients par des injures, alors que partout ailleurs la politesse la plus servile était de rigueur, fut une trouvaille qui contribua beaucoup au lancement de Bruant. Il reprenait la tradition de Ramponneau et des Porcherons, et pour lui refleurissaient les beaux jours de la Courtille.

Debout dans la salle, habillé de velours, coiffé d'un chapeau à larges bords, Bruant circulait parmi les buveurs de bière, apostrophant les nouveaux arrivants de cette voix que Jules Lemaître qualifiait d' « une voix d'émeute et de barricade, à dominer le rugissement des rues un jour de révolution, une voix superbe et brutale, qui vous entre dans l'âme comme un coup de surin dans la paillasse d'un pante ». Zola a décrit ces soirées au Mirliton dans une de ses pages de *Paris*, hallucinante et dégoûtée.

Les chansons de Bruant ne sont point des chansons d'atelier, ni des chansons prolétariennes. A part toutefois quelques chansons, comme celle des canuts de Lyon :

CHANSON DES CANUTS

Pour chanter Veni Créator
Il faut une chasuble d'or.
Nous en tissons pour vous, grands de l'Église,
Et nous, pauvres canuts, n'avons pas de chemise.
C'est nous les canuts,
Nous sommes tout nus.

Pour gouverner il faut avoir
Manteaux ou rubans en sautoir.
Nous en tissons pour vous, grands de la terre,
Et nous, pauvres canuts, sans drap on nous enterre.
C'est nous les canuts,
Nous sommes tout nus.

Mais notre règne arrivera,
Quand votre règne finira :
Nous tisserons le linceul du vieux monde,
Car on entend déjà la tempête qui gronde.
C'est nous les canuts,
Qui n'irons plus tout nus.

(*Sur la route*, 1899.)

Les personnages qu'il met en général en vedette sont des pauvres diables, des clochards et des pierreuses, des marlous et des gonzesses. Mais des cris de pitié, des complaintes de la détresse des infortunés, des protestations contre les servitudes haussent ces chansons, parfois, au poème social. Il a dit le régime inhumain de Biribi, ce bagne militaire d'où Georges Darien avait rapporté en 1889 un livre terrible. Il a chanté, en termes qui nous émeuvent toujours, les fillettes des faubourgs, les filles mères et les « pauvres vieux », les mauvais garçons et les durs, au couteau prêt à frapper. C'est le monde des romans-feuilletons dont le succès est loin d'être achevé, un monde « où l'on est régulier », où l'on a de l'honneur, et où l'on aime, jusqu'à en crever, la « belle », cette liberté dont chacun rêve avec nostalgie ou fol espoir.

***

Jehan Rictus, à la même époque, lisait son premier poème argotique, *L'Hiver*, à Gauguin enthousiaste. A partir de ses débuts au Cabaret des Quat'z-arts, en 1896, il était célèbre. L'année suivante, les *Soliloques du pauvre* paraissaient en librairie, ornés d'un portrait de l'auteur par Steinlen.

Qualifier la poésie de Rictus d'argotique, est-ce bien juste? N'est-ce pas plutôt le langage populaire parisien, où l'argot apparaît parfois « comme l'ail dans le gigot », selon une expression du poète. Et les vers de Rictus obéissent à la métrique octosyllabique qui a toujours été celle de la poésie populaire. Peuple, par son expérience du travail dans les métiers les plus rudes dès l'âge de quinze ans, Rictus sut allier sa vision moderne du pauvre aux rythmes des vieilles ballades anglaises et françaises. Il n'ignorait pas non plus son devancier Vadé, dont il a préfacé l'édition moderne de *La Pipe cassée*. Son ami Léon Bloy disait que Rictus voulait « peindre, exprimer l'état de servitude et d'abrutissement absolu de l'ilote moderne qu'est l'ouvrier de l'industrie, le misérable et mécanique enfant de l'outil et de la machine ».

L'ouvrier est, en effet, présent dans l'œuvre de Rictus :

Les soirs de mai, quand l'ovréier
sort de l'usine ou d'l'atéier,
libre et pas gai, sa jornée faite,
fourbu par le boulot du jour,
général'ment y rentr' chez lui
comme un carcan à l'écurie,
sans seul'ment retourner la tête...

Son long poème de vingt-neuf pages, *Le Piège*, est même une large fresque où l'ouvrier moderne nous est montré sans enjolivures, sous un aspect assez contestable :

C'est pus un etr', c'est un rouage,
eun' mécanique, un automate
qu'est pas pu nerveux qu'eun' tomate.

Y n'est quasiment abruti,
laminé, usé, aplati,
et cert's y vit pas, y fonctionne;
c'est ben rar' quand qu'y réflexionne!

On le voit s'attarder « au coin d'la rue », après sa sortie de l'usine. Monter « dans sa tôle au sixième ». « Bouffer un peu ». Puis faire « d'la chair à turbin comme lui ».

Mais plutôt que l'ouvrier, c'est le pauvre que chante, que décrit Rictus, ce pauvre que nous verrons à la base de l'œuvre de Charles-Louis Philippe et de Lucien Jean. Rictus l'a d'ailleurs écrit :

> Faire enfin dire quelque chose à quelqu'un qui serait le Pauvre, ce bon Pauvre dont tout le monde parle et qui se tait toujours. Voilà ce que j'ai tenté.

Ce pauvre, ce n'est pas la fripouille ni la gueuse, chers à Bruant, ce n'est pas non plus, comme le croyait Léon Bloy, l'ouvrier, duquel Rictus disait avec dédain :

> Tu clames « L'Internationale »,
> Mais t'as les dents et les pieds sales!
> ...
> Avant de dominer le monde,
> Commenc' par te laver les pieds.

Le pauvre de Rictus est résigné. Il souffre et se sent impuissant à sortir de sa misère. C'est un en-dehors, un déclassé « écrabouillé entr' le borgeois et l'ovréier ».

***

Si Rictus est trop souvent écarté des manuels de littérature, bien que le poète de la *Jasante de la vieille* ne soit en rien inférieur au meilleur Paul Fort, ni au meilleur Francis Jammes, par contre Gaston Couté est tout simplement ignoré par tous les historiens de la littérature. Le fait n'est pas unique. On chercherait en vain dans les manuels universitaires les noms de Vadé ou un seul des chefs-d'œuvre de la littérature de colportage.

Que Couté ait écrit en patois beauceron, cela ne me semble pas une excuse suffisante. Ou bien alors il faudrait enlever Mistral de la littérature française. Fils d'un meunier de Beaugency, Gaston Couté vint à Paris en 1898, chantant d'abord ses chansons et récitant ses poèmes dans les cafés d'ouvriers à Belleville, puis dans les cabarets en vogue : Funambules, Carillon, Alouette, Noctambules, Grillon.

Il y a peu de chantres de l'ouvrier agricole. Qui pourrions-nous citer avant Couté? Qui après?

*Gaston Couté.*

Gaston Couté nous montre l'attirance exercée par la ville sur les miséreux des campagnes :

A c't heur', les gens s'enfeignantent :
Pas un veut en foute un coup,
Tertous veu'nt avoèr des rentes;
Et, comme i's trouv'nt qu'après tout
C'est trop dur ed' piocher la terre,
l's désartent leu' pays
Et, pour viv'e à ne rien n'faire,
Les gâs s'en vont à Paris.
...
Et en attendant qu'ça biche,
P'tit à p'tit, i's deviendront vieux;
Mais i's d'viendront pas pus riches,
Et, quand gn'aura pus d'cheveux
Su' la plac' de leur « sarvelle »,
Bieaucoup r'viendront au pays,
Mouri' sans pain ni javelle,
Les gâs qui sont à Paris!

Couté était un de ces transplantés, un de ces paysans sans terre, un « gâs qu'a mal tourné », comme il le disait lui-même :

J'ai trop voulu fère à ma tête
Et ça m'a point porté bounheur;

J'ai trop aimé voulouèr et' lib'e
Coumm' du temps qu'jétais écoyier;
J'ai pas pu t'ni' en équilib'e
Dans eun' plac', dans un atéyier,
Dans un burieau, ben qu'on n'y foute
Pas grand chous' de tout' la journée.
J'ai enfilé la mauvais' route!
Moué! J'sès un gâs qu'a mal tourné!

Après sa mort à l'hôpital, derrière le corbillard que suivaient quelques écrivains amis, le vieux père de Couté était en tête, vêtu de sa blouse de meunier, appuyé sur un bâton. Il regarda le cercueil que l'on recouvrait de terre et s'écria : « T'as voulu v'nir à Paris. Eh ben, t'y v'la! »

Couté voyait Paris comme le voyait Charles-Louis Philippe : un enfer, un lieu de perdition où les filles honnêtes de province deviennent des « gourgandines » :

C'est vout'corps en amour qui vous a foutu d'dans,
C'est après li qu'i faut vous ragripper à c'tte heure,
Y reste aux fill's pardu's, pour se r'gangner d'l'hounneur
Qu'de s'frotter vent'e à vent'e avec les hounnêtes gens.
L'hounneur quient dans l'carré d'papier d'un billet d'mille,
Allez, les gourgandin's par les quat' coins d'la ville,
Allez fout' su' la paill' les bieaux mossieu's dorés.

*Les Gourgandines*, *L'Idylle des grands gâs comme il faut et des jeunesses convenables*, *Le Christ en bois* sont, avec la *Chanson d'un gâs qu'a mal tourné*, les meilleures pages de Couté. Je veux dire qu'elles sont excellentes, sans une fausse note, d'un rythme soutenu, d'une envolée que pourraient lui envier bien des poètes notoires. Oui, je le redis encore aujourd'hui, Gaston Couté est un grand poète et si Léon Daudet écrivait qu'il donnerait bien tout Leconte de Lisle pour un vers de Rictus, plus généreux, je donnerais volontiers tous les parnassiens et la moitié des romantiques pour ces quatre poèmes de Gaston Couté.

C'est la vie paysanne en sa totalité que nous montre Couté, mais la vie paysanne vue du côté des valets et des chambrières plutôt que du côté des fermiers. La *Julie jolie*, servante maîtresse... Les retours du bal, le dimanche soir où l'on oublie :

...qu'gna des loués bêtes
Et des parents pus bêt's encore!

C'est la noce qui s'interrompt pour « le foin qui presse ».

All'est devenue eun' femm' de pésan

Dont la vie est pris', coumm' dans un courant,
Ent' le foin qui mouille et les vach's qui breument.

C'est la chanson de la lessive et la chanson des « mangeux d'terre »... C'est « l'odeur du fumier » qui « pue moins que l'vout »... C'est la « complainte de l'estropié » qui « s'fit prend'e el'bras sous la meule »... Ce sont les conscrits qui passent et les « pésans » qui reviennent des vendanges... Ce sont les électeurs, dont Couté fait une caricature dans un esprit libertaire proche de celui de Mirbeau.

Le thème du *Christ en bois* peut être rapproché de celui du *Revenant* de Rictus. Un vagabond apostrophe un christ en bois, sur le calvaire élevé au croisement d'une route et évoque le retour de

L'aut'e, el'vrai Christ! el'bon j'teux d'sorts
Qu'était si bon qu'il en est mort,
M'trouvant guerdillant à c'tte place,
M'aurait dit : « Couch' su' ma paillasse! »
Et, m'voyant coumm' ça querver d'faim,
I' m'aurait dit : Coup' toué du pain!
Gn'en a du tout frès dans ma huche.
Pendant que j'vas t'tirer eun' cruche
De vin nouvieau à mon poinson.
T'as drouet coumm' tout l'monde au guelt'on
Pisque l'souleil fait pour tout l'monde
V'ni du grain d'blé la mouésson blonde.
...

Le chansonnier Maurice Héliot a raconté dans la revue *A Contre-Courant* (oct.-nov. 1935) ses souvenirs sur Couté. Rares sont ceux qui écrivirent sur Couté, à part Henri Bachelin, Henry Poulaille et Pierre Mac Orlan [1]. Maurice Héliot nous montre Couté se présentant dans les cabarets « avec la même inhabileté que l'ouvrier agricole qui s'est offert quelques jours de vacances et déambule, endimanché et serré aux entournures par un vêtement de confection ». Et comme Maurice Héliot lui reprochait affectueusement de dire trop crûment « leur fait aux citadins béats », Couté lui répondit :

Tu ne sais pas ce qu'est le prolétariat des campagnes. Je suis là pour te l'apprendre, ainsi qu'aux autres Parisiens.

1. Pierre-Valentin Berthier a publié en mars 1958, dans *Les Cahiers de Contre-Courant* nº 65 : « Gaston Couté la vérité et la légende ». En 1960, Louis Lanoizelée a consacré une brochure à Gaston Couté. Couté conserve d'ailleurs des fidèles fervents groupés dans l'Association des Amis de Gaston Couté. L'été 1974, j'ai assisté par hasard sous la vieille halle d'un village du Gâtinais à un excellent spectacle monté par le Centre d'Animation culturelle d'Orléans : *Le Moulin de Couté.*

# 3. CONCILIER L'ART ET LE PEUPLE

Eldorado. Aristide Bruant dans son cabaret. Affiche de Toulouse-Lautrec, 1893. *Musée d'Albi*

Ambassadeurs. Aristide Bruant et son cabaret. Affiche de Toulouse-Lautrec, 1892. *Musée d'Albi*

Bruant à bicyclette. Dessin de Toulouse-Lautrec sur carton, 1892. *Musée d'Albi*

Portrait de Jehan Rictus par Steinlen. Extrait de *Les Soliloques du Pauvre*, 1897. *Bibliothèque nationale*

Charles-Louis Philippe.
Dessin de Charles Guérin,
frontispice au livre d'Émile Guillaumin
*Charles-Louis Philippe, mon ami*,
Grasset, 1942

Charles-Louis Philippe. *Photo X.*,
extrait de H. Bachelin *Ch.-L. Philippe*,
La Nouvelle Revue Critique,
Paris, 1929

Marguerite Audoux.
*Photo Delbo. Doc. M.R.*

Lucien Jean. *Photo X.*

Bibliothèque des Anthologies " AUJOURD'HUI "

1re Edition

GASTON DEPRESLE

Anthologie des Ecrivains Ouvriers

Préface de Henri BARBUSSE

Patronage de la Société des Ecrivains de Province

Pages choisies -:- Etudes Bio-Bibliographiques -:- Portraits

Marguerite Audoux. - Albin Béchet. - Beillard. - Gabriel Belot. - Ed. Bernard. - Eugène Bizeau. - Batisto Bonnet. - Charles Boulen. - L. Bourreau. - Charles Chambiet. - Georges David. - Antonin Dusserre. - Siméon Guelt. - J. B. Girod. - G. M. Gouté. - Jean Grave. - Emile Guillaumin. - Pierre Hamp. - M. Lacroix. - Philéas Lebesgue. - Henri Mériot. - Millange. - Jules Mousseron. - Richard Saint-Lothain. - Jean Tousseul. - Georges Turpin. - Joseph Voisin.

PARIS
Editions " AUJOURD'HUI "
(Collection de la Revue *La Cité Nouvelle*, anciennement *Les Primaires*
6, Rue Labrouste, 6
1925

Couverture du livre de Gaston Depresle *Anthologie des Écrivains Ouvriers*, 1925. *Col. M.R.*

HENRY POULAILLE

Nouvel âge littéraire

| | |
|---|---|
| Charles-Louis Philippe | Louis Nazzi |
| Charles Péguy | Neel Doff |
| Georges Sorel | Louis Guilloux |
| Albert Thierry | Jean Giono |
| L. et M. Bonneff | Lucien Bourgeois |
| Charles Bourcier | Tristan Remy |
| Jean-Richard Bloch | Eugène Dabit |
| Marcel Martinet | Edouard Peisson |
| Émile Guillaumin | Lucien Jacques |
| Charles Vildrac | etc... etc... etc... |

LIBRAIRIE VALOIS

Couverture du livre d'Henry Poulaille *Nouvel Age Littéraire*, 1930. *Col. M.R.*

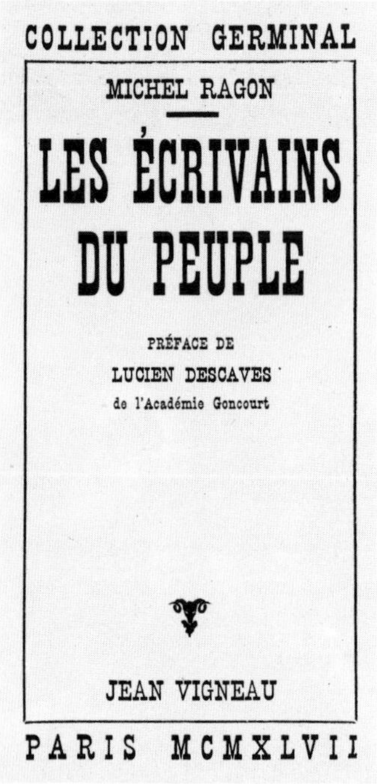

COLLECTION GERMINAL

MICHEL RAGON

LES ÉCRIVAINS DU PEUPLE

PRÉFACE DE
LUCIEN DESCAVES
de l'Académie Goncourt

JEAN VIGNEAU

PARIS MCMXLVII

Couverture du livre de Michel Ragon *Les Écrivains du Peuple*, 1947. *Col. M.R.*

Michel Ragon
histoire
de la littérature
ouvrière
MASSES ET MILITANTS — LES ÉDITIONS OUVRIÈRES


Couverture du livre de Michel Ragon *Histoire de la littérature ouvrière*, 1953. *Col. M.R.*

Maurice Héliot nous montre le pauvre Couté, souvent sans engagement. Il se barricadait alors dans sa chambre, jeûnant jusqu'à ce qu'un ami compatissant le tire d'embarras. Souvent ivre, griffonnant ses « petites pièces » (comme il disait) sur des bouts de papier quelconques, dormant parfois à la belle étoile, sa vie fait penser à celle de tant de bohèmes, à tant d'artistes maudits de cette époque que l'on dit Belle.

Pierre Mac Orlan, Montmartrois, offrit souvent l'hospitalité à Couté, dit encore Maurice Héliot. Je suis allé voir Pierre Mac Orlan à Saint-Cyr-sur-Morin et nous avons parlé de Couté. Ou plutôt, il m'a parlé de son vieux copain Couté qu'il considérait également comme un grand poète. Mais, me disait-il, « Couté n'était pas dans la misère lorsque je l'ai connu. Ce ne pouvait être moi, qui étais alors un jeune peintre dans la dèche, qui aidais Couté. Couté était un personnage célèbre, engagé dans un cabaret, dès qu'il s'y présentait, avec un cachet honorable. Mais il avait un caractère difficile, aimait exagérément la bouteille, se fâchait pour un rien. Un jour qu'il s'était endormi sur le toit d'un omnibus, il fut trempé par la pluie et mourut des suites d'une pneumonie. Quant à l'histoire du vieux père au cimetière et de sa phrase souvent répétée, personne n'était là pour l'entendre. »

## Écrivains libertaires

Les écrivains ouvriers sont souvent d'esprit libertaire, voire militants anarchistes. Mais la littérature anarchiste, elle-même, mériterait toute une étude. Si ses thèmes sont fréquemment évoqués au cours de ces pages, elle exprime cependant une vision du monde particulière qui n'est pas toujours d'un esprit prolétarien. Elle est plus philosophique que descriptive, plus révoltée que constructive. Elle compte plus d'essayistes que de romanciers, plus de journalistes que de poètes.

Si une trentaine de communards ont écrit, combien ont laissé une œuvre littéraire, à part Vallès qui, aussi capital soit-il, n'a rien de l'écrivain ouvrier. Vallès est un réfractaire, un en-dehors. Il est « le porte-voix et le porte-parole des insoumis ». Il est de la même famille que Laurent Tailhade et Léon Bloy, que Henri Rochefort et Mirbeau, que Lucien Descaves et Jules Renard. Tous proches du peuple, mais loin de l'atelier.

Louise Michel a écrit vingt-cinq ou trente volumes de vers et de prose. Mais aucun n'a la valeur d'un témoignage ouvrier, aucun ne peut se comparer à l'autobiographie de la militante américaine Maman Jones [1], qui lui ressemble un peu, mais qui sait voir avec humour ce que Louise Michel ne sait décrire qu'en déclamant.

Eugène Varlin, Benoît Malon : *Histoire du socialisme*, Lissagaray : *Histoire de la Commune*, Kropotkine, Sébastien Faure, Han Ryner, les écrivains libertaires sont innombrables [2]. Ils ont écrit des milliers de brochures sur le travail, rédigé des journaux, des revues, abordé tous les problèmes : sociologie, sexualité, pacifisme, histoire, poésie, sciences, etc. Beaucoup sont autodidactes, comme le cordonnier Jean Grave qui s'instruisit en lisant les journaux enveloppant les chaussures que lui apportaient ses clients.

Il y a aussi des chansonniers, comme Maurice Hallé, qui appartint au groupe fondateur de *La Vache enragée* et lança la « Foire aux Croûtes ». Paysan, il avait imprimé sa première plaquette à crédit et allait la vendre le dimanche dans les auberges en chantant ses propres chansons aux paysans. Charles d'Avray a écrit également près de trois mille chansons. Et Paul Paillette a toujours ses fervents : *Tablettes d'un lézard.*

*L'En-Dehors*, puis *L'Unique*, furent les revues des individualistes stirnériens, que dirigea Eugène Armand [3]. *Ce qu'il faut dire* et *Contre-courant* furent des organes non conformistes dirigés par Louis Louvet. Louis Lecoin, qui a raconté ses mémoires dans un livre émouvant, *De prison en prison* (1947), dirigea la revue pacifiste *Défense de l'Homme*, reprise par Dorlet.

Citons encore le bulletin des *Amis de Han Ryner*, dont l'animateur est Émile Simon; les publications néo-malthusiennes avec Jeanne Humbert, Marestan et Paul Robin; l'œuvre prolixe de Gérard de Lacaze-Duthiers; les études et articles de Hem Day (qui dirigea *Pensée et Action* à Bruxelles); de Maurice Joyeux, l'un des animateurs du journal *Le Monde libertaire* et de la revue *La Rue*, auteur de plusieurs essais : *L'Anarchie et la société moderne*, *L'Anarchie et la révolte de la jeunesse*, et de deux romans : *Le Consulat polonais* et *Mutinerie à Montluc;* de Pierre-

1. « Maman Jones des mineurs » (1830-1925) a publié son autobiographie en 1925, (traduction française aux Éditions Ouvrières en 1952). Institutrice, puis couturière, ayant perdu à l'âge de trente-six ans son mari et ses quatre enfants, morts dans une épidémie de fièvre jaune, Maman Jones entra dans la vie militante après 1870, défendant les enfants des filatures, exploités douze à quatorze heures par jour.

2. Cf. l'anthologie d'Alain Sergent, *Les Anarchistes* (F. Chambriand, 1951), et *Histoire de l'anarchie*, par A. Sergent et Cl. Harmel (Le Portulan, 1950); *Histoire du mouvement anarchiste* en France (thèse de doctorat, 1951), par Jean Maitron, publiée en 1954; *Ni Dieu ni maître*, histoire et anthologie de l'anarchie, par Daniel Guérin (1965).

3. *Eugène Armand, sa vie, sa pensée, son œuvre* (Paris, 1964).

Valentin Berthier : *Chéri Bonhomme* (1956), *Mademoiselle Dictateur, L'Enfant des Ombres* (1957); de Charles-Auguste Bontemps : *L'Anarchisme et le réel* (1963); du coutelier Fernand Planche, romancier : *Durolle* (1948) et essayiste : *Louise Michel, Kropotkine;* de Ixigrec, de Charles Malato, de Gaston Lacarce, de Robert Proix, de Vergine, de Charles Albert, etc.

En 1967, René Michaud a publié un livre fort intéressant : *J'avais vingt ans*, qui est à la fois les souvenirs d'un militant libertaire entre les deux guerres mondiales et l'histoire d'un cordonnier à Lyon, Romans et Belleville.

## Charles Péguy (1873-1914)

« Je ne suis nullement l'intellectuel qui descend et condescend au peuple. Je suis peuple. » Ainsi parlait Charles Péguy que l'on s'étonnera sans doute de trouver ici. Pourtant, Péguy est au moins autant écrivain d'expression populaire que Charles-Louis Philippe, que Jean Guéhenno, que Louis Guilloux. Boursier comme eux et comme eux à jamais mal à l'aise dans le monde de la culture bourgeoise, il y a, on le sait, deux Péguy. Un premier Péguy républicain et socialiste mystique. Un second Péguy aussi cocardier et déroulédisant que Louis Aragon. Mais contrairement à Aragon, Péguy s'est toujours élevé contre toutes les Églises, il est toujours resté farouchement indépendant. Tout comme chez les écrivains ouvriers de l'âge romantique, socialisme et christianisme s'identifient dans la pensée de Péguy et s'associent à une métaphysique de la pauvreté. Le christianisme de Péguy est un christianisme « peuple », la foi du charbonnier qu'il oppose à la philosophie de la Sorbonne. Dans une certaine mesure, Péguy continue Michelet. Il est robespierriste. Les tambours de Valmy l'exaltent. S'il réhabilite Jeanne d'Arc, c'est au nom de la République (vingt-cinq ans avant que Maurice Thorez fasse de même). Personnellement je n'ai pas une tendresse particulière pour Jeanne d'Arc, mais la manière dont Péguy parlait de la bergère, de l'effrontée fille du peuple, la manière dont il introduisait Jeanne d'Arc dans sa mystique républicaine, la manière dont il introduisait le pèlerinage à Chartres, et Dieu lui-même (avec lequel il conversait avec bonhomie), la manière dont il parlait des instituteurs, tout cela est typiquement peuple. Péguy exalte l'instituteur et les institutions républicaines et il apparente le socialisme au christianisme militant; ou, si l'on préfère, il associe le christianisme primitif au socialisme utopique.

On voit dans cette perspective combien Péguy a été alors le précurseur du christianisme révolutionnaire actuel : des prêtres ouvriers à la C.F.D.T. Dreyfusard en diable (si l'on peut parler de diable à propos de ce familier du bon Dieu et de ses saints, saints chrétiens et saints laïques), antimunichois avant l'heure, son idéologie de la pauvreté anticipe sur le « refus de parvenir » qui sera l'une des lignes de conduite de la génération des écrivains prolétariens entre les deux guerres mondiales. Bien qu'il fût normalien (supérieur), la Sorbonne a toujours reproché à Péguy d'être un primaire. Cette accusation, dont il souffrit beaucoup, peut aujourd'hui être relevée comme un éloge exceptionnel (mais involontaire) rendu au fils de la rempailleuse de chaises d'Orléans. « Je plains, a-t-il écrit, tout homme qui n'en est pas resté à sa première philosophie, j'entends pour la nouveauté, la fraîcheur, la sincérité, le bienheureux appétit. »

Péguy est authentiquement populaire, même bien sûr dans sa naïveté feinte, roublarde, dans sa grandiloquence feuilletonesque, dans son parler plein de redites et de pléonasmes, et jusque dans une certaine imbécillité bondieusarde et cocardière. Jusque dans cette manière de tout prendre au sérieux, même les mots, et de se faire tuer à la guerre, comme un héros de Valmy. Contrairement à Déroulède et à Aragon, Péguy fait partie de ceux qui se font tuer. Il est la piétaille du pèlerinage à Chartres, mais aussi la piétaille des croisades, la piétaille des tranchées de 1914. Encore une manière d'être primaire.

## Lucien Jean (1870-1908)
## Charles-Louis Philippe (1874-1909)
## Émile Guillaumin (1873-1951)
## Marguerite Audoux (1863-1937)

Deux employés, un paysan, une couturière. Quatre amis inséparables, aujourd'hui réunis dans la mort. Quatre amis dont l'œuvre éclaire toute la littérature ouvrière de la première moitié du XX^e^ siècle, à partir desquels l'expression ouvrière devient une réelle création littéraire.

Il ne s'agit plus, avec Lucien Jean, Charles-Louis Philippe, Marguerite Audoux et Émile Guillaumin, de « mémoires », de documents bruts, tels ceux que les prosateurs ouvriers du XIX^e^ siècle nous ont laissés, mais d'une authentique littérature prolétarienne, avec son accent propre et qui a conscience de ce qu'elle est.

Me voici, mon frère, écrit Lucien Jean, et puisque tu souffres, ta douleur est la mienne. Peux-tu sentir cela, le peux-tu?

Toute la souffrance humaine, vois-tu, je la respire avec l'air; et elle coule dans mon sang, et elle se mêle à ma chair, comme une substance. Et toute cette souffrance est si bien dans ma chair que mes paroles en sont imprégnées et amères, et que les hommes s'émeuvent quand je parle.

Voici. J'irai vers eux et je parlerai si fort que ma voix dominera le tumulte de leur vie et les atteindra à travers les murs de leurs maisons calmes.

Plus explicite, Charles-Louis Philippe écrit :

J'ai une impression de classe. Les écrivains qui m'ont précédé sont tous de classe bourgeoise. Je ne m'intéresse pas aux mêmes choses qu'eux. Toutes les crises morales de la littérature sont des crises morales de la bourgeoisie... J'ai bien davantage à penser au travailleur et au pain quotidien. Barrès éprouve le besoin d'aller à Tolède et à Venise pour trouver son âme. Moi je la trouve dans le peuple qui m'entoure. Je lui disais : « Vous séparez les gens par nationalités, tandis que je sens la séparation des classes... » Oui, je sens, autant qu'il est possible, les souffrances des plus humbles classes et mon âme est venue toute seule au bout de mon bras avec mon pain quotidien.

Et Guillaumin :

Je pense que bientôt chaque catégorie sociale, chaque corporation aura ses écrivains qui montreront l'âme juste et la vie vraie des gens de leur classe; ainsi le roman deviendra plus sincère et la poésie plus humaine... Nul ne saurait parler équitablement des paysans s'il n'a vécu la vie paysanne.

Émile Guillaumin et Marguerite Audoux sont plus typiquement des « écrivains de corporations » que Philippe et Lucien Jean, fils du peuple intellectualisés. L'œuvre de ces derniers concerne plus le pauvre que l'ouvrier. Mais leur attitude sociale, leurs origines, leur caractère de pionniers de la littérature prolétarienne ne nous permettent pas de les dissocier de leurs deux amis autodidactes.

Je ne me lasse pas de relire les lettres de Charles-Louis Philippe à Henri Vandeputte. L'auteur de *Bubu* était alors employé à l'Hôtel de Ville et faisait ses débuts littéraires :

Il y a (dans un bureau voisin du mien), écrivait-il en janvier 1898, un pauvre homme qui est souffrant, qui est marié à vingt-sept ans, et que j'aime pour la pureté de sa vie et la belle clarté de son âme. Je t'en parlerai quelque jour, il deviendra mon ami, je crois; il est très fin, peut-être écrira-t-il de belles choses; j'en aurais un grand plaisir.

Un an plus tard, Charles-Louis Philippe reparlait de ce collègue à son correspondant :

J'ai un ami ici, qui travaille dans le bureau voisin, avec une âme bleue et un beau cœur humain... Quand tu viendras à Paris et que tu le verras, tu sentiras combien il est beau, et lorsque tu connaîtras sa vie auprès de sa femme et de ses enfants, tu en rapporteras le souvenir d'un spectacle divin. Je vois mon pauvre ami boiteux, toujours malade, travailleur et bon, qui lit, qui médite, qui aime le bon peuple, celui qui gagne sa vie avec de la peine. Nous causons de toutes les choses humaines et il possède une grande âme, très saine, dans laquelle les événements ont leur place, loués ou méprisables suivant leurs qualités de simplicité, de bonté. Son intelligence est claire, profonde et humaine. Bien des fois il est mon guide et mon soutien. Cet homme contient de la lumière. Tous ceux qui voient sa face blonde et ses yeux bleus sentent sa vie et l'aiment. Tu verras. Il a écrit des choses dans *l'Enclos* qu'il signe Lucien Jean. Je les aime beaucoup. Relis-les.

Lucien Dieudonné avait créé le syndicat des employés municipaux et cette tâche de militant le sollicitait plus que la littérature. Il prenait souvent la parole aux réunions anarchistes de l'Art social, tenues à Belleville ou à Ménilmontant et ne revenait qu'à l'aube dans son logis situé près de l'Hôtel de Ville, dans une vieille maison. Il l'aimait pourtant beaucoup, ce logis, son foyer. Il avait décoré les murs de reproductions des plus beaux chefs-d'œuvre. Il aimait passionnément les livres, dont il enrichissait sa bibliothèque avec un goût très sûr.

Ce fut là, a-t-il écrit, dans cette chambre qui avait vingt pas de tour, que j'établis mon foyer. C'est là que je jetai l'assise d'une vie pauvre et simple qui fut, qui sera toujours la mienne. Avec ma femme, j'eus la joie de créer autour de moi des choses que j'aimais, et du pauvre argent que nous gagnâmes, j'achetai les planches dont je fis un buffet, l'étoffe joyeuse dont j'ornai la fenêtre et la porte, le linge blanc qui couvrait la table où parfois un ami venait s'asseoir.

Après l'affaire Dreyfus, Lucien Dieudonné renonça à son action de militant et ne vécut plus que pour son foyer, un groupe d'amis fidèles et la littérature.

Ces amis, ce furent Ch.-L. Philippe pendant dix années; Georges Valois qui écrivit plus tard sur son œuvre une étude pénétrante; Léon Frapié, l'auteur de *La Maternelle*, lui-même employé à l'Hôtel de Ville et qui partageait avec Lucien Jean et Philippe un grand enthousiasme pour le roman russe. Ce furent Charles Chanvin, Eugène Montfort, J.-G. Prod'homme...

Ce groupe d'amis allait souvent rendre visite à André Gide et l'auteur de *L'Immoraliste* a écrit de belles pages sur l'amitié de Philippe et de Lucien Jean. La présence de Lucien Jean ne quitta plus Philippe lorsqu'il écrivit. On le retrouve sous les traits de Louis Buisson dans *Bubu*, de Félicien Teyssère dans *Croquignolle*, ce Félicien dont l'auteur disait qu'en sa présence « chacun avait accompli sa première bonne action ». Il lui dédia *Le Père Perdrix*. Il prit comme modèle la femme et la fille de son ami pour écrire son admirable livre : *La Mère et l'enfant*.

J'aime à ne point séparer ces deux écrivains, a écrit André Gide, dans mon esprit et dans mon cœur. Dirai-je toute ma pensée? Lucien Jean est sans doute un moins grand écrivain que Philippe mais (et pour cela même peut-être), c'est un écrivain plus parfait.

Mort à trente-huit ans, des suites d'une pleurésie mal soignée, ses œuvres éparses furent réunies par Charles-Louis Philippe et publiées au Mercure de France, sous le titre *Parmi les hommes*. *L'Enfant* et les *Souvenirs d'hôpital* sont, à mon sens, les pièces maîtresses de ce recueil. Cette œuvre se sauve par la qualité exceptionnelle du style, par une acuité d'expression parfois hallucinante, non pas tant de la pauvreté et de la misère, que de la souffrance.

***

La souffrance pèse aussi sur l'œuvre de Philippe, mais maladive et cela lui a valu le reproche d'une certaine « mièvrerie » sous la plume de René Lalou.

Fils d'un sabotier du Bourbonnais, chétif, défiguré par une opération au visage, Charles-Louis Philippe connut dès l'enfance les souffrances du disgracié. Boursier, il rêva d'une situation brillante, mais lorsqu'il eut obtenu ses diplômes, il déchanta :

Vous avez créé des bourses dans les lycées et les collèges, écrit-il, pour que les fils des ouvriers deviennent pareils à vous. Et lorsqu'ils sont bacheliers comme vous, vous les abandonnez dans leurs villages. Vous y gardez pour vous les riches professions qu'ils devraient avoir et vous riez... Et cela démontre que si l'on est fils d'ouvrier il ne faut pas s'élever au-dessus de sa classe... Si je savais creuser des sabots je resterais à la maison et je dirais à mon père : « Assieds-toi, il y a longtemps que tu travailles, et c'est moi maintenant qui creuse les sabots. »

Le jeune homme devait attendre longtemps cette place à l'Hôtel de Ville de Paris, très médiocre d'ailleurs, mais qu'il accepta avec enthousiasme. Paris, c'était la porte ouverte sur le monde! Là encore il fut déçu et ces deux déceptions seront à la base de son œuvre. Il regrettera son village. Il ne verra de Paris que les côtés sordides. Prostituées et souteneurs dans *Bubu de Montparnasse* et *Marie Donadieu.* Employés de bureau dans *Croquignolle...* Vie simple des artisans ruraux dans *Le Père Perdrix, La Petite ville, La Mère et l'enfant, Charles Blanchard...*

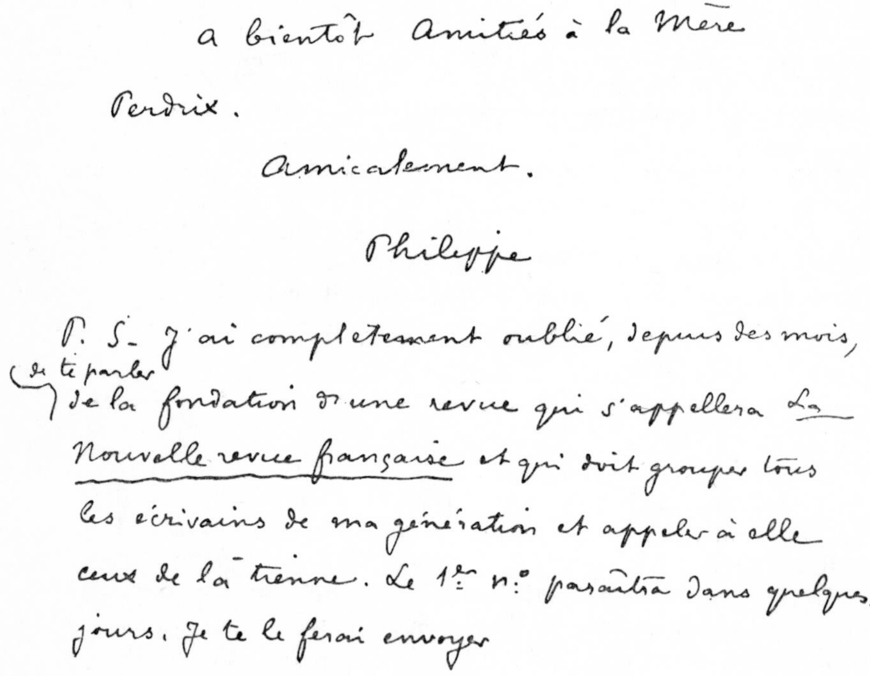

a bientôt Amitiés à la Mère Perdrix.

Amicalement.

Philippe

P. S. J'ai complètement oublié, depuis des mois, de te parler de la fondation d'une revue qui s'appellera La Nouvelle revue française et qui doit grouper tous les écrivains de ma génération et appeler à elle ceux de la trentaine. Le 1er n° paraîtra dans quelques jours. Je te le ferai envoyer

*Autographe de Charles-Louis Philippe.*

Ce dernier roman, inachevé par la mort soudaine de Philippe, reste son livre capital. C'est le roman du pauvre, le roman du pain. C'est une sorte de synthèse mythique de la pauvreté. Tâche colossale que de mener à bien un tel ouvrage et la mort de Philippe ne nous permet pas de dire si cette œuvre est imparfaite ou s'il ne nous en a donné qu'une ébauche. Il faudrait citer des pages et des pages de ce livre, en particulier celles qui parlent de cette dévotion rendue par le pauvre au pain, la plus humble des nourritures et la plus précieuse :

Tout est un ennemi pour le pain des pauvres. Ce qu'ils aiment est un ennemi, ce qu'ils détestent est un ennemi. Les jours de bonne santé, Solange Blanchard avait un peu plus d'appétit et mangeait un peu trop de ce pain qu'elle avait eu tant de mal à gagner. Les jours de maladie, elle en mangeait un peu moins que d'ordinaire, mais elle craignait que la maladie n'en vînt à l'empêcher à aller gagner son pain. La joie comme la douleur étaient à craindre... Et c'était aussi le loyer, et le temps qui séparait chaque paiement de terme était aussi un ennemi du pain... Quand ils marchaient, ils faisaient tort au pain, car ils usaient leurs sabots. Quand ils étaient assis, leurs habits frottaient contre la paille de leur chaise. Quand ils étaient dehors, la pluie noyait le tissu de leurs vêtements, ou bien le soleil le pompait, ou bien la boue le mangeait. Et le linge qu'on salit! Et ce n'était pas tout, où qu'elle se tournât, elle était en lutte contre les ennemis de son pain. C'était l'enfant qui grandissait. Il allait falloir, pour acheter des vêtements, bien de l'argent, avec lequel on n'achèterait pas du pain. Le pain qu'il avait mangé le faisait grandir. Le pain, lui-même, faisait la guerre au pain.

Charles-Louis Philippe divisait la société en riches et en pauvres. Ceux-ci se dégageaient dans son œuvre de leur concept de classe pour devenir aussi des figures mythiques. Le riche, c'était le fort,le nietzschéen, Don Juan et Hercule, celui qui savait se faire aimer des femmes, obtenir une situation sociale brillante, etc. Le pauvre, c'était le timide, le malade, le solitaire, le résigné. *Bubu*, ancien ouvrier devenu souteneur, puis voleur, était un « riche », *Croquignolle*, hâbleur, vantard, coq de bureau, était un « riche ». Près de ces figures typiques, Philippe plaçait toujours dans ses romans, un « pauvre », un intellectuel ayant peur du bonheur, un être délicat et berné.

Artifices, diront certains... Mais ce dédoublement existait chez Philippe, grand lecteur de Nietzsche et de Dostoïevski. Dans ses *Chroniques du canard sauvage*, ne faisait-il pas l'éloge des terroristes, de Casério le régicide, des malfaiteurs et des criminels refusant une vie routinière et voulant vivre « en barbares »?

Philippe trahit souvent sa nostalgie de la force! Les apaches l'attiraient parce qu'ils le vengeaient des affronts que la société lui avait fait subir, parce qu'avec eux il s'évadait de son existence monotone de bureaucrate. Ne se réjouit-on pas au cinéma lorsque l'on voit Charlot distribuer généreusement des coups de pied à des derrières respectables? Tant d'actes manqués, refoulés, nous semblent alors assouvis par le mime génial.

Philippe avait choisi. Il avait choisi de rester pauvre mais non pas d'être persécuté.

Nous qui n'aimons pas les riches, écrivait-il, nous ne devons jamais être riches. Si un jour je gagne des « ors », j'estime que je n'aurai pas le droit de m'en servir pour vivre dans le luxe et les plaisirs. Sinon je me condamnerais moi-même. Je n'aurais plus le droit de parler à un ouvrier et de lui dire « mon frère ». Il n'y a qu'un système, c'est de donner ses biens comme, dit-on, l'a fait Tolstoï. Sinon, l'on n'est qu'un chien qui aboie sans cause.

***

Charles-Louis Philippe retournait chaque année chez ses parents, à Cérilly. Dans une commune voisine, un jeune paysan écrivait aussi des livres. Il avait publié des *Dialogues bourbonnais* en 1899 et des *Tableaux champêtres* en 1900. L'année suivante, le fils du sabotier et le paysan se rencontraient « au pays » [1]. Lorsqu'il eut écrit sa *Vie d'un simple*, Guillaumin vint à Paris pour tenter de placer son manuscrit. Ch.-L. Philippe fut son guide dans la grande cité inconnue. Publié en 1904, ce livre suscita une longue lettre de Philippe :

> Vous ne pouvez pas savoir vous-même ce que vous avez fait là. Il y a trop de votre chair et de votre sang, trop de cette inconscience qui caractérise les grands livres humains pour que vous puissiez vous-même connaître toute la substance et toute l'émotion de votre livre. Ça, mon vieux, c'est un chef-d'œuvre.

Mis en concurrence par leurs éditeurs pour le prix Goncourt, chacun des deux nouveaux amis fait des assauts de courtoisie pour laisser le champ libre à l'autre. Mais ce fut *La Maternelle*, de Frapié, qui obtint le prix.

Mirbeau et Lucien Descaves soutinrent les débuts d'Émile Guillaumin. *La Vie d'un simple* obtint un succès exceptionnel. C'était aussi une œuvre d'exception. Pour la première fois, un paysan authentique écrivait un roman de la paysannerie, avec ses lents travaux au cours des saisons, ses soucis familiaux, ses jours de fête, ses dimanches, ses servitudes, ses espoirs.

*La Vie d'un simple* est l'œuvre capitale de Guillaumin, mais l'auteur ne fut pas l'écrivain d'un seul livre. Tout en continuant l'exploitation de sa petite ferme, il publia un second roman en 1906, *Près du sol*, sur le thème du « déclassé intellectuel », personnifié par une jeune fille qui a étudié au collège et qui retourne parmi les siens, étrangère. Ce drame se retrouvera dans *Albert Manceau, adjudant*, satire de la vie militaire à mettre en parallèle au *Sous-Offs* de Lucien Descaves, et dans *Baptiste et sa femme* (1909).

1. Cf. *Ch.-L. Philippe mon ami*, par Émile Guillaumin (Grasset, 1942).

Daniel Halévy avait rendu *Visite aux paysans du Centre* et trouvé en Guillaumin un guide précieux. D'autres intellectuels devaient prendre le chemin du Bourbonnais pour voir de leurs propres yeux cet écrivain paysan qui intriguait fort les milieux artistiques du début du siècle.

En 1909, le corps de Philippe revint à Cérilly, et sur la tombe de son ami mort à trente-quatre ans, Guillaumin devait prononcer, devant Gide et Larbaud, quelques mots d'adieu simples et émouvants.

Guillaumin fut l'un des pionniers du syndicalisme paysan. *Le Syndicat de Baugignoux*, rend témoignage de cette délicate et difficile aventure.

Après la guerre de 1914-1918, Guillaumin collabora à de nombreux journaux pour défendre la cause paysanne. Cette « seconde cuvée » de son œuvre, comme il disait lui-même, fut réunie en deux volumes : *Notes paysannes et villageoises* (1925) et *A tous vents sur la glèbe* (1931). Cinq ans plus tard, il publiait son *Panorama de l'évolution paysanne de 1875 à 1935*.

Jusqu'à la fin de sa vie, Guillaumin resta un vrai paysan. Au fur et à mesure que ses forces déclinaient, il se séparait d'un champ, d'une vache. Il n'abandonnait ni la plume ni la charrue. Mais le grand public, attiré par d'autres vedettes, le croyait mort depuis longtemps. Nous étions quelques-uns à correspondre avec lui, à savoir avec quelle affectueuse attention il présidait la société des « Amis de Charles-Louis Philippe ». Son ami, le bouquiniste des quais de la Seine, Louis Lanoizelée, qui fut aussi un ami de Marguerite Audoux, a publié une brochure sur *Émile Guillaumin* (1952) avec des lettres inédites et une autre sur *Lucien Jean* (1952).

En octobre 1973, à l'occasion du centenaire de sa naissance, un Colloque Émile Guillaumin avait lieu, à Moulins, présidé par Lucien Gachon et Jean Fourastié. En 1974, les Cahiers « Plein Chant » publiaient quinze contes de Guillaumin inédits en volume : *Histoires bourbonnaises*.

***

*Marie-Claire* (1909) fut souvent rapproché de la *Vie d'un simple*. L'œuvre d'une couturière! Décidément, le début du siècle était fécond en miracles! Mais il n'y avait de miracles que pour les journaux « à sensation ». Ces journalistes ignoraient sans doute les poétesses ouvrières du siècle dernier. Il est vrai qu'aucune ouvrière n'avait encore produit un livre de la qualité de celui de Marguerite Audoux.

La vie de Marguerite Audoux [1], c'était aussi une espèce de conte

1. *Cf. Marguerite Audoux*, par Georges Reyer (Grasset, 1942).

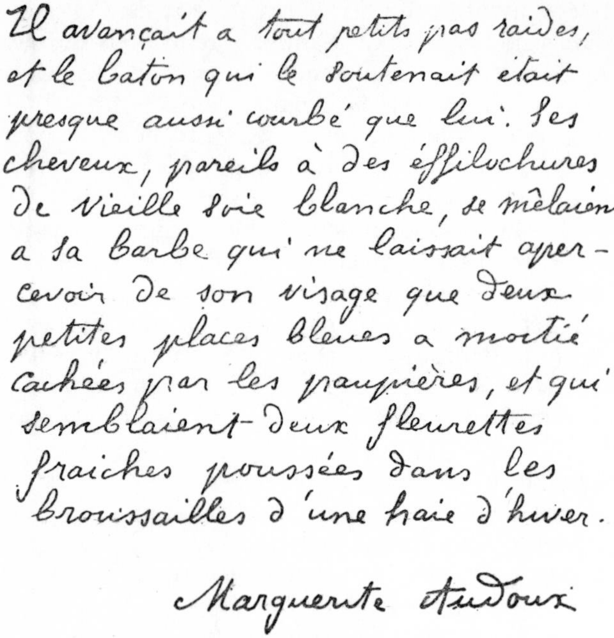
Il avançait a tout petits pas raides,
et le baton qui le soutenait était
presque aussi courbé que lui. Ses
cheveux, pareils à des effilochures
de vieille soie blanche, se mêlaient
a sa barbe qui ne laissait apercevoir de son visage que deux
petites places bleues a moitié
cachées par les paupières, et qui
semblaient deux fleurettes
fraiches poussées dans les
broussailles d'une haie d'hiver.

Marguerite Audoux

*Autographe de Marguerite Audoux.*

édifiant, du « tout cuit » pour les journalistes à la recherche de veaux à deux têtes. Enfant assistée, bergère en Sologne, puis couturière à Paris, elle rencontra un jour dans un restaurant Michel Yell, ami de Ch.-L. Philippe, qui s'étonna d'entendre cette ouvrière parler « en connaisseur » de Thomas Hardy et de Dostoïevski. Philippe devint l'ami précieux de Marguerite Audoux qui avait alors quarante ans. Depuis longtemps, elle écrivait sur un petit cahier d'écolier l'histoire de sa vie. Francis Jourdain, ami du groupe, montra l'œuvre à Mirbeau qui assura son succès :

Marguerite Audoux, écrivit-il, n'était pas une « déclassée intellectuelle », c'était bien la petite couturière qui, tantôt fait des journées « bourgeoises », pour gagner trois francs, tantôt travaille chez elle, dans une chambre si exiguë qu'il faut déplacer le mannequin pour atteindre la machine à coudre.

Il y eut bien pour la pauvre couturière, après la parution de *Marie-Claire*, une sorte de miracle. Son logement d'une seule pièce fut envahi par une nuée d'admirateurs et de curieux. Les journalistes firent queue à sa porte. Toute la presse lui consacra des articles enthousiastes. *Marie-Claire* fut traduit dans toutes les langues vivantes et Marguerite Audoux, célèbre, devint momentanément riche.

Puis ce fut un long silence. Au chagrin d'avoir perdu son cher Charles-Louis Philippe, son conseiller et son guide, s'ajouta celui de la mort d'Alain-Fournier (l'auteur du *Grand Meaulnes*), disparu à la guerre et qu'elle attendit longtemps encore après l'armistice, espérant un impossible retour.

Elle avait mis vingt ans à écrire son premier roman. Comment eût-elle pu répondre aux sollicitations des revues et des éditeurs sans trahir sa vocation! La direction du *Journal* lui offrit une rente viagère moyennant l'exclusivité de deux contes par mois. Elle refusa en disant : « Ce n'est pas mon métier. »

Les années passèrent. Mirbeau, qui l'avait tant aidée par une amitié et une compréhension rares, était mort également, en 1917. Elle se remit à écrire, et sa tristesse l'amena à se souvenir avec plus d'acuité de ses années de misère à Paris. Un fragment de cette œuvre entreprise, *Suicide*, nous permet de penser ce qu'eût été ce livre. Marguerite Audoux renonça à l'achever et se mit à rédiger la suite de *Marie-Claire* qui parut en 1919 sous le titre *L'Atelier de Marie-Claire*. Mais ses amis étaient disparus. Que pouvait espérer Marguerite Audoux, avec sa pureté, sa délicatesse, dans un monde artistique pour qui le fin du fin se trouvait au Bœuf sur le toit? Le public nouveau qui allait saluer *La Garçonne*, la trouva bien démodée. On la croyait morte. Pareille aventure arriva à Émile Guillaumin qu'André Thérive enterra prématurément par erreur en 1925. Le livre n'eut qu'un demi-succès, mais l'aida néanmoins à élever les trois enfants qu'elle avait recueillis.

*De la ville au moulin* (1925) fut un four complet. La critique se contenta de signaler cette tentative de survie « de la couturière aveugle qui écrivit avant la guerre une manière de chef-d'œuvre ». La « carrière » de Marguerite Audoux était finie. Elle publiera bien encore des contes : *La Fiancée* (1930) et un roman, *Douce Lumière* (1936), mais si ce n'avait été la rente que lui servit Maurice Bedel, elle eût été dans la misère la plus complète.

En fait, Marguerite Audoux fut l'auteur de deux livres, d'une autobiographie en deux volumes. Était-ce une raison suffisante pour une telle disgrâce! Combien d'écrivains chevronnés ont refait consciencieusement chaque année le livre qui a assuré leur succès, et conservent ainsi un public qui n'aime pas à être dérouté.

## « La peine des hommes », par Pierre Hamp

L'œuvre de Pierre Hamp (1876-1962), est sans doute la première (après Deloney), qui prenne les métiers pour sujet principal.

Dépassant le cadre restreint de l'autobiographie (qui est celui du plus grand nombre des œuvres ouvrières), échappant aux seules notions de pauvreté ou de souffrance des déshérités, Pierre Hamp ambitionne d'être l'écrivain du travail. Et par là même, il veut réhabiliter le travail, redonner au métier son visage humain. La misère ouvrière avait engendré une littérature sociale qui identifiait l'usine au bagne et l'ouvrier au « maudit ». Pierre Hamp a vécu de rudes années d'apprentissage dans les caves des pâtisseries et des cuisines des grands hôtels. *Mes métiers* (1929) est un document qui eût suffi pour donner à leur auteur une place de choix dans ce panorama de la littérature ouvrière. Mais ce n'est pas seulement sa propre expérience que Pierre Hamp a voulu nous décrire. Une vaste fresque du travail, semblable à la *Comédie humaine* de Balzac ou aux *Rougon-Macquart* de Zola, attendait un auteur qualifié qui puisse parler de l'ouvrier autrement qu'en littérateur, qui connaisse aussi bien les conditions sociales de l'ouvrier que les détails techniques des différents métiers.

Instruit à l'Université populaire de Belleville en 1900 (Jean Schlumberger, qui fut l'un des promoteurs des Universités populaires, me disait : « Pierre Hamp fut notre plus belle réussite »), employé de chemin de fer, puis inspecteur du travail, Pierre Hamp s'est attelé à cette œuvre gigantesque.

> J'ambitionnais un grand titre, a-t-il écrit : Frère Hamp, religieux du travail.

*Marée fraîche* et *Vin de Champagne* datent de 1908 et 1909, *Le Rail* de 1912. Après avoir lu ce document sur le métier de cheminot, Tristan Bernard s'exclama : « Ce pauvre Zola qui se croyait réaliste ! » L'œuvre de Pierre Hamp est formée d'une trentaine de volumes. Le surtitre : *La Peine des hommes*, réunit la plupart. Mais il y a aussi des enquêtes, dont une sur les mineurs : *Gueules noires*, et cinq pièces de théâtre dont Henry Poulaille a écrit qu'elles étaient, avec celles de Charles Vildrac, les « premiers états de cette dramaturgie d'inspiration prolétarienne » dont il regrettait l'absence en France.

Les livres de Pierre Hamp tiennent du reportage et du roman. Ils

*Pierre Hamp.*

*Autographe de Pierre Hamp.*
*Lettre à Michel Ragon.*

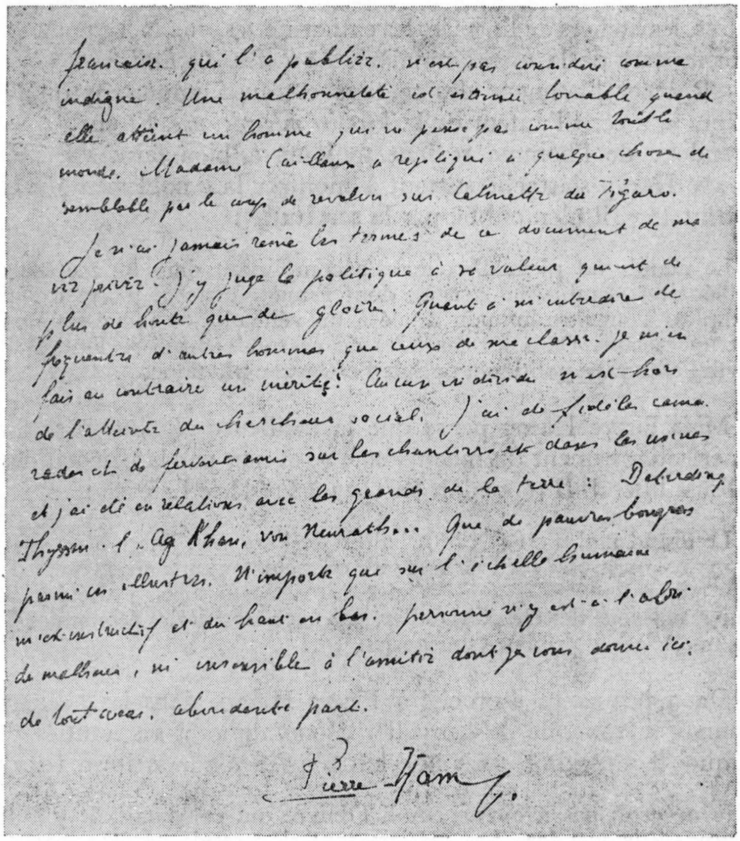

française qui l'a publiée n'est pas considéré comme indigne. Une malhonnêteté est estimée louable quand elle atteint un homme qui ne pense pas comme tout le monde. Madame Caillaux a répliqué à quelque chose de semblable par le coup de revolver sur Calmette du Figaro.

Je n'ai jamais renié les termes de ce document de ma vie passée. J'y juge la politique à sa valeur qui est de plus de honte que de gloire. Quant à m'interdire de fréquenter d'autres hommes que ceux de ma classe, je m'en fais au contraire un mérite. Aucun ne doit être hors de l'atteinte du sectarisme social. J'ai de fidèles camarades et de fervents amis sur les chantiers et dans les usines et j'ai été en relations avec les grands de la terre : Deterding, Thyssen, l'Aga Khan, von Neurath... Que de pauvres bougres parmi ces illustres. N'importe qui sur l'échelle humaine n'est instructif et du haut en bas, personne n'y est à l'abri de malheur, ni insensible à l'amitié dont je vous donne ici, de tout cœur, abondante part.

Pierre Hamp.

prennent un élément du travail à son origine et suivent sa transformation, de métier en métier, jusqu'au consommateur. Ainsi, dans *Marée fraîche*, nous voyons le poisson amené au port par des pêcheurs. Nous assistons à la criée. Nous suivons le poisson dans le train qui l'emporte à Paris. Sur la table du restaurant, il est devenu un aliment comme un autre, et les clients le mangent distraitement sans penser à toute « la peine des hommes » que ce mets représente.

*Vin de Champagne* nous décrit le travail des souffleurs de verre, des ouvriers viticulteurs, des intermédiaires... Puis ce produit qui a coûté tant de sueurs, est servi traditionnellement à quelques désœuvrés dans les boîtes de nuit.

*Le Lin* (1924) nous amène parmi les viticulteurs flamands, les frontaliers, les rouisseurs, les tisserands, les vendeurs de tissus, les mannequins, les ateliers de lingerie, les catherinettes, etc. Nous pourrions encore décomposer de la même manière, *La Laine*, *Le Rail*, etc.

« Recréer l'honneur des métiers est aussi important qu'assainir les usines », a écrit l'auteur de la *Victoire mécanicienne*. Et encore : « La pure grandeur de l'homme revient toujours à bien faire son métier. » Si Pierre Hamp s'attache surtout à montrer la « noblesse » du travail, sa « sainteté », il n'en oublie pas la servitude :

Le monde est plein d'esclaves, accomplissant dans les métiers des gestes millénaires, semblables à ceux dont l'image orne la pierre des plus vieux temples. Tout être humain attelé à un véhicule, ou ployé sous un fardeau, est un esclave. Dans les capitales de ces nations qui se font gloire d'avoir aboli l'esclavage politique, pullule l'esclavage physique.

Mais Pierre Hamp pense que la meilleure révolution se fera par le « perfectionnement du machinisme », et non par la disparition du capitalisme libéral. Il répondait en 1923 à Frédéric Lefèvre :

Le grand mal n'est pas le privilège de l'argent : l'argent est peu de chose et quand on a bon pied et bon œil, on peut toujours en gagner. Un homme sain gagne toujours ce qui est nécessaire à ses besoins. J'ai été pâtissier, cuisinier, employé des chemins de fer, j'ai toujours fait des économies. La grande fortune, c'est le privilège des loisirs.

On a beaucoup reproché à Pierre Hamp, dans les milieux révolutionnaires, son rôle de conseiller économique et ses amitiés politiques. A quoi il répondait, dans une lettre qu'il m'adressait en 1947 :

Je ne crois pas avoir accompli l'œuvre qui convenait. Il y faudrait une équipe. Elle viendra. Les métiers sont de grands personnages comme les passions. J'ai eu l'ambition de les décrire dans leur charme, leur puissance, leurs tragédies. Mais j'ai probablement eu tort de les quitter. Si, parmi bien des critiques, j'ai mérité quelques éloges, je retiens celui que me fit mon camarade Fleury avec qui j'ai travaillé à la pâtisserie Bourbonneux, place du Havre. Quand j'ai publié *Mes métiers*, les patrons pâtissiers de Paris, parmi lesquels Fleury avait alors un rang éminent, m'accablèrent d'injures dans leurs réunions et se concertèrent pour m'intenter un procès. Fleury prit ma défense par un seul argument : « C'était un bon ouvrier. » Cette affirmation est pour moi une récompense suffisante et qui a toujours sa valeur.

CHAPITRE IV

# *Un nouvel âge littéraire*

*Une nouvelle littérature est en formation qui va exprimer la nouvelle culture. Elle doit être la littérature de l'homme qui travaille, par opposition à la littérature de l'homme qui se bat ou qui domine.*

(Présentation de la collection des « Romans du Nouvel Age », Valois éd.)

Nous avons vu que la littérature ouvrière avait toujours été considérée comme une exception. On avait parlé de « miracle » pour Marguerite Audoux comme on avait parlé de « miracle » pour Adam Billaut. L'écrivain ouvrier, au début de ce siècle, était encore un phénomène, et cette situation insolite n'était pas sans contribuer à son succès.

L'ouvrier cultivé, le lecteur ouvrier, était aussi un phénomène. Le militant ouvrier était encore un phénomène. Bref, il suffisait qu'un prolétaire se singularise pour que l'on crie au génie ou au scandale.

L'extension du syndicalisme, l'instruction primaire obligatoire, le grand mirage de la révolution russe furent des facteurs qui contribuèrent puissamment à créer le mythe d'un messianisme du prolétariat. Si le capitalisme était condamné, si la bourgeoisie était mourante, si le quatrième état devait recouvrir la société de toute la force de sa masse émancipée, par ce fait l'art devait subir une transformation radicale. A l'art bourgeois qui sévissait depuis le XVIIIe siècle, devait succéder un art prolétarien.

L'écrivain ouvrier passa donc du rôle de phénomène à celui de guide, d'annonciateur. Il n'est qu'à voir avec quelle attention un esthète comme André Gide suivit le développement de la littérature prolétarienne, depuis Charles-Louis Philippe et Lucien Jean jusqu'à Maurice Lime et Jean Meckert en passant par Henry Poulaille.

Les rencontres du métallurgiste Maurice Lime et d'André Gide sont à ce propos très significatives et il est heureux que Lime ait publié un livre qui rende compte de ces entretiens [1].

1. Maurice Lime, *Gide, tel je l'ai connu*, Julliard, 1952. Le 6 octobre 1935, Gide notait dans son *Journal* : « M. Lime est venu me trouver avant-hier; son travail à l'usine ne le laisse libre que le samedi après-midi et le dimanche. J'étais heureux de

Il est touchant de voir Gide essayer d'aimer Béranger parce que Goethe, auquel il eût voulu ressembler, parlait du chansonnier en termes dithyrambiques. Mais le 31 août 1940, il note dans son Journal son renoncement à comprendre cet enthousiasme : « J'ai parcouru dernièrement le recueil des Chansons de Béranger, sans y rien trouver qui ne me paraisse vulgaire, banal et rebutant. »

On sait quel miroir fidèle des idées, des sentiments populaires du siècle dernier, fut Béranger. « Vulgaire, banal et rebutant... » Gide avait rompu avec les révolutionnaires depuis quelques années... Il s'apercevait maintenant combien il était loin du peuple, que jamais il ne pourrait aimer une classe aussi fruste, aussi brutale.

Ce rapprochement du peuple et des intellectuels entre les deux guerres fut un marché de dupes.

Que ceux-là seuls écrivent qui ont quelque chose à dire, déclarait Poulaille.

Et Gide répondait :

*Id est* : quelque chose à raconter, ceux qui ont vu quelque chose. Quelle illusion! Et combien ne sent-on pas, en lisant tel reportage par exemple que, et si important et si passionnant que celui-ci puisse être, en dehors de ce qu'il a vu l'auteur n'a rien à nous dire. La question commence justement où la laisse Poulaille.

La querelle tournait autour d'une définition de la littérature. Ce n'est pas l'usuel Petit Larousse qui pourrait nous renseigner lorsqu'il dit : « Connaissance des ouvrages et des règles littéraires. » Il faudrait dresser une liste de ces ouvrages et de ces règles et cela ne serait valable que pour le passé. Les manuels de littérature les plus académiques sont un fourre-tout où l'on trouve aussi bien des « Mémoires » (Retz, Saint-Simon, etc.), que des « lettres » (M^me de Sévigné), des « reportages » (Joinville), que poésie, théâtre, philosophie, histoire, roman, sermons, critique, etc.

En dehors de ce qu'il a vu, l'auteur n'a rien à nous dire, écrit Gide.

Mais n'est-ce pas déjà beaucoup que d'apprendre par un témoin ce que l'on connaît mal? L'œuvre de Pierre Hamp, bâtarde selon les règles,

pouvoir lui dire tout le bien que je pensais de son livre, lu très attentivement cet été. C'est un garçon tout jeune encore, solide, au visage ouvert et riant, au regard droit. Je me sens aussitôt parfaitement à l'aise avec lui et lui sais gré de ne me traiter point en bourgeois, mais en camarade. »

serait donc autre chose que de la littérature, alors que celle de Charles-Louis Philippe, « pleine de ficelles », est de la littérature. Faudrait-il absolument de l'artifice, du « métier », des trucs pour avoir le droit de figurer dans les manuels académiques ? Les spectacles de cinéma sont formés en général d'un « film » et d'un « documentaire ». Très souvent le « documentaire » est supérieur au « film ». Pourquoi supérieur ? Pourquoi *Louisiana Story* de Flaherty nous émeut-il plus que *Samson et Dalila* de Cécil B. de Mille ? Peut-être parce que nous aimons les arbres et les bêtes autant que les hommes. Pourquoi l'œuvre de Pierre Hamp nous émeut-elle plus que celle de Proust ? Sans doute parce que la description des métiers, la transformation du *Lin* ou la « vie unanime » du *Rail*, nous émeuvent plus que les « états d'âme » de Mme de Guermantes. Il y a certainement dans tout cela un résultat d'éducations dissemblables et aussi de tempéraments différents, car la garde-barrière Rose Combe se passionnait à la lecture de Proust.

Il n'est pas sûr, d'ailleurs, que la conception bourgeoise de la littérature soit si loin de ce que le peuple demande aux livres. Lorsque Poulaille, reprenant les idées de Louis Nazzi, écrivait que le problème du pain quotidien est un « problème plus âpre, plus tragique et plus admirable que celui de l'amour », il me semble que cette conception était plus celle d'un révolutionnaire que d'un ouvrier. Un roman sans histoire d'amour n'aura pas plus de succès auprès des lecteurs populaires qu'auprès des lecteurs bourgeois. Et, pour ma part, je ne crois absolument pas que l'amour soit un problème moins « tragique » et moins « admirable » que celui du pain quotidien. C'est d'ailleurs confondre le plaisir et l'obligatoire. On peut aimer un métier, se « marier » à lui, éprouver même une passion pour son métier, mais celle-ci aura rarement la violence d'une passion amoureuse. Ce mariage ne sera jamais qu'un mariage de raison.

Le populisme [1] naquit de cette attirance des intellectuels pour le peuple, peut-être aussi d'une idée confuse de vouloir réaliser en « gens de métier » l'œuvre populaire que les écrivains ouvriers voulaient faire « en dehors de la littérature ».

> Nous nous sommes dits populistes, parce que nous croyons que le peuple offre une matière romanesque très riche et à peu près neuve, écrivait Léon Lemonnier.

1. Cf. *Populisme*, par Léon Lemonnier (La Renaissance du Livre, 1931). *Poèmes populistes*, anthologie réunissant Eugène Dabit, Léon Frapié, André Thérive, Philéas Lebesgue, Maurice Mardelle, Jean Rogissart, Camille Cé, Pierre Béarn, etc. (Denoël).

Le populisme « ouvre les vannes du langage parlé et notamment à l'argot ». Tout cela n'était guère neuf. Victor Hugo et Zola avaient fait triompher ce genre littéraire depuis longtemps déjà. Le naturalisme en avait fait sa profession de foi.

Léon Lemonnier repoussait « le scientisme primaire des naturalistes et leur psychologie sans finesse ». Mais il conservait de cette école ce qu'il appelait « la hardiesse dans le choix des sujets : ne pas fuir un certain cynisme sans apprêts et une certaine trivialité — j'ose le mot — de bon goût. Et surtout en finir avec les personnages du beau monde, les pécores qui n'ont d'autre préoccupation que de se mettre du rouge, les oisifs qui cherchent à pratiquer des vices soi-disant élégants. Il faut peindre les petites gens, les gens médiocres qui sont la masse de la société et dont la vie, elle aussi, compte des drames ».

On voit déjà par cette déclaration tout ce qui sépare le populisme des écrivains ouvriers. Jamais un écrivain ouvrier n'a cherché à décrire la médiocrité. La littérature ouvrière n'a jamais eu pour but de glorifier la platitude. Son but est même tout autre. Elle tend à démontrer que le peuple a aussi son élite, que les métiers ont eux aussi leur beauté, que l'âme populaire n'est pas sans noblesse, qu'elle a ses espoirs et ses haines, une volonté collective, et qu'elle tend à un devenir.

On imagine les protestations que le populisme fit naître parmi les écrivains prolétariens. Le paysan belge Francis André écrivit :

Il ne s'agit pas de savoir si nous sommes une matière intéressante, un beau sujet, un filon littéraire. Parlez de nous ou n'en parlez pas : qu'est-ce que cela peut nous faire? L'essentiel est de savoir s'il y a réellement parmi nous, parmi la race de ceux qui tiennent la charrue, qui manient la cognée, le pic, les manettes et les leviers, des pensées qui naissent et s'agglomèrent, des forces qui s'éveillent.

Et Lucien Bourgeois, ouvrier d'usine :

Le fait nouveau en littérature, c'est que des ouvriers écrivent, se peignent eux-mêmes, alors que, jusqu'à présent, l'écriture avait été l'apanage d'intellectuels.

Eugène Dabit lui-même, que l'on présente aujourd'hui communément comme l'un des maîtres de l'école populiste, écrivait :

Ils veulent que je sois un romancier populiste... Il faut toujours qu'ils vous classent! Qu'ils vous mettent dans le dos une étiquette; ça leur sert peut-être à se tranquilliser.

Afin de réagir contre le populisme et de montrer surtout l'ampleur de la littérature ouvrière, une nouvelle école se fonda : l'École Prolétarienne. Son rôle fut trop important de 1920 à 1939 pour que nous ne nous attardions longuement avec elle. Il y eut peu d'écrivains ouvriers, entre les deux guerres, qui ne furent marqués par elle, qui ne s'exprimèrent grâce à elle. Elle contribua à redonner à l'expression ouvrière cette vitalité que nous lui avons vue entre 1830 et 1848, et que nous n'avions pas retrouvée depuis.

Vers 1920, un manœuvre, Henry Poulaille, et un employé à la S.N.C.F.

*Marcel Martinet.*

Tristan Rémy, eurent l'idée de rechercher à Paris et en province tous les écrivains ouvriers, de les grouper, de conserver le contact, de créer une revue où leurs textes seraient publiés, etc. Peu après, ils rencontrèrent Lucien Bourgeois à *L'Humanité* où Marcel Martinet était acquis à leur projet. Marcel Martinet fut un guide précieux pour les écrivains d'expression ouvrière.

Employé à l'Hôtel de Ville de Paris, le bureau de Martinet était le centre de rendez-vous de tous les pacifistes, de tous les révolutionnaires libres. Il avait dirigé pendant longtemps la page littéraire de *L'Humanité*, y publiant les écrits de Poulaille, de Lucien Bourgeois, etc. Son essai pour une *Culture prolétarienne* (1935) s'élevait à la fois contre les profiteurs des révolutions et contre la stagnation de la culture bourgeoise. Contestant l'efficacité des Universités populaires, il préconisait la création de groupes ouvriers d'étude, et demandait avant tout que l'on apprenne à l'ouvrier son métier, que la culture générale de celui-ci parte d'une base de connaissances techniques et ne soit jamais dissociée du syndicalisme.

Il allait de soi que Martinet consacre un chapitre de son livre à Albert Thierry, tué pendant la guerre de 1914-1918, en pleine jeunesse. Dans ses *Réflexions sur l'éducation* (publié par Martinet en 1923), celui-ci montrait le danger des deux enseignements : le primaire qui ne prépare pas aux métiers, le secondaire réservé aux fils des bourgeois; le danger aussi des « bourses » qui fabriquent les plus dangereux des « jaunes ». A la « volonté de parvenir » du prolétariat, il demandait que se joigne le « refus de parvenir » du prolétaire en tant qu'individu. Instituteur, fils d'un maçon, son livre s'adressait surtout aux instituteurs éducateurs des enfants d'ouvriers. Il a aussi publié sur son métier *L'Homme en proie aux enfants* (1909).

Nous avons vu ce « refus de parvenir » souvent exprimé par les écrivains ouvriers, que ce soient Adam Billaut ou les poètes ouvriers du XIXe siècle. Nous le retrouverons clairement formulé et mis en pratique par Lucien Bourgeois. Il sera à la base de cette École Prolétarienne, animée par Poulaille, et dont nous allons suivre l'évolution. Mais auparavant, disons quelques mots du rôle des instituteurs pour cette culture prolétarienne que réclamait Martinet.

En premier lieu, il nous faut parler de la revue et des éditions *Les Humbles*, dirigées par Maurice Wullens. Ne serait-ce que par ses numéros spéciaux (*La Bretagne libertaire*, avril-mai 1921; *Léon Bazalgette*, juillet-août 1929; *A Léon Trotski*, mai-juin 1934; *A Marcel Martinet*, janvier-mars 1936; *Dossier des fusilleurs*, septembre-octobre 1936; *Appel aux hommes après les procès de Moscou*, janvier 1937, etc.), cette revue forme une collection de tout premier ordre pour qui veut se documenter sur la lutte pacifiste et syndicale entre les deux guerres.

*Les Primaires* [1], « revue mensuelle de culture populaire, de littérature

1. Cf. principalement les numéros spéciaux sur Marguerite Audoux, Émile Guillaumin, Henry Poulaille, Albert Thierry, Charles Vildrac, Louis Pergaud, etc.

et d'art », dirigée par René Bonissel, Roger Denux et Régis Messac, fut également étroitement liée au groupe des écrivains prolétariens. *L'École libératrice*, organe hebdomadaire du syndicat national des instituteurs publics, renferme d'excellentes chroniques de Lucien Gachon (« L'œuvre des nôtres »), de Jean Vidal, de René Lalou et de Christian Sénéchal. Les articles de Maurice Dommanget et de Lucien Roth, parus dans *L'École émancipée*, sont également à retenir.

On s'étonne, aujourd'hui où les revues sont rares, où les écrivains ouvriers n'ont plus guère l'occasion de s'exprimer, de l'abondance des publications prolétariennes de 1930 à 1938. Car il nous faudrait citer encore, bien qu'elles soient plus des revues de militants que de « littérateurs » : *Spartacus*, *Masses*, *La Révolution prolétarienne* de Monatte, les pages ouvertes aux écrivains ouvriers par *Le Peuple*, *Le Populaire*, *La Flèche*, *Le Libertaire*, *Esprit*... Les éditions à bas prix d'œuvres prolétariennes : *Le Chef-d'œuvre*, *Les Feuillets bleus*, etc...

***

En 1930, Henry Poulaille avait publié un important ouvrage : *Nouvel Age littéraire* (Valois, éditeur) [1], par lequel il tentait de définir cette esthétique prolétarienne, à la fois éloignée du populisme et de la propagande, trouvant ses sources dans l'autodidacte Rousseau, dans George Sand, « mère du roman paysan », dans Michelet, Balzac et Zola. Henry Poulaille reconnaissait encore comme pionniers de la littérature prolétarienne : Louis Nazzi [2] (mort en 1912, à vingt-neuf ans), dont il cita souvent des pages extraites de sa revue *Sincérité;* Charles Guieysse (mort en 1920) qui écrivait dans ses *Pages libres* : « Chantez des chansons si vous voulez, pour endormir les souffrances humaines; chantez aussi des chants de combat. Mais composez vos chants et vos chansons »; Charles Bourcier, tué à la guerre de 1914-1918, qui menait un combat identique dans sa petite revue, *La Chimère* : « Que les ouvriers se mettent ensemble et seuls à l'écart des autres artistes pour réaliser

1. Georges Valois, l'éditeur de *Nouvel Age* et le fondateur en 1932 des *Chantiers coopératifs*, après avoir abandonné la doctrine de Maurras pour le syndicalisme, a beaucoup fait en faveur de la littérature prolétarienne, et l'action de Poulaille fut, pendant quelque temps, inséparable de celle de Valois.

2. Louis Nazzi écrivait : « Rousseau est notre père à tous. Il a révélé l'homme à l'homme. Il lui a enseigné la nature, qu'il ignorait. Il a mis la pitié dans nos cœurs et, dans nos regards, des clartés neuves. Il a dit la profonde beauté de la souffrance et de l'humble vie quotidienne. Il a brisé le classicisme, ce moule à gaufres littéraires. Il nous a ouvert le domaine de la simplicité et les trésors du sentiment. Il fut le plus admirable et audacieux sincériste que la terre ait porté. »

l'œuvre d'art... », et qui lança le projet d'un *Salon du Peuple* (1909) où se rencontreraient artistes et artisans. Puis Poulaille étudiait les théoriciens de ce « nouvel âge » : Sorel et Péguy, Martinet et Albert Thierry, Daniel Halévy et Jean Guéhenno. Avec celle de Ramuz, il proclamait capitale l'influence sur la littérature prolétarienne de Blaise Cendrars, « le poète le plus puissamment original d'aujourd'hui ».

Dans son étude, *Visite aux paysans du Centre*, Daniel Halévy écrivait :

> Nos romanciers, nos poètes, sont presque tous des déclassés. Ils vivent en dehors de toutes les classes dont le travail fait le pays. Ils forment entre eux un clan.

Michelet s'était déjà inquiété de cette situation anormale, et l'œuvre de Jean Guéhenno devait être une sorte de développement moderne des idées de Michelet sur le peuple.

*Caliban parle* (1928) fut pour moi une révélation. Avant d'avoir lu ce livre, je ne m'étais jamais posé de questions sociales. Prolétaire le jour, étudiant la nuit, j'avais tant à apprendre et si peu de temps pour étudier, qu'il ne me restait guère de moments pour penser. Je souffrais, bien sûr, du mépris des bourgeois et des intellectuels, mais comme on souffre d'une infirmité. Cette humiliation n'était pas liée à un fait général. Mais lorsque je lus *Caliban parle*, un voile se déchira. Il me sembla que c'était moi, enfin, qui ouvrais la bouche, et je compris les raisons de mes veilles :

> Je ne veux rien dire que le vrai. Dans notre vie confuse et inquiète, il est tel moment en effet où les livres peuvent nous paraître suspects. À vivre trop continûment dans l'obscurité, la tentation vient de haïr la lumière... Comment ne nous méfierions-nous jamais des livres? Pour un qui servit à nous sortir de peine, mille ne firent que prolonger notre misère et notre bassesse...
>
> J'entrais dans un monde de clarté. J'associais les miens à mon ascension : ils apprendraient de moi bientôt comment on triomphe de la nécessité... Je volais les livres de Prospero et les lisais avec délices. J'étais le plus attentif des disciples.
>
> L'esprit trompe, la beauté séduit, le bonheur déclasse. Et je sentais bien une sorte de bonheur... On ne lit pas impunément les livres...
>
> Il y a pour nous, les Caliban, si nous n'y prenons garde, dans la culture de nos maîtres, un poison. C'est ce principe de dédain, d'exclusion et d'orgueil qu'ils prétendent nécessaires à toute culture et que dans la réalité ils sont les seuls à y mettre, pour leur sauvegarde.

J'étais averti. A travers *L'Évangile éternel* (1927) de Guéhenno, je retrouvais ensuite la pensée de Michelet que résume cette phrase : « Monter en restant soi. » Et « rester soi », c'est aussi rester fidèle aux autres. C'est ne pas trahir, ne pas passer à l'ennemi lorsque celui-ci vous y invite. De Guéhenno je vins à Poulaille et à la littérature ouvrière. Le cercle était refermé.

Henry Poulaille considérait la littérature prolétarienne comme « une manifestation artistique de transition... une formule d'art en réaction contre la littérature bourgeoise », et à ce titre, la littérature prolétarienne « ne saurait se substituer à la véritable littérature vers laquelle d'ailleurs l'artiste prolétarien tend, même s'il l'ignore ».

Formule d'école littéraire que celle-ci! Que l'École Prolétarienne fût une réaction à la fois contre le populisme et contre la peinture littéraire des milieux bourgeois, ceci n'est pas sans importance. Mais l'écrivain ouvrier n'est ni une invention du marxisme, ni un « écolier » littéraire. Voilà maintenant que l'on nous parle de « véritable littérature »? L'École Prolétarienne a sans doute été une formule de transition, mais l'écrivain ouvrier échappe à ces querelles de chapelles. Je ne crois absolument pas qu'il soit l'avenir de la littérature. Il est une réalité fort ancienne, une particularité dans la littérature. Il y avait place au XVI^e^ siècle pour Shakespeare et Deloney. Adam Billaut voisine avec Voiture au siècle suivant. Il est heureux que le cycle de la *Peine des hommes*, de Pierre Hamp, soit contemporain de la série bourgeoise des *Pasquier* de Duhamel, que Giono se soit trouvé à la même époque que Cocteau pour montrer à une génération un autre chemin que celui des Champs-Élysées.

Nous saluons l'écrivain ouvrier, présent dans la littérature. Vouloir que toute la littérature soit ouvrière est une de ces stupidités monstrueuses qui correspondent à ce goût forcené de la dictature qui caractérise notre siècle.

CHAPITRE V

# *Littérature prolétarienne*

## Essai de chronologie 1920-1960

## 1920

En U.R.S.S., où existe une littérature prolétarienne liée à la révolution d'Octobre 1917, se forme en 1920 un projet de *Proletcult* international.

## 1921-1923

Marcel Martinet (1887-1944) est directeur littéraire de *L'Humanité*. Il se retire en 1924, pour raisons de santé. De 1920 à 1922, Henry Poulaille publie dans *L'Humanité* des contes réunis en 1925 sous le titre *Ames neuves*. C'est Martinet qui aiguille Poulaille vers la littérature prolétarienne, qui incite Lucien Bourgeois à écrire *L'Ascension* et qui présente ces deux écrivains ouvriers l'un à l'autre. Henry Poulaille et Tristan Rémy recherchent alors, à Paris et en province, d'autres écrivains d'expression ouvrière dans l'intention de former un groupe.

## 1921

Novembre : *Clarté* devient à Paris une « revue de culture prolétarienne ». De 1922 à 1926, Victor Serge est correspondant de *Clarté* à Leningrad d'où il envoie régulièrement des articles sur la littérature soviétique et en particulier sur la littérature prolétarienne russe.

## 1923

Romain Rolland fait publier dans la revue *Europe* le premier récit de Panaït Istrati, *Kyra Kyralina*.

### 1924

Rupture de *Clarté* avec Barbusse et Vaillant-Couturier. La revue se rapproche alors des surréalistes. En 1928, Fourrier et Naville, codirecteurs de la revue qui a changé son titre pour *La Lutte des classes*, seront exclus du parti communiste comme « trotskistes ».

### 1925

Gaston Depresle, ouvrier tailleur, publie une *Anthologie des Écrivains ouvriers* (Éditions Aujourd'hui). Ce livre, préfacé par Henri Barbusse, présentait aux côtés de Marguerite Audoux, Baptisto Bonnet, G. David, Jean Grave, Émile Guillaumin, Pierre Hamp, Philéas Lebesgue, Mousseron, Jean Tousseul et Joseph Voisin, des écrivains ouvriers régionaux d'une originalité douteuse.

Henry Poulaille publie son premier roman influencé par Ramuz, *Ils étaient quatre*. Il imagine de créer le « Prix sans nom » pour lancer *Oncle Anghel*, de Panaït Istrati. Il dirige, avec Henry Jacques, une collection de diffusion mensuelle, « *Le Roman* », qui publie in-extenso des romans de Ramuz, Cendrars, Henri Pourrat, Upton Sinclair, etc.

Lucien Bourgeois publie *L'Ascension*.

### 1926

Efforts d'Henri Barbusse (1873-1935) en faveur d'une littérature prolétarienne. Il prend la direction littéraire de *L'Humanité* qu'il conservera jusqu'en 1929.

Henry Poulaille directeur de la page littéraire du journal *Le Peuple*.

### 1927

Albert Ayguesparse (né à Bruxelles en 1900) fonde en Belgique le Théâtre prolétarien.

Jean Guéhenno publie *L'Évangile éternel*.

Louis Guilloux publie *La Maison du Peuple*.

Barbusse est chargé par le parti communiste français de donner corps au projet de lancer un « proletcult » en France, en suscitant une « littérature prolétarienne nationale », et en créant dans cette intention des « brigades d'écrivains ouvriers ». En 1927, les écrivains prolétariens soviétiques, répondant au mot d'ordre politique « classe contre classe », ont en effet écarté les « compagnons de route ». Cette année 1927 ne pouvait donc être plus mal choisie par les surréalistes (Breton, Aragon, Éluard, Perret) pour adhérer au parti communiste. Il est assez touchant de voir ces écrivains révolutionnaires certes, mais foncièrement bourgeois, stupéfaits de voir que le P. C. leur préfère Barbusse et qu'il refuse de les employer comme écrivains. On sait que Breton et Éluard seront exclus du P.C. en 1933 et que, même dans l'A.E.A.R., pourtant largement ouverte aux « compagnons de route », le rôle des surréalistes sera très limité, le P.C. ne cessant de les considérer comme suspects.

### 1928

Le périodique *Monde*, dirigé par Barbusse, organe français de l'U.I.E.R. (Union internationale des Écrivains révolutionnaires, fondée à Moscou en 1927) lance une enquête sur la littérature prolétarienne. *Monde*, fondé en 1928, disparaîtra en 1935.

Jean Guéhenno publie *Caliban parle.*

Tristan Rémy publie son premier roman, *Porte Clignancourt.*

### 1929

27 AOUT : *Manifeste du Populisme*, dans le journal *L'Œuvre.*

Dogme de la « commande sociale » en U.R.S.S.

Francis André publie *Poèmes paysans.*

Marc Bernard devient secrétaire de rédaction à *Monde* et publie son premier roman *Zig Zag.*

Jean Guéhenno prend la rédaction en chef d'*Europe* (jusqu'en 1936).

### 1930

JUILLET : Henry Poulaille publie son livre-manifeste, *Nouvel Age littéraire.*

JUILLET-SEPTEMBRE : enquête des *Nouvelles littéraires :* « Littérature paysanne et littérature prolétarienne. » Frédéric Lefèvre sera dans ce journal un grand défenseur de la littérature prolétarienne qu'il appellera « l'accession du quatrième État à la littérature ».

Jean Fréville devient directeur littéraire de *L'Humanité.*

NOVEMBRE : Congrès des Écrivains prolétariens à Kharkov, U.R.S.S. Barbusse, absent pour cause de maladie, s'y fait vivement critiquer pour son « éclectisme ». Aragon et Sadoul, qui représentent curieusement la littérature prolétarienne française, et qui, non moins bizarrement, ont été mandatés par le P.C.F., paient leur promotion en reniant le surréa-

# nouvel âge

**REVUE MENSUELLE DE LITTÉRATURE ET DE CULTURE**

Rédacteur en chef : HENRY POULAILLE
Comité de Rédaction : EUGÈNE DABIT - LUCIEN GACHON - JEAN GIONO
LUCIEN JACQUES - ÉDOUARD PEISSON - TRISTAN RÉMY

## *SOMMAIRE*

### TEXTES - ÉTUDES ET DOCUMENTS



### CHRONIQUES




N° 1
JANVIER
[illegible]

**LIBRAIRIE VALOIS**

PRIX DU NUMÉRO
10 fr.

lisme tout en réglant un vieux compte avec Barbusse qu'ils contribuent à faire condamner pour « déviationnisme ». Kharkov veut imposer une littérature prolétarienne commune à tous les P.C. nationaux.

## 1931

JANVIER : Henry Poulaille fonde la revue *Nouvel Age* qui paraîtra mensuellement jusqu'en décembre. Elle publia non seulement de nombreux textes d'ouvriers dont nous reparlerons, mais aussi Giono, Maïakovski, Ramuz, Upton Sinclair, Pio Baroja, Johan Bojer, Cendrars, Hamsun, Malraux, Victor Serge, Vildrac, Stefan Zweig, Pasternak, Liam O'Flaherty, etc...

Le n° 9 fut entièrement consacré aux écrivains soviétiques, sous la direction de Wladimir Pozner, et le n° 11 fut un « rappel de la guerre », avec la participation d'écrivains pacifistes de tous les pays.

On trouve dans *Nouvel Age* des textes sur le folklore (coplas populaires espagnoles, chants de travailleurs noirs et chants noirs de révolte, chansons populaires mexicaines, aztèques, égyptiennes, catalanes, russes), une importante étude et anthologie sur Joe Corrie, le mineur écossais, et une autre sur le poète noir Langston Hughes. *Misère*, roman de Loffler, et *La Mère*, roman de Marc Bernard, y furent publiés intégralement. Des illustrations de Daumier, Steinlen, André Gill, Maximilien Luce, Constantin Meunier, Frans Masereel, Grosz, Cresson, etc., contribuent à faire de ces douze numéros un document précieux et rare.

Henry Poulaille publie son premier roman prolétarien, *Le Pain quotidien*.

Marc Bernard publie une autobiographie, *Au secours*.

Jean Pallu publie *L'Usine*.

NOVEMBRE : le P.C.F., qui a beaucoup tardé à diffuser les thèses de Kharkov et a tenu notamment secrète la condamnation de Barbusse, les adopte pendant une courte période (jusqu'en avril 1932). Ce qui n'empêche pas Barbusse d'ouvrir largement les colonnes de *Monde* aux écrivains prolétariens non communistes : Poulaille, Louis Guilloux, Lucien Gachon. Avec Barbusse, l'idéologie culturelle précède l'idéologie politique puisque la « ligne Barbusse » sera dans quelques années celle qu'adoptera le P.C.F. dans la perspective du Front populaire.

DÉCEMBRE : fondation de l'A.E.R. (Association des Écrivains révolutionnaires), pour diffuser les thèses de Kharkov.

15 DÉCEMBRE : Guéhenno attaque violemment dans *Europe* les thèses ouvriéristes de Poulaille. « Écrire un livre, dit-il, est d'abord un métier. »

*Ci-contre, couverture de la revue* Nouvel Age, *N° 1, janvier 1931.*

19 DÉCEMBRE : Jean Giono, dont le premier texte vient d'être publié par Poulaille dans *Nouvel Age*, écrit dans *Monde :* « Il n'y a pas encore de littérature prolétarienne en France. »

## 1932

17 MARS : Section française de l'U.I.E.R. filiale de l'Union Internationale des Écrivains révolutionnaires, fondée à Kharkov en 1930. Francis Jourdain en est président et Vaillant-Couturier secrétaire général. Constatant qu'une littérature prolétarienne d'obédience marxiste existe en Allemagne et dans quelques pays d'Europe centrale, mais pas en France, l'U.I.E.R., s'alignant sur les thèses de Kharkov, lance une attaque en règle contre l'« éclectisme » de Barbusse et contre ce que l'on appelle déjà « le groupe des écrivains prolétariens de Poulaille ». Dans son Manifeste publié dans *L'Humanité* les 22 et 29 mars, l'U.I.E.R., à défaut de pouvoir sortir d'un chapeau de prestidigitateur une littérature prolétarienne marxiste française inexistante, tire à boulets rouges sur la seule littérature prolétarienne existant alors en France, celle des écrivains ouvriers et paysans publiée par la revue *Nouvel Age :* « Des éditeurs bourgeois lanceront la littérature prolétarienne. Une revue à tendances fascistes : *Nouvel Age*, lui fut consacrée. On réunit des littérateurs issus de la classe ouvrière, mais qui depuis longtemps avaient, pour la plupart, rompu tout contact avec le prolétariat révolutionnaire. Cette littérature, dite prolétarienne, décrit la misère ouvrière, mais elle masque, dans son ensemble, la réalité de la lutte de classe. » Apparaissent aussi les premières attaques françaises contre l'intouchable Barbusse : « A côté et collaborant avec cette " littérature prolétarienne ", le périodique *Monde*, dont la ligne contre-révolutionnaire a été dénoncée par la Confédération internationale des Écrivains révolutionnaires réunis à Kharkov en novembre 1930, poursuit la même tâche et sert, dans le domaine de la littérature comme dans celui de la politique, les intérêts de la bourgeoisie. Sur toutes les grandes questions de l'heure, *Monde* a pris une solution objectivement contre-révolutionnaire. »

Les surréalistes ambitionnaient de tenir dans le P.C.F. ce rôle d'écrivains prolétariens. Mais l'U.I.E.R. condamnait aussi le surréalisme, faisant néanmoins « confiance à certains surréalistes pour abandonner leurs conceptions et se rallier au matérialisme dialectique » (sous-entendu les deux transfuges : Aragon et Sadoul).

Reprenant l'idée des *rabcors* (correspondants ouvriers), préconisée à Kharkov, l'U.I.E.R. demande que soient créés partout des « correspondants d'usine, de village, et de régiment, qui constitueront le réservoir inépuisable devant fournir les cadres sans cesse renouvelés d'écrivains prolétariens. Ce mouvement sera la base de la littérature révolutionnaire prolétarienne en France ». Dans cette perspective *L'Humanité* lança un concours de littérature et d'art prolétariens du 12 novembre 1932 au 5 janvier 1933. Huit cents envois d'ouvriers furent enregistrés, la plupart ayant adressé des reportages, comme *Au bagne de Sochaux*, par Caron. Les quelques *rabcors* qui continuèrent ensuite à écrire furent Roger Bellanger qui publia aux E.S.I. *J'ai vingt ans*, et Guillaume Wodli.

Mais l'U.I.E.R. ne tombait pas dans le sectarisme des écrivains prolétariens soviétiques qui avaient éliminé les « compagnons de route ». Elle cherchait au contraire à se concilier la plus large fraction de littérature bourgeoise sympathisante : « Qu'on n'attende pas de nous on ne sait quel sectarisme qui nous ferait considérer les correspondants comme la source unique de toute littérature prolétarienne, qui jetterait l'interdit sur les écrivains et les artistes révolutionnaires venus d'autres horizons, qui sacrifierait aveuglément la valeur artistique... De plus en plus nombreux, des écrivains et artistes sortis de la bourgeoisie, et ayant rompu avec le régime capitaliste, s'efforcent de trouver une langue commune avec les écrivains du prolétariat. »

Dans cette brève période où le P.C.F. tente de susciter une littérature prolétarienne marxiste, les attaques iront moins vers les écrivains bourgeois même très éloignés du marxisme, que vers les populistes, les écrivains prolétariens du « groupe Poulaille » et le périodique *Monde*.

Après avoir écrit dans *L'Humanité* que les populistes « allaient au peuple comme d'autres vont à la drogue », Jean Fréville reprochait (le 2 mars 1932) aux écrivains du *Nouvel Age* leur « littérature de soumission » et d'être « des ouvriers qui acceptent leur sort... qui s'en tirent, qui y trouvent des motifs de contentement et de fierté... de s'attarder à des formes de travail périmées, comme l'artisanat, où s'exerce l'influence de la petite bourgeoisie ».

B. Giauffret attaquait Eugène Dabit : « Lamper le pinard et renifler les jupons de l'Hôtel du Nord, c'est avoir renoncé à son destin de classe. Si le prolétariat n'avait pas d'autres tableaux à nous offrir, si les écrivains prolétariens n'avaient pas d'autre image de lui-même à lui tendre, mieux vaudrait démissionner et s'en aller chanter au lutrin. »

Quant à Bruno Jasiensky, il accusait tout simplement Poulaille de tenir « un rôle d'agent social-fasciste [1] », l'épouvantail fasciste servant

1. Notons qu'en 1937, alors que Barbusse est réhabilité en U.R.S.S., les leaders du congrès de Kharkov étaient à leur tour considérés comme des « bandits trots-

également à stigmatiser *Monde* sous la signature de Vaillant-Couturier : « revue des trotskistes, pupistes et social-fascistes qui se couvrent du nom d'Henri Barbusse ».

L'ouvriérisme littéraire du P.C.F. devait être de courte durée. Alors que le P.C.F. avait mis deux ans pour s'aligner sur les thèses de Kharkov, au moment même où il déclenchait son offensive des *rabcors*, le Comité central du parti communiste d'U.R.S.S. changeait brusquement sa politique culturelle sous l'influence de Maxime Gorki et décidait, le 23 avril 1932, de dissoudre la R.A.P.P. (Association des Écrivains prolétariens d'U.R.S.S.) au profit d'une seule Union des Écrivains soviétiques ouverte aux écrivains de toute origine. Les cadres de la littérature prolétarienne russes furent éliminés et Cholokov fut présenté comme un nouveau modèle littéraire avec son roman *Terres défrichées*.

3 JUIN : les écrivains de *Nouvel Age* qui constituent déjà un groupe de fait, se rassemblent en une *École Prolétarienne* qui cherche avant tout à se distinguer des populistes bourgeois et des révolutionnaires marxistes de l'U.I.E.R. Le « Manifeste de l'École Prolétarienne » est signé par : Georges Altman, Francis André, Pierre Autry, A.-C. Ayguesparse, T.-L. Bancal, Marc Bernard, Victor Crastre, H.-V. Crouzy, E. Dabit, Georges David, Maurice Fombeure, Lucien Gachon, Léon Gerbe, Édouard Haine, Augustin Habaru, Pierre Hubermont, Fernand Jouan, Michel Lévit, Marcel Lapierre, Jean Loubes, Constant Malva, Victor Massé, Pierre Mahni, Henri Philippon, Henry Poulaille, Charles Plisnier, Édouard Peisson, Jean Perwez, Jules Reboul, Tristan Rémy, Albert Soulillou, Joseph Voisin, Edmond Vandercammen, Charles Wolf. Rassemblement assez disparate puisque, à côté d'authentiques écrivains ouvriers comme Constant Malva, on trouve d'anciens ouvriers comme Poulaille et des journalistes comme Altman, Habaru, Henri Philippon, Jean Loubes, etc. [1].

La vie du prolétariat racontée par des auteurs qui sortent de ses rangs, voilà la littérature prolétarienne, écrivait Tristan Rémy.

kistes », et Jasiensky jeté à la trappe. « Jasiensky, ce porte-voix du trotskisme qui semait à pleines mains l'esprit sectaire dans la littérature révolutionnaire, a essayé de calomnier l'immense travail positif exécuté par Barbusse. » *La Littérature internationale*, nº 2, 1937.

1. D'après Joseph Jumeau (cf. *Le Musée du Soir*, mars-avril 1959), le premier « manifeste de la littérature prolétarienne » ne serait pas celui de Poulaille. Une modeste revue belge, *Tentatives*, aurait publié, quelques mois avant le Manifeste de l'École Prolétarienne un « Manifeste de la Littérature Prolétarienne », signé Ayguesparse, Francis André, Benjamin Goriely, Pierre Hubermont.

*Ci-contre, page du* Nouvel Age, *nº 10 novembre 1931.*

## les romans du nouvel âge

sous la direction de HENRY POULAILLE

*Paraîtront à l'automne 1931 :*

HENRY POULAILLE
**Le Pain quotidien**

EMILE GUILLAUMIN
**A tous vents sur la glèbe**

FRANCIS ANDRÉ
**Les affamés**

TRISTAN RÉMY
**Sainte Marie des flots**

LUCIEN GACHON
**Jean Marie homme de la Terre**

*Paraîtront ensuite :*

ALBERT SOULILLOU
**Zone de la force**

ALFONS PETZOLD
**Histoires d'ouvriers**

****
**115 Rue*****

ANDRÉAS LATZKO
**Sept jours**

*En novembre-décembre, paraîtront les premiers ouvrages de deux nouvelles collections*

## les classiques du nouvel âge

LUCIEN JEAN. — **Parmi les hommes**

## les poètes du nouvel âge

LUCIEN JACQUES. — **Le jardin sans mur**

TRISTAN RÉMY. — **Prolétariat**

**Librairie Valois**

Et Poulaille :

Pour nous, l'acte créateur n'est pas le privilège d'un groupe d'hommes, d'une nouvelle aristocratie, il est le prolongement naturel de l'usine, du bureau, etc.

DU 2 au 9 JUILLET 1932, la première exposition de littérature prolétarienne eut lieu à Paris : livres, journaux, manuscrits, photos, dessins, affiches, revues, montrèrent la vitalité de la littérature ouvrière, non seulement en France, mais aussi en Allemagne, en Belgique, en Bulgarie, en Hongrie, en Espagne, au Mexique, au Pérou, aux U.S.A.

Tristan Rémy eût aimé consolider le groupe en établissant une sorte de compagnonnage. Il proposa aussi de faire un travail en commun sur un sujet donné : histoire d'une grève, histoire d'une usine, d'une rue, d'un syndicat, etc. (« Je n'ai pas fait l'œuvre nécessaire, m'écrivait Pierre Hamp, il y faudrait une équipe... »). Mais l'individualisme l'emporta et ces projets n'eurent aucune suite.

Les réunions mensuelles à « La Grille » réunissaient quinze à vingt camarades : Henry Poulaille, Tristan Rémy, Léon Gerbe, Marc Bernard, Soulillou, Dabit, Loffler, Martinet, etc. Barbusse y vint parfois, ainsi que Ilya Ehrenbourg et Latzko.

Tristan Rémy publie ses poèmes *Prolétariat*.

Publication par Poulaille dans la collection des « Livres Bleus » du premier livre de Constant Malva, *Histoire de ma mère et de mon oncle Fernand*.

DÉCEMBRE : Le P.C.F. s'alignant sur la nouvelle politique culturelle d'ouverture, en U.R.S.S., suscite la fondation de l'A.E.A.R. (Association des Écrivains et Artistes Révolutionnaires) qui prélude au grand rassemblement du Front populaire. Non seulement l'A.E.A.R. attirera des écrivains « bourgeois » comme Gide et Malraux, mais un nombre important d'écrivains prolétariens adhérents ou sympathisants du groupe Poulaille rejoindront eux-mêmes l'A.E.A.R. : Tristan Rémy, Peisson, Giono, Loffler, Eugène Dabit, Ayguesparse, Georges David.

## 1933

JANVIER : Barbusse accorde une page de *Monde* au groupe des Écrivains prolétariens de Poulaille. Ce qui montre l'ambiguïté de la politique culturelle du P.C.F., toujours partagée entre une tendance humaniste libérale représentée par Barbusse (et qui triomphera dans l'A.E.A.R. et le Front populaire) et une tendance stalinienne représentée par Fréville.

1er JUILLET. L'A.E.A.R. fonde *Commune*, dont le comité directeur est assuré par Barbusse, Gide, Romain Rolland, et le secrétariat de rédaction par les deux nouvelles vedettes intellectuelles du P.C.F., Aragon et Nizan. Tristan Rémy, Giono et Dabit collaboreront à *Commune*. C'est en 1933 que Tristan Rémy prend ses distances vis-à-vis de l'École Prolétarienne dont il fut pratiquement le cofondateur; ce qui devait l'amener à la rupture avec Poulaille.

Henry Poulaille lance une nouvelle revue : *Prolétariat*, qui eut douze numéros. Moins copieuse que *Nouvel Age*, plus pauvre, elle se consacrait par contre délibérément à la littérature ouvrière.

Le nº 1 est consacré à « La Mine par les mineurs ». Le nº 2 : « Les P.T.T. par les postiers », avec Sylvain Massé qui devait publier dans les nºs 8 et 9 un document sur le travail du standardiste; avec Charles Bontoux-Maurel : « Premiers contacts avec le métier », avec la téléphoniste Henriette Valet et le facteur Lucien Brunel, « Tournée d'étrennes ». Les nºs 6 et 7 : « Choses et gens de la terre par des paysans », poèmes de Francis André et de l'Alsacien Nathan Katz, témoignages et récits d'Émile Guillaumin, Joseph Voisin, Lucien Gachon, Henri Hisquin, Rose Combe, Stinj Streuvels. Le nº 12 contenait des poèmes d'ouvriers flamands, une étude sur la littérature prolétarienne hongroise par Loffler, et une présentation de Lucien Bourgeois par le charpentier René Bonnet.

## 1934

Publication aux E.S.I. (Éditions Sociales Internationales) d'un choix de textes de *rabcors* français, résultat du concours de *L'Humanité* de 1932, sous le titre : *Des ouvriers écrivent*. Comme d'habitude, Jean Fréville en profite pour distiller son venin contre les écrivains prolétariens réunis autour de Poulaille : « Il ne suffit pas d'avoir des souvenirs d'atelier ou d'usine pour écrire un livre prolétarien. » Sans se rendre compte qu'en même temps il condamne la plupart des textes de *rabcors* puisque ceux-ci ne dépassent pas le stade du simple témoignage.

Création d'un Front littéraire de gauche auquel participe Ayguesparse.

AOUT : Premier congrès des Écrivains soviétiques présidé par Maxime Gorki. Ce dernier impose le dogme du « réalisme socialiste ». Les délégués français communistes sont Aragon, Nizan et Pozner. Malraux et Jean-Richard Bloch représentent les « compagnons de route ».

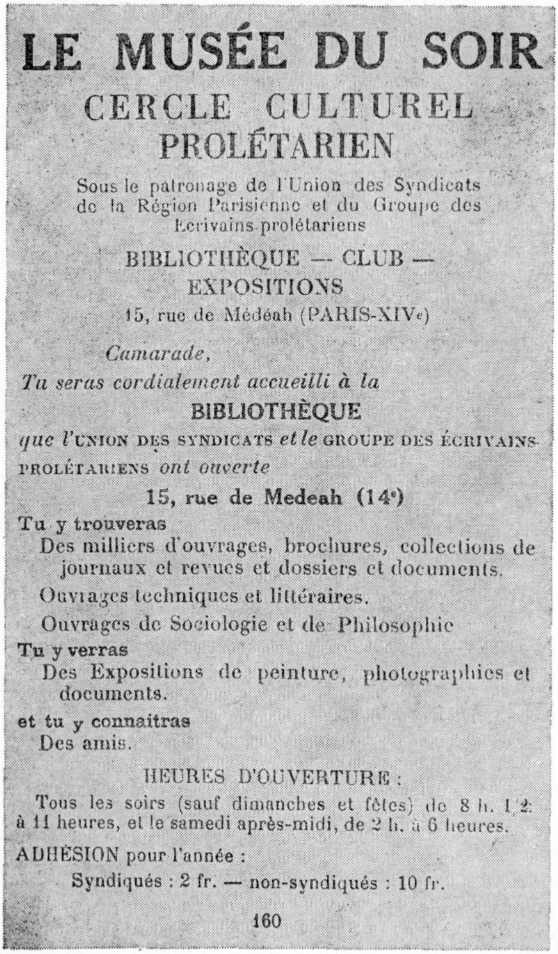

# LE MUSÉE DU SOIR

## CERCLE CULTUREL PROLÉTARIEN

Sous le patronage de l'Union des Syndicats de la Région Parisienne et du Groupe des Écrivains prolétariens

BIBLIOTHÈQUE — CLUB — EXPOSITIONS

15, rue de Médéah (PARIS-XIVe)

*Camarade,*

*Tu seras cordialement accueilli à la*

**BIBLIOTHÈQUE**

*que l'*UNION DES SYNDICATS *et le* GROUPE DES ÉCRIVAINS PROLÉTARIENS *ont ouverte*

**15, rue de Medeah (14e)**

**Tu y trouveras**

Des milliers d'ouvrages, brochures, collections de journaux et revues et dossiers et documents.

Ouvrages techniques et littéraires.

Ouvrages de Sociologie et de Philosophie

**Tu y verras**

Des Expositions de peinture, photographies et documents.

**et tu y connaitras**

Des amis.

HEURES D'OUVERTURE :

Tous les soirs (sauf dimanches et fêtes) de 8 h. 1/2 à 11 heures, et le samedi après-midi, de 2 h. à 6 heures.

ADHÉSION pour l'année :

Syndiqués : 2 fr. — non-syndiqués : 10 fr.

160

*Publicité pour* Le Musée du Soir, *dans* A Contre Courant, *n*o *11, 1936.*

# MUSÉE DU SOIR

CERCLE CULTUREL PROLÉTARIEN

Sous le patronage de l'Union des Syndicats de la Région Parisienne et du Groupe des Écrivains Prolétariens.

**BIBLIOTHÈQUE — CLUB — EXPOSITIONS**

15, RUE de MÉDÉAH

PARIS-XIVe

***Camarade syndiqué,***

***Tu seras cordialement accueilli à la***

**BIBLIOTHÈQUE**

*que* l'Union des Syndicats *et le* Groupe des Écrivains Prolétariens viennent d'ouvrir

**15, RUE DE MÉDÉAH - XIVe**

**Tu y trouveras :**

***Des milliers d'ouvrages, brochures, collections de journaux et revues et dossiers de documents.***

***Ouvrages techniques et littéraires.***

***Ouvrages de Sociologie et de Philosophie.***

**Tu y verras :**

***Des Expositions de peinture, photographies et documents.***

**Et tu y connaîtras :** *Des amis.*

HEURES D'OUVERTURE

**Tous les soirs (sauf dimanches et fêtes) de 8 h. 1/2 à 11 h. et le samedi après-midi, de 2 h. à 6 h.**

LESCARET, PARIS

Le Musée du Soir
*Petit tract bleu.*

## 1935

16 MARS : Ouverture du cercle culturel « Le Musée du Soir » à Paris, près de la gare Montparnasse, avec une exposition Zola. Subventionné partiellement par la C.G.T., le Musée du Soir était surtout animé par Poulaille, René Bonnet et Loffler qui en était le bibliothécaire.

La même semaine, l'A.E.A.R. ouvrait une maison de la Culture, rue de Navarin, sous la présidence de Gide.

Le nombre des adhérents du Musée du Soir passa de 75 à 450 entre 1935 et 1939. Parmi les lecteurs on comptait 131 ouvriers et 26 ouvrières, 95 employés et 50 employées, 23 étudiants et étudiantes, 33 membres de l'enseignement, etc. De par sa « clientèle » le Musée du Soir répondait donc bien à sa formule puisque le plus grand nombre des lecteurs de sa bibliothèque était formé d'ouvriers et d'employés. Des causeries y furent faites et des expositions (imagerie populaire, peintures de Lacasse, photos).

René Bonnet [1] cite le carnet de prêt d'un employé du métro. En deux années, celui-ci avait emprunté 120 livres et consulté, à chaque visite, des revues et des journaux. Parmi les auteurs choisis par cet employé, nous relevons les noms de Léon Bloy, Eugène Dabit, E. Dolléans, Élie Faure, Giono, Guilloux, Thomas Mann, Nietzsche, Ramuz, U. Sinclair, Albert Thierry, Georges Valois, Tristan Rémy, Zola, Gide, G. Sorel, etc. « Des dizaines de carnets consultés, affirme René Bonnet, seraient aussi probants et aussi éloquents quant à l'utilité du Musée du Soir. »

André Sévry consacra également, dans la collection « Les Humbles » (mars 1939), une étude au Musée du Soir. Il raconte comment un terrassier vint un jour y lire des pages admirables qu'il avait écrites sur son travail. Ce terrassier sera plus tard fort connu. Il s'agit de Georges Navel.

Ouvrir un lieu de rencontre entre ouvriers et écrivains, la tâche était belle. Elle eût pu être féconde. Mais la guerre obligea, en 1940, à fermer les portes du Musée du Soir. Les trois mille volumes réunis, les documents, tout un effort de plusieurs années disparurent.

Henry Poulaille avait eu encore le temps et la persévérance de créer une troisième revue : *A Contre Courant*, qui eut, elle aussi, 12 numéros (de juillet 1935 à octobre 1936). Plus pauvre encore d'aspect que *Prolétariat*, elle publia néanmoins « Un propr' à rien », de Malva (n^os^ 4, 5

1. Cf. « Le Musée du Soir », par René Bonnet (*Les Cahiers du Peuple*, n° 2, 1947).

et 6), *La Victoire*, pièce en 4 actes de Marcel Martinet (n^os^ 7 à 10), « La Ville en danger », de Victor Serge (n^os^ 4 et 5), « Fil à fil », de Charles Desse (n^os^ 11 et 12), « Métro », de Loffler (n^os^ 2 et 3).

Agressive, nous y trouvons un éreintement de Barbusse [1].

> Il était, écrit Poulaille, le porte-drapeau de toutes les causes, la vedette de tous les comités, mais il savait rester sourd aux appels les plus émouvants quand les victimes n'étaient pas de celles qui servent la propagande dans la ligne... Barbusse était l'homme qui ne savait que dire oui.

Léon Lemonnier ayant demandé, le 14 mai 1935, aux « prolétariens » et à l'A.E.A.R. [2] de créer un « front littéraire commun », Poulaille répondait :

> Nous ne voulons à aucun prix de front littéraire commun. Et si nous le refusons avec l'A.E.A.R., où idéologiquement nous avons des points communs, ce n'est pas pour accepter avec nous les dilettantes, les Hommes de Lettres de l'École Populiste. Nous sommes dans le prolétariat et y restons et y voulons rester.

Par ailleurs, Tristan Rémy, adhérent à l'A.E.A.R., refusait également ce « front littéraire commun ». Au nom de l'A.E.A.R., Aragon, devenu œcuméniste (comme Barbusse qu'il allait remplacer peu à peu), proposait par contre aux populistes d'adhérer à l'A.E.A.R.

Une « Bibliographie pour ou contre le stakhanovisme », des traductions de G. Volker, Jef Last, Bertholt Brecht, une étude sur Neel Doff par Crouzy, des chants noirs de révolte... il y aurait beaucoup à citer encore dans cette revue. Mentionnons toutefois la curieuse chronique de Romagne : « Anti-Culture », qui, dans chaque numéro, s'attachait

1. Barbusse meurt le 30 août 1935 à Moscou. Cet éreintement est donc une oraison funèbre. C'est aussi une curieuse manière de remercier le seul écrivain communiste qui, pendant dix ans, n'avait cessé de défendre (malgré Kharkov) l'École Prolétarienne de Poulaille et les écrivains ouvriers en général.

2. L'A.E.A.R., parallèlement au concours littéraire de *L'Humanité* auquel des centaines de travailleurs répondirent par des poèmes, des essais et des nouvelles, créa une Commission de liaison ouvrière qui groupait les éléments les plus représentatifs parmi les écrivains et poètes ouvriers découverts à la faveur du concours de *L'Humanité*. A ces réunions assistait toujours un « professionnel » tel que Gide, ou Dabit, ou Pozner, Vaillant-Couturier, etc. De nombreux poèmes ou contes d'écrivains ouvriers furent publiés pendant plusieurs années par la revue *Commune* et les E.S.I. assurèrent la publication de plusieurs romans : *Faubourgs*, de Lucien Bourgeois, *L'Acier*, du mineur André Philippe, *Pays conquis*, du métallurgiste Maurice Lime, et *J'ai Vingt Ans*, du métallurgiste Roger Bellanger qui m'a donné cette note sur l'A.E.A.R. et qui me rappelle que Raymond Bussières fut un bon écrivain ouvrier avant de devenir un bon acteur de cinéma (cf. *L'Bestiau*, de Raymond Bussières).

à tourner en ridicule la culture humaniste gréco-latine. Il y eut d'ailleurs de nombreuses protestations de lecteurs à ce sujet, parmi lesquelles celle publiée sous le titre : « Défense de la culture par un autodidacte. » Elle venait d'un « homme de chantier » inconnu, qui signait André Mahé. Il a fait son chemin depuis sous le nom d'Alain Sergent. Son premier roman, *Le Pain et les Jeux* (1944) se rattache à la littérature prolétarienne.

*LISEZ... et soutenez les vôtres*

LA RÉVOLUTION PROLÉTARIENNE
*2 fois par mois*
54, rue du Château d'Eau

L'HOMME RÉEL
*revue mensuelle*
8, rue Caméo Belleuse

LES HUMBLES
*revue mensuelle*
225, rue de Tolbiac

LES PRIMAIRES
*revue mensuelle*
36, rue E. Renan Issy (Seine)

LE PEUPLE
*quotidien du syndicalisme*
67, Quai de Valmy

L'ECOLE EMANCIPEE
à Saumur (M.-et-Loire)

LE LIBERTAIRE
LE BARRAGE
LA PATRIE HUMAINE
LE SEMEUR

*L'Imprimeur-gérant* : R.-G. FOUQUIN
— Darvault près Nemours —
ouvrier fédéré à la 159e section du Livre

*Une page de*
A Contre Courant, *n° 11, 1936.*

En dehors du Parti qui noyautait la Révolution, en dehors de l'Église, méprisant à la fois les parlementaires, les révolutionnaires professionnels et les gens de lettres, les écrivains de l'École Prolétarienne devaient peu à peu se faire boycotter partout. Le plus grave fut qu'ils se trouvaient coupés de la masse qui adhérait aux syndicats communistes ou chrétiens. Il ne restait plus que la frange alors mince des ouvriers libertaires sur laquelle les écrivains prolétariens pouvaient compter et à laquelle l'orthodoxie de l'École Prolétarienne finit par s'identifier.

Jusqu'à la guerre, Poulaille continua néanmoins son militantisme. En MARS 1936, la revue *Esprit* publie, en supplément, les *Cahiers de littérature prolétarienne* sous la direction de Poulaille. En mai 1939, il devenait rédacteur en chef de l'hebdomadaire littéraire *Jean-Jacques* et, le même mois, créait avec le peintre Lacasse, la revue et la galerie d'art *L'Équipe*. Cette revue de grand format, très médiocre, n'aura que trois numéros : 15 mai, 25 juin, 25 juillet 1939.

Mais déjà Poulaille montrait une certaine amertume. Des scissions s'étaient produites au sein même de l'École Prolétarienne, notamment par l'adhésion de Tristan Rémy et de Loffler au Front Populaire que l'École Prolétarienne, par un apolitisme qui confinait au masochisme, allait jusqu'à refuser. Rémy, finalement conquis aux nouvelles thèses du parti communiste, ne voyait plus la différence entre littérature prolétarienne et littérature de propagande, et il allait jusqu'à enterrer ce que, par ailleurs, le « populiste » André Thérive appelait dédaigneusement « le groupe obscur des écrivains prolétariens ».

L'évolution de Tristan Rémy marque plusieurs étapes. La première est celle de l'amitié avec Poulaille, dès 1920, qui se place sous l'égide de Martinet et de Barbusse. L'activité militante de Rémy en faveur d'une littérature prolétarienne est alors aussi intense que celle de Poulaille. Un an avant la publication du *Manifeste de l'École Prolétarienne*, il souligne l'apolitisme de cette littérature qui doit être foncièrement ouvrière :

> D'abord la littérature prolétarienne n'est ni de gauche, ni de droite. Elle est un courant de la littérature. Elle est, Frédéric Lefèvre l'a fort bien dit, l'accession « en bloc » du quatrième état à la littérature. Si ce courant dut s'appeler littérature prolétarienne, la faute n'en incombe non à Poulaille, non à Francis André, ni à Marc Bernard, ni à personne, mais au « populisme », qui a confondu Bagnolet avec la plaine Monceau. La Chapelle n'a pas voulu frayer avec le quartier Saint-Sulpice... La vie du prolétariat racontée par des auteurs qui sortent de ses rangs : voilà la littérature prolétarienne... Du côté écrivain, *c'est* d'abord *une question d'origine* (*L'Université républicaine*, 1931).

Ce texte se situe un an après le congrès de Kharkov. Ce n'est que trois ans après Kharkov (mais un an seulement après la publication du Manifeste de l'École Prolétarienne) que Tristan Rémy s'élève contre « l'ouvriérisme » de ce qu'il appelle « les écrivains dits prolétariens de la littérature ». Pour entrer dans le groupe des écrivains prolétariens « il fallait porter la blouse ou les bleus », ironise-t-il (le 17 novembre 1933, dans *Le Peuple*).

Le 20 novembre 1937, une violente déclaration dans *L'Humanité* marque une rupture totale. Rémy reprend les arguments de Jean Fréville publiés dans le même journal en 1932 :

Individuellement, leurs conceptions (des écrivains prolétariens) oscillaient de l'impressionnisme anarcho-syndicaliste au coopératisme mutualiste, certains demeurant d'ailleurs dans une position d'expectative négative, sinon d'opposition systématique, très commode encore aujourd'hui. Restés en dehors du grand mouvement d'unité de la classe ouvrière, incapables d'en exprimer concrètement les aspirations malgré leur prétention à le pouvoir faire et à le faire seul, ces écrivains donnèrent leur mesure dans des ouvrages marqués surtout par leur souci d'authenticité et leur goût prononcé pour l'individualisme et l'autobiographie.

A cette attaque, le postier Bontoux-Maurel répondait par une lettre attristée :

Par une contradiction paradoxale, vous vous acharneriez à détruire le peu qui resterait des lettres que vous avez servies, et en même temps, qui n'auraient pas existé !

Je ne suis pas de ceux qui vous blâmeront ou vous accableront, mais — et je crois être avec Poulaille — de ceux qui s'attristent. Attristé par vous, non par le sort d'une littérature qui n'est pas votre propriété, mais celle d'une classe sociale, qui n'est pas le bien étroit de quelques individus, mais la vaste friche où une classe s'engage pour labourer et ensemencer. Pour avoir confondu la pensée humaine, qui est la somme de toutes les pensées dans le temps, à un moment de votre pensée, qui est à la mesure de notre pensée d'homme, c'est-à-dire humble et peu durable, vous vous réservez une solitude inhabitable. C'est contre quoi je vous mets en garde ; vous désertez notre amitié qui vous était profondément acquise, pour recourir à l'aumône que l'on ne manquera pas de vous faire.

## 1935

Marcel Martinet se sépare des thèses du P.C.F. dans son livre *Culture prolétarienne*. « Nous ne craignons pas, nous jugeons obligatoire d'opposer la culture à un aventurisme pseudo-marxiste. »

## 1936

« Le droit aux loisirs pour tous. » Les Maisons de la Culture. Les Collèges du Travail.

LES TRACTS ANTIFASCISTES. — PUBLICATION BI-MENSUELLE

# COMITÉ DE VIGILANCE DES INTELLECTUELS ANTIFASCISTES

SECRÉTARIAT : 18, BOULEVARD MAGENTA, 18
PARIS (X°)

CONDITIONS D'ABONNEMENT A NOS TRACTS :

| | | | | | | |
|---|---|---|---|---|---|---|
| 8 fr. | les 4 numéros | par | 50 | exemplaires | de chaque n° |
| 14 | — | — | 100 | — | — |
| 60 | — | — | 500 | — | — |

Président : Paul RIVE
Professeur au Muséum
Vice-Présidents : ALAIN, Écrivai
Paul LANGEVIN, Professeur
Collège de France

26 JUILLET 1935 — N°

# LES FÉODAUX CONTRE LE PEUPL

M. de Wendel, M. Laval et leur presse déclarent que les décrets-lois assurent :

**L'ÉQUILIBRE DU BUDGET :** **MAIS C'EST FAUX,** car aggravant la crise aggravent le déficit.

**LE RÉTABLISSEMENT DE LA CONFIANCE, LA BAISSE DES PRIX, LA SAUVEGARDE DU FRANC :** **MAIS C'EST FAUX,** comme le prouve l'expérience de la déflation dans tous les pays.

**On ne peut équilibrer le budget, ni sauver le franc, si l'on épargne les privilégié**

**M. LAVAL PRÉTEND AVOIR RÉALISÉ L'ÉGALITÉ DES SACRIFICES :**

Mais, pour les munitionnaires, pas de prélèvemen sur les paiements des marchés en cours, qui se chi frent par milliards !

Pas de limitation à leurs prix de vente !

Pour les grosses fortunes : des mesures fictives.

Pour les grandes compagnies : l'apparence des sacr fices, et en fait la consolidation et la prorogation d privilèges.

**Une dîme est imposée aux anciens combattants !**
**Les marchands de canons ne perdront rien !**
**Voilà l'égalité des sacrifices !**

**LES DÉCRETS-LOIS QUE M. LAVAL A SIGNÉS, C'EST M. DE WENDEL QUI LES A DICTÉS :**

Avec les Wendel triomphent les Mercier, les Schne der, les Rothschild, les Finaly, tous ceux qui ont fait d la Défense Nationale et de la guerre le plus fructueu des commerces, toute la féodalité économique, tous le fauteurs de fascismes et de misère !

**Le 14 Juillet, le peuple de France a fait serment de sauver sa liberté et son pain**

**LES DÉCRETS-LOIS SONT UN DÉFI DES FÉODAUX AU PEUPLE FRANÇAIS !**

***Le défi sera relevé !***

## 1937

Dogme du « héros positif » en U.R.S.S. où la ligne de la littérature prolétarienne a été remplacée par celle du « réalisme socialiste ». En France, Aragon et Nizan ne sont plus « prolétariens » (ce qu'ils n'ont d'ailleurs jamais été sinon par une sorte d'abus de pouvoir) mais « réalistes socialistes ».

Le P.C.F. crée néanmoins le « prix Ciment » destiné à couronner un « essai de littérature prolétarienne ». Le lauréat, André Philippe, ancien ouvrier fondeur, décrit dans son roman, *L'Acier*, la vie des mineurs et des ouvriers fondeurs de la région de Firminy.

## 1945

Henry Poulaille fonde une nouvelle revue, très copieuse, publiée aux Éditions Grasset, *Maintenant*. Elle cessera de paraître en juin 1948 avec un numéro double (9-10), consacré au centenaire de la révolution de 1848.

Mais pendant ces trois années, Poulaille avait regroupé ses anciens camarades dispersés par la guerre et l'occupation allemande. Lucien Bourgeois, Émile Guillaumin, René Bonnet, Charles Plisnier, A. Soulillou, Jean Prugnot, Ludovic Massé et même Tristan Rémy se retrouvent dans *Maintenant*. S'adjoignent de nouveaux venus : Cacérès, Roger Boutefeu, Michel Ragon, Jules Mougin, Justus, Florence Littré...

Jean Guéhenno est chargé de la Direction de l'Éducation populaire au ministère de l'Éducation nationale.

## 1946

Juin : Fondation par Benigno Cacérès de la revue *Peuple et Culture*.

Henry Poulaille et Arnold Van Gennep publient *Le Folklore vivant*, « cahiers internationaux d'art et de littérature populaires ».

Charles Bourgeois, animateur du groupe des Écrivains paysans, édite un petit bulletin : *Courrier des Écrivains Paysans* auquel collaborent Émile Guillaumin, Philéas Lebesgue, Pierre Mélet.

Publication de la revue *Les Cahiers du Peuple*, rédacteur en chef Michel Ragon. La revue *Maintenant* n'étant pas vraiment une revue d'expression ouvrière, c'est Henry Poulaille et Alain Sergent qui m'avaient incité à fonder *Les Cahiers du Peuple*. Au comité de rédaction se trouvaient une majorité d'amis de Poulaille : Prugnot, Bonnet, Teulé, Flory et

*Ci-contre, Tract antifasciste*
*du Comité de Vigilance des Intellectuels Antifascistes, 26 juillet 1935.*

**maintenant**

*recueil publié sous la direction de*

HENRY POULAILLE

**1848**

**LE CLIMAT ET LES FAITS**

La Révolution évangélique. Lamartine en février. Aspects bourgeois. Du 16 avril aux Élections. Juin 48. Choses vues. Les Mouchards, etc., par POULAILLE, Gaétan SANVOISIN, J. HETZEL, de PARMÉNIE, Léon BOCQUET, Louis MÉNARD, D. STERN, etc.

Jean PRUGNOT, Écrivains ouvriers en 48. — J. PARROT, Tableau de la Presse. — POULAILLE, Chansonniers en 48.

**LES HOMMES**

BLANQUI, RASPAIL, LAMARTINE, LAMENNAIS, OZANAM, PROUDHON, MICHELET, Émile LITTRÉ, PERDIGUIER, Marceline DESBORDES-VALMORE, George SAND, Auguste COMTE, Eug. DELACROIX, SAINTE-BEUVE, V. SCHŒLCHER, GILLAND, Eugène SUE, Flora TRISTAN, DAUMIER, GARNIER-PAGÈS, CONSIDÉRANT, PECQUEUR, TOUSSENEL, Pierre LEROUX, BERLIOZ, H. HEINE, MARTIN-NADAUD, Edg. QUINET.

par DOMMANCET, POULAILLE, Jean DESTERNES, Roger NINCK, Fr. RAYNAL, R. BOBIN, M. RAGON, Édouard DOLLÉANS, René BONNET, Florence LITTRÉ, S. BONMARIAGE, G. VERTUT, F.-H. LEM, Noël SABORD, Henri MARIOL, Jacques MARILLIER, Marcel LAPIERRE, Hélène GOSSET, Jacques PARROT, G. TRIDON, TEULÉ, VAUDELIN, etc.

***TEXTES ET DOCUMENTS***

BARBÈS, Deux jours de condamnation à mort. — TOUSSENEL, Travail et fainéantise, et Textes de BLANQUI, Louis BLANC, Fr. VIDAL, ESQUIROS, A. HOUSSAYE, PECQUEUR, P. LEROUX, G. RABEYRIN, QUINET, DUGERS, BAKOUNINE.

ANTHOLOGIE DE LA CHANSON DE 1848
36 chansons dont plusieurs inédites.

Illustrations de DAUMIER, COURBET, DELACROIX, GAVARNI, GILL, CARRIÈRE, AUGERON, KRILLÉ, ROBIN, DELATOUSCHE, HEERBRANT, R. BRUDIEUX.

Nombreux portraits, autographes et documents divers.

**GRASSET**

---

**LES CAHIERS DU PEUPLE**

**1**

NOVEMBRE 1946

TEXTES DE :
*RENÉ BONNET - ÉMILE DANOEN*
*EDOUARD DOLLEANS - MOLINIER*
*EDMOND MORAY - MARC SORIANO*
*MICHEL RAGON - JEAN PRUGNOT*
POÈMES DE :
*JACQUES CRU - ROBERT GIRAUD*
*JEAN BOUHIER*

---

N° 15 Quatrième Année

**peuple et poésie**

De la Société des écrivains
et artistes
du Peuple

Correspondance :

15, Av. de Paris
Vincennes
(Seine)

Comité de Rédaction :

Jean l'Anselme
Hélène-Paul Malet
Michel Ragon

* * * * * * *

" L'ECRIVAIN DU PEUPLE A L'AVANTAGE DE NE PAS SAVOIR LA LANGUE CONVENUE, DE N'ETRE PAS COMME NOUS LE SOMMES, OBSEDE, POURSUIVI DE PHRASES TOUTES FAITES. "

MICHELET

* * * * * * *

RETENEZ CECI :

Il n'est pas dans notre intention de prouver dans ce bulletin que Jules Penfac, garçon de ferme, que Jean Justus, électricien, que Jules Mougin, facteur ont du talent (vous verrez pourtant comme ils en ont !)

- mais que la poésie est l'expression première, l'expression spontanée de l'homme simple, de l'homme pur, de l'homme de coeur, de l'homme sensible, de l'homme du Peuple -
- qu'il n'est pas nécessaire d'avoir usé un jeu de fonds de culottes sur les bancs des écoles pour exprimer poétiquement, purement sa révolte, son enthousiasme, son émotion. (C'est bien le cas pour Penfac, Justus, Mougin)

Ce sont ces réactions, ces premières expressions jetées parfois très timidement sur le papier par des hommes qui n'ont pas perdu leur fraicheur de pensée, leur personnalité dans la fréquentation des belles Académies que nous recherchons particulièrement -
C'est pourquoi notre tout modeste tout petit cahier est le livre d'or du tout modeste ouvrier du tout petit salarié - Mais ce cadre restrictif n'exclue pas les autres témoignages d'inspiration populaire -

deux jeunes de ma génération : Jacques Cru, journaliste à *Monde ouvrier* et Marcel Mahé, frère d'Alain Sergent. C'est Fouquin, l'imprimeur de *A contre-courant* (et lui-même auteur d'un livre, *Château-Landon que j'aimais*) qui imprima *Les Cahiers du Peuple*. Trois numéros seulement parurent (1946-1947). Nous publiâmes notamment des textes d'Émile Danoën, de Roger Boutefeu, de l'électricien Justus, de l'apiculteur Émile Bachelet, de l'ancien métallo Jacques Cru. La génération de Poulaille était également présente avec Louis Lanoizelée, Édouard Dolléans, René Bonnet, etc. Dans chaque numéro, Prugnot présentait un militant ouvrier d'autrefois. *Les Cahiers du Peuple*, « revue de culture et d'expression populaire », fit la liaison entre deux générations d'écrivains ouvriers.

## 1947

Publication par Michel Ragon d'un livre-manifeste : *Les Écrivains du Peuple*.

Michel Ragon fonde aux Éditions Vigneau la « Collection Germinal » de « littérature d'expression populaire » qui ne publiera qu'un seul roman, *L'Homme du Canal*, de Tristan Rémy.

Premier numéro de *Peuple et Poésie*, animé par Jean l'Anselme. Prenant la suite de la revue *Poètes à férules*, ce premier *Peuple et Poésie* porte le nº 12.

28 SEPTEMBRE : Fernand Henry, représentant la S.E.A.P. (Société des Écrivains et Artistes du Peuple fondée en 1947), Jean l'Anselme représentant *Peuple et Poésie*, Michel Ragon représentant *Les Cahiers du Peuple*, décident de créer la Fédération des Mouvements de Culture et d'Expression populaire dont le secrétaire sera Fernand Henry. « La revue *Les Cahiers du Peuple* sera considérée comme l'organe officiel de la S.E.A.P. qui en devient l'éditeur. » Mais le nº 4 des *Cahiers du Peuple*, annoncé, ne sera jamais publié.

## 1948

*La Jeune littérature d'expression populaire*, numéro spécial de la revue *Ophrys*. Textes choisis et présentés par Michel Ragon. Poèmes de René Fallet, Robert Édouard, Jean Justus (électricien), Raymond Aubret (ouvrier typo), Roger Ninck (horticulteur); proses de Jules Mougin (facteur), Roger Bourges (ouvrier ébéniste), Fernand Henry, Edmond Moray (employé E.D.F.).

Camarade,

Savez-vous que des ouvriers comme vous écrivent... vous parlent... veulent secouer l'indifférence et l'hostilité du monde qui les entoure ?

Au lieu d'aller au cinéma ! venez à la Réunion que nous organisons

**LE SAMEDI 30 OCTOBRE 1948**

au 76, rue Mouffetard, à la « Maison pour Tous », consacrée à la poésie ouvrière.

P. SEGHERS, M. RAGON, J. L'ANSELME, vous présenteront des poètes ouvriers et poètes révolutionnaires.

La chorale « Le Soleil Levant » chantera.

Discussion à la fin de la réunion sur la valeur et les possibilités de ce genre de littérature.

0

**Rendez-vous à 2~~1~~ h. 30 précises.**

*Participation aux frais, 15 fr., donnant droit au programme.*

N° 2 — Octobre 1

BULLETIN de

# faubourgs

Cahiers trimestriels de culture et d'expression populaire
Organe de la Société des Ecrivains et Artistes du Peuple

POSITIONS

## Le Populisme comme étape

Nous avons saisi l'occasion de diverses manifestat
« populistes » dans la capitale, venant après l'attribu
traditionnelle du prix du même nom (à Serge Grous
cette année) pour présenter à nos lecteurs un ense
d'études se rapportant à cette école. Il ne s'en suit
que nous sommes toujours d'accord sur les thèses pré
tées, mais il me semble évident que des parentés nomb
ses — qu'on relèvera aisément — sont de nature à j
fier non seulement l'attention que nous prêtons auj
d'hui au mouvement populiste mais encore un dial
profitable dans l'avenir, comme en ont les gens app
de leur gré ou par la force des choses, à faire ensembl
bout de chemin.

Armand *Lanoux* note justement l'audace dont ont
preuve — et dont font encore preuve — les artistes qui
pris le peuple comme objet d'expression... On objec
qu'il y avait déjà des servantes chez *Molière*, que V
*Hugo* a fait *Gavroche* et *Les travailleur de la mer*, q
a eu *Maupassant* et ses paysans, *Zola* et beaucoup d'a
qu'on enfonce donc une porte ouverte. Tel n'est point
sentiment. La psychologie des servantes de *Molière*
pis pour mes professeurs de lettres) ressortit du dom
des marionnettes... propres à répéter dix fois un nu
excellent, et les gens du peuple qu'on peut obs
aussi bien dans les fresques de *Hugo* (on en ferait
opéras hauts en couleur et faux à point) que dan
« tranches » naturalistes ont avec ceux qu'on voit da
rue ou à l'atelier le rapport qui existe entre l'océan

Pour lire la suite, dépliez ce journal. NE COUPEZ PAS !

# LE MUSEE DU SOIR

Dans un hommage au regretté Lucien Bourgeois, écrivain prolétarien, Henry Poulaille, en un bref tour d'horizon littéraire, stigmatise les néfastes littératures bleue et noire qui font les délices de la masse des lecteurs

NOUS NE PRETENDONS PAS REGENERER LES LETTRES.
Mais à côté de cette littérature artificielle, nous voulons continuer celle d'un caractère essentiellement humain. Nous avons notre petit mot à dire — ne fût-ce que par la seule authenticité de nos témoignages qui est, à notre sens, la plus importante qualité de l'écrivain.
Placés à l'avant-garde des masses ouvrières et paysannes, les meilleures sources de valeurs humaines, nous nous proposons donc en qualité de porte-parole

Les hérauts de la bourgeoisie et ceux qui se posent en chantres de l'humanité n'ont *jamais* franchement contesté la valeur des témoignages qu'ont apporté les écrivains du peuple.

LA LITTERATURE POUR LA LITTERATURE EST UN LEURRE.
L'homme des premiers âges contait l'histoire de ses semblables par des chants autour des feux de clan ou par des naïfs dessins sur les murs des cavernes
Héritiers des mêmes vocations, nous voulons continuer ceux qui, à travers les siècles, ont dit les peines et les joies des hommes.

HELAS, NOUS SOMMES PAUVRES ; nous sommes pauvres pécuniairement, nous manquons de collaborateurs.
Que ceux qui croient encore à la disponibilité des hommes nous envoient des textes ou nous aident en versant le montant de leur abonnement

Pour la France René BERTELOOT, Zégota GORNIK ‖ Pour la Belgique Francis ANDRÉ, Constant MALVA

*Abonnements* (pour une série annuelle de six numéros) 300 Fr Français, ou 50 Fr. belges, ou 4 Fr. suisses, à verser
POUR LA FRANCE, au C.C.P 2943.81 - Lille, de René Berteloot
POUR LA BELGIQUE, au C.C.P 7130.09 - Bruxelles, de Constant Malva

*Rédaction*
René Berteloot, Allée D, 6, Cité Bonnet, LALLAING (Nord)
Constant Malva, 16, rue Bonneels, SAINT-JOSSE-TEN-NORDE — BRUXELLES

# le musée du soi

Revue Internationale de Littérature Ouvrière

sommaire



N° I octobre 1957 3e sér

De mars 1948 a novembre 1950, Michel Ragon publie dans les *Cahiers du Travail*, organe de l'Institut de Culture Ouvrière de Marly-le-Roi, des « fiches » consacrées à la littérature prolétarienne : Norbert Truquin, Navel, Robert Édouard, Proudhon, 1848, Pierre Leroux, Louise Michel, Tristan Rémy, Charles-Louis Philippe, Lucien Jean, Agricol Perdiguier, Pierre Hamp, Louis Guilloux, Péguy.

Avril : Fusion entre *Les Cahiers du Peuple* et *Peuple et Poésie*. A partir du nº 15, *Peuple et Poésie* a en effet pour comité de rédaction : Jean l'Anselme, H.-P. Malet et Michel Ragon. A partir du nº 16, nous offrons le comité de rédaction exclusivement à des écrivains prolétaires, nous bornant à l'administration de la revue. Le nouveau comité de rédaction est formé de : R. Aubret (typographe), R. Bourges (ébéniste), R. Briant (ajusteur), J. Justus (électricien), P. Leclerc (fraiseur-outilleur), J. Mougin (facteur), D. Seys (représentant). Ce dernier cédera la place, dans le nº 19 à Jean Vodaine (cordonnier). *Peuple et Poésie* cessera de paraître en 1951 (nº 20).

## 1949

Janvier : Publication de *Faubourgs*, « cahiers trimestriels de culture et d'expression populaire » et organe de la Société des Écrivains et Artistes du Peuple. *Faubourgs*, qui se propose de continuer *Les Cahiers du Peuple*, veut grouper « les écrivains et artistes ouvriers, artisans, paysans, etc., ou d'origine populaire ». C'est Fernand Henry qui en est l'animateur, Roger Pecheyrand (lui aussi instituteur) en est l'administrateur. Parmi les collaborateurs : Maurice Lime, Pierre Boujut, Armand Lanoux, Henri Frossard (assureur), Maurice Pernette (bouquiniste), Fred Bourguignon (teinturier), etc.

## 1953

Février : Michel Ragon publie *Histoire de la littérature ouvrière*.

Juin : Nº 1 de *Après l'boulot*, Paris, « Cahiers mensuels de littérature ouvrière ». Rédacteur en chef : Maurice Lime. Onze numéros, jusqu'à décembre 1956.

## 1954

*Par le livre et la plume*, « revue mensuelle de culture populaire », animateurs Gornik et Berteloot à Lallang, Nord.

JUIN-JUILLET : N° 1 de la 1re série du *Musée du Soir*, directeur Ferdinand Teulé. Avec René Bonnet, R. Bellanger, Lanoizelée, etc.

DÉCEMBRE 1954 à SEPTEMBRE 1955 : Sept numéros de la 2e série, ronéotée, du *Musée du Soir*. Animateurs Hector Clara à Ressaix et F. Teulé pour la France.

## 1957

OCTOBRE : N° 1 de la 3e série du *Musée du Soir*, « revue internationale de littérature ouvrière ». Les responsables pour la France : René Berteloot et Zegota Gornik; pour la Belgique : Francis André et Constant Malva. Douze numéros, jusqu'à décembre 1961. Huit numéros d'une quatrième série publiée par Hector Clara sont parus d'octobre 1966 à décembre 1968.

## 1960

Le Père Paul Feller, jésuite, publie *Nécessité, Adolescence, Poésie*, « ébauche d'un catalogue bio-bibliographique universel des auteurs ayant, dès l'adolescence, gagné leur vie du travail de leurs mains ». Onze fascicules de 32 pages sont imprimés par les frères Berteloot, mineurs « dans leurs heures de loisir ». Le premier fascicule de lancement est préfacé par Henry Poulaille. Réunis ensuite en volume, ces fascicules constituent un dictionnaire unique, de huit cent cinquante noms, dont cinquante écrivains prolétariens belges, soixante-dix allemands, trente-six britanniques. Paul Feller dit avoir rassemblé plus d'un millier d'ouvrages se rattachant à la littérature prolétarienne [1] et recensé deux mille auteurs.

Paul Feller, directeur du T.E.C. (Techniques, Éducation, Culture) à Lille raconte par quelle filière il en vint à se consacrer à cet énorme travail : « En 1956, M.C. me fit découvrir l'*Histoire de la Littérature ouvrière* et l'auteur. (Le 24 juin 1956 Feller m'écrivait en effet, demandant à me rencontrer : « Je lis, je bois, je respire votre livre sur la littérature ouvrière. ») Il ajoute que Michel Ragon lui procura un numéro des *Cahiers du Peuple* dans lequel il découvrit sous la plume de René Bonnet qui était Poulaille. Le bouquiniste Lanoizelée lui fit connaître René Bonnet et le bouquiniste Ferdinand Teulé. Paul Feller lut les romans de Poulaille, le rencontra et ce dernier lui fournit une importante documen-

1. Le Père Feller a légué sa collection de livres et d'outils aux Compagnons du Devoir du Tour de France de Troyes (Musée de l'Outil).

tation. « Aujourd'hui, conclut-il, si ce catalogue paraît, c'est grâce à C., Ragon, Bonnet, et surtout grâce à Poulaille. » Il signale enfin le fait que l'*Histoire de la littérature ouvrière* mit trois ans pour arriver à C. et à Feller, alors que tous deux étaient à l'affût de toute documentation pouvant aider les éducateurs des apprentis. Ceci en dit long sur les vicissitudes de la diffusion du livre et la difficulté pour un ouvrage d'atteindre les lecteurs auxquels il est plus particulièrement destiné.

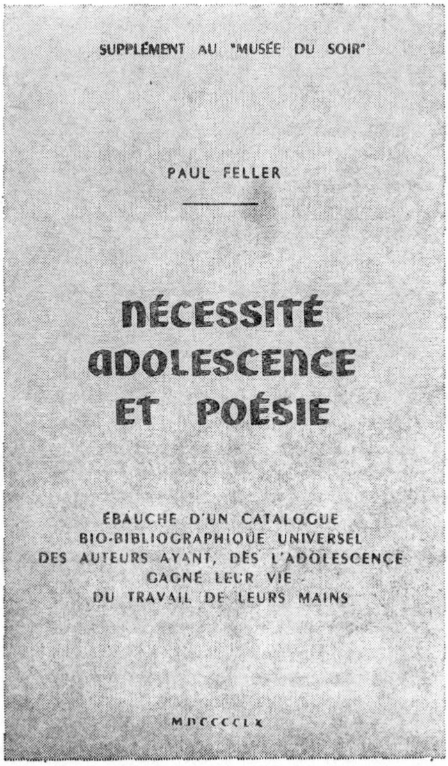
SUPPLÉMENT AU "MUSÉE DU SOIR"

PAUL FELLER

NÉCESSITÉ
ADOLESCENCE
ET POÉSIE

ÉBAUCHE D'UN CATALOGUE
BIO-BIBLIOGRAPHIQUE UNIVERSEL
DES AUTEURS AYANT, DÈS L'ADOLESCENCE
GAGNÉ LEUR VIE
DU TRAVAIL DE LEURS MAINS

MDCCCCLX

CHAPITRE VI

# *Écrivains prolétariens de langue française*

*Pour nous, l'acte créateur n'est pas le privilège d'un groupe d'hommes, d'une nouvelle aristocratie, il est le prolongement naturel de l'usine, du bureau, etc.*

Henry Poulaille.

L'écrivain prolétarien, tel que le définissait Henry Poulaille, devait répondre à plusieurs critères. D'abord la naissance : être né dans le prolétariat. Puis l'éducation : être autodidacte (à l'occasion boursier). Enfin le métier : être ouvrier manuel, employé ou instituteur. J'allais ajouter, mais cela va de soi, que l'œuvre devait être avant tout un témoignage sur la vie prolétarienne.

Dès la constitution de l'École Prolétarienne, le pedigree d'écrivain prolétarien échappa à ces normes strictes et la confusion s'établit. C'est ainsi que l'universitaire Jean Guéhenno, bien que fils de cordonnier, ne figurait pas sur la liste des écrivains prolétariens [1], alors que parmi les signataires du *Manifeste de l'École Prolétarienne*, nous voyons des journalistes professionnels comme Georges Altman et Augustin Habaru, un avocat : Charles Plisnier, des instituteurs, un professeur comme Maurice Fombeure, et un officier de marine : Édouard Peisson. De plus, si Marc Bernard, Eugène Dabit et Poulaille lui-même furent ouvriers en leur jeunesse, ils ne se différencièrent ensuite aucunement par leurs travaux « nourriciers » dans l'édition ou le journalisme, des autres écrivains, non prolétariens, qui, pour la plupart, vivent d'un second métier.

Ce ne sont pas là des écrivains ouvriers au sens strict du mot. Mais leur œuvre délibérément orientée vers le peuple, leur action en faveur d'une littérature ouvrière authentique, nous conduisent à leur consacrer un chapitre particulier. Leurs œuvres n'ont d'ailleurs toute leur significa-

1. Guéhenno qui, par ses livres *L'Évangile éternel* (1927) et *Caliban parle* (1928) peut être considéré (et fut considéré même par Poulaille, qu'il méprisait) comme l'un des théoriciens et précurseurs de la littérature prolétarienne, a toujours marqué une grande distance vis-à-vis de cette littérature. Le 15 décembre 1931, il écrivait dans *Europe :* « Si nous ne parvenons pas à nous rendre maître de la technique de l'écrivain, apprenons d'autres métiers. »

tion que par cette authenticité de l'expérience vécue, que par cette liaison étroite avec la classe sociale dont ils sont issus et dont ils ne se séparent pas.

**Henry Poulaille**

Henry Poulaille, né le 5 décembre 1896, à Paris, fut, nous l'avons vu, l'âme de l'École Prolétarienne. Fils d'un charpentier et d'une canneuse de chaises, il fut tour à tour rinceur de bouteilles chez un pharmacien, manœuvre dans une fabrique de ressorts, puis dans une usine de produits chimiques, homme de corvée dans les gares, vendeur de journaux, etc. Il fit ses débuts dans les lettres en 1925, par un roman de guerre marqué par l'influence de C. F. Ramuz et dédié à celui-ci : *Ils étaient quatre*. La même année parut un recueil de nouvelles, publiées dans *L'Humanité* de 1920 à 1922 : *Ames neuves*, consacré aux enfants. Puis ce fut *L'Enfantement de la Paix*, en 1926, *Le Train fou* en 1928, et de nombreuses études sur le cinéma dont un *Charles Chaplin* en 1927.

Mais Henry Poulaille, romancier, a donné sa mesure dans une suite qui retrace l'existence d'une famille d'ouvriers au début de ce siècle. Et, pour ce faire, il a choisi ses parents comme modèles. *Le Pain quotidien* (1931) nous décrit un faubourg parisien et la vie quotidienne des ouvriers qui y vivent. *Les Damnés de la terre* (1935), dédié « à la mémoire des militants qui moururent dans les heures héroïques de la lutte des classes avant la guerre... », nous raconte la mort du charpentier Henri Magneux que nous avions vu accidenté dans le premier volume et de sa femme minée par la tuberculose. Loulou, que nous avions quitté gamin, se révèle un futur militant. Mais ce livre est aussi un précieux document sur les luttes ouvrières de 1906 à 1910. Les archives de cette époque sont glissées adroitement dans le récit : discours de Jaurès et d'Hervé, proclamations socialistes et syndicalistes, appels de l'État, affiches des leaders, etc. Avec *Pain de soldat* (1937), c'est la guerre de 1914 à 1917. Loulou travaille chez un pharmacien, puis fait ses mois de « classe » et monte au front. *Les Rescapés* continuent le cycle de 1917 à 1920. Loulou Magneux, blessé, terrorisé par la guerre qu'il vient de faire, est évacué dans un hôpital militaire, à l'arrière. Viennent la paix, le désarroi, le dégoût.

L'œuvre d'Henry Poulaille est considérable. Nous avons vu son action d'animateur de revues. Nous avons parlé de l'essayiste de *Nouvel Age littéraire*, livre qui fait date et qui est trop peu connu. Son rôle chez

Valois, puis chez Grasset où il travailla pendant trente-trois ans, fut des plus importants. N'a-t-il pas imposé ces débutants que furent Giono et Peisson, sans parler de tous les écrivains ouvriers qui ont été publiés chez Valois ou chez Grasset, grâce à son autorité. Il a aussi bataillé pour Ramuz en un temps où l'écrivain vaudois n'avait pas une grande audience. Le cahier de témoignages qu'il publia en 1926 : *Pour ou contre C.F. Ramuz*, reste un document de premier ordre sur cet auteur. C'est aussi Henry Poulaille qui contribua à faire connaître en France Hamsun, Gorki, Neel Doff, Johan Bojer, Thomas Hardy.

Se souvenant de ses débuts en 1920, Tristan Rémy faisait de son camarade Poulaille le portrait suivant : « C'était un homme qui n'avait pas le temps et qui s'habillait mal. Il était de ces pauvres bougres de travailleurs dont les semaines sont longues à équilibrer. » Vingt-cinq ans plus tard, lorsque j'ai rencontré Poulaille, il ne s'habillait pas mieux et avait encore moins de temps. Pourtant il en trouva pour aider mes débuts. Déçu par nombre d'ingrats, bougon, grognon, parlant par boutades, il cache, sous cette rudesse qui rebute ceux qui n'ont pas la patience ni le désir de le bien connaître, beaucoup de sentimentalité et d'idéalisme. Il croit donner le change en faisant l'ours, le sauvage. Brouillon, hâtif, prompt à l'enthousiasme, vif au dénigrement, il ignore tout de la diplomatie. Il dit ce qu'il pense, sans craindre de vexer son interlocuteur ou de s'en faire un ennemi. Et au fond, ce souci de vérité lui a surtout donné une légion d'amis fidèles. Il est faubourien, parisien cent pour cent, pour qui la nature campagnarde est aussi ennuyeuse que le macadam à un paysan déraciné. Je le soupçonne d'avoir été assez gavroche en sa jeunesse, et le Loulou du *Pain quotidien* n'est pas fait pour me détromper.

Fasciné à ses débuts par ces moyens d'expression nouveaux qu'étaient le disque et le film, Poulaille se fit critique de disques et critique cinématographique. Puis, pendant et après la Seconde Guerre mondiale, il se donna surtout à de longs travaux d'érudition concernant l'expression populaire ancienne : *La Grande et Belle Bible des Noëls anciens du* XII^e^ *au* XVI^e^ *siècle* (Albin Michel, 1942), *La Fleur des Chansons d'amour du* XVI^e^ *siècle* (Grasset, 1943), *Les Chansons de toile du* XII^e^ *siècle* (avec Régine Pernoud) (1946), *La Grande Bible des Noëls anciens du* XVII^e^ *et du* XVIII^e^ *siècle* (1949), *Noëls régionaux et Noëls contemporains* (1951).

Homme aux curiosités multiples, animateur exceptionnel, Henry Poulaille, retiré à Palaiseau puis à Cachan, est quelque peu oublié après avoir eu un large public entre les deux guerres. Le club du livre « L'Amitié par le Livre » a pris l'initiative de former une société des « Amis de Henry Poulaille et de la littérature d'expression populaire » qui se propose d'éditer les nombreux inédits de cet écrivain. Elle a notamment publié un roman écrit par Poulaille en 1921 : *Ahasvérus dans l'anonymat glorieux.*

**Tristan Rémy**

Né en 1897, Tristan Rémy fut employé aux Chemins de fer pendant une trentaine d'années. Ses romans sont fort différents de ceux des autres écrivains prolétariens. Chez lui, ni autobiographie ni récit vécu. C'est un écrivain d'imagination, d'une imagination un peu feuilletonnesque, voire mélodramatique, qui ne manque pas de charme. Ayant toujours vécu dans les faubourgs ouvriers de Paris, il lui a suffi d'observer autour de lui pour trouver ses personnages. Ses romans, ce

*Tristan Rémy.*

sont, si l'on veut, des romances populaires qui chantent les quartiers. Il semble, à le lire, qu'un accordéon soit toujours en sourdine.

*Porte Clignancourt* (1928), nous fait vivre dans la zone, avec un enfant bien silhouetté, Milo, et ses « parents » : un ouvrier et une prostituée. *A l'ancien tonnelier* (1931) nous décrit l'existence des biffins et des charbonniers, qui se retrouvent dans un même café. Avec *Sainte-Marie-des-Flots* (1932), ce sont les débardeurs et les mariniers de la Villette, du

# 4. ÉCRIVAINS PROLÉTARIENS

Henry Poulaille en 1947.
*Photo X. Doc. M.R.*

Tristan Rémy en 1947.
*Photo René Jacques. Doc. M.R.*

◀
Lucien Bourgeois, ouvrier imprimeur, à l'époque où il écrivait *L'ascension*. *Photo X. Doc. M.R.*

*De gauche à droite* : Valois, Guignard, Léon Gerbe (livres à la main), Maurice Fombeure (militaire), Poulaille, Autry, T. Rémy. *Photo X. Col. T. Rémy*

Marc Bernard. *Photo Blanc et Demilly. Doc. Éd. Gallimard*

Louis Guilloux. *Photo Jacques Sassier. Doc. Éditions Gallimard*

Marc Bernard (à droite) avec le poète Laforêt, majoral du félibrige, vers 1932-1935. *Photo X. Col. M. Bernard*

Bernard Clavel à quatorze ans,
apprenti pâtissier à Dôle.
*Photo X. Col. B. Clavel*

Bernard Clavel. *Photo H.R. Dufour.*
*Doc. Éditions Robert Laffont*

Benigno Cacérès. *Photo Monier.*
*Doc. Éditions du Seuil*

port au charbon et les clochards. Livres confus, où l'action est toujours assez embrouillée. Mais *Faubourg Saint-Antoine* (1936) échappe à ces critiques. Dans ce livre, le romancier tient solidement ses personnages et certaines scènes de l'apprenti menuisier-ébéniste et de la foire au pain d'épice sont d'une remarquable maîtrise.

*La Grande Lutte* (1937) est un livre de propagande. Un bon livre de propagande d'ailleurs, bien construit, vivant, et qui retrace les luttes ouvrières qui aboutirent aux lois sociales de 1936.

*L'Homme du canal* (1947) est encore une sorte de fantaisie à la Dickens, qui avait paru autrefois dans *L'Humanité* sous le titre *Jonny l'indifférent*. Cette histoire d'un débardeur a la même gentillesse, et un lyrisme très voisin du *Pierrot mon ami*, de Raymond Queneau.

Mais vous aurez compris dès maintenant que Tristan Rémy est surtout un poète. Et je dois dire que ce sont les poèmes de Tristan Rémy que je préfère dans son œuvre. Pourquoi sont-ils aussi peu connus?

Depuis qu'il avait lâché les outils, tout à l'heure,
Pour le meeting où il allait,
— Pour qu'un premier de mai soit beau, il faut qu'on se dérange
Bon Dieu, mais c'est si loin la Grange —
Ses deux grosses mains poilues étalées sur ses cuisses
S'ennuyaient,
Se prenaient, se serraient sans rencontrer jamais
Leurs impressions habituelles.
...
Depuis qu'il avait lâché les outils, tout à l'heure,
Elles étaient lasses
De ne sentir ni le manche de la pioche
Ni rien qui vienne buter contre leur paume,
Cric ou levier, moellons, bitumes, masses.
Elles l'ennuyaient aussi si elles s'ennuyaient, elles.

Il les laissa glisser, ballantes entre ses jambes
Où, jointes, malgré les chocs du train,
Elles imploraient des souvenirs pour se distraire :
Fraîcheur de la glaise,
Fuite éperdue du sable sec,
Résistance passive à la pelle des terres collantes.

Réunis dans un recueil, *Prolétariat* (1932), nombreux sont les poèmes de cette veine.

Peintre des rues populaires aux orgues de Barbarie, aux accordéonistes près des bouches de métro et aux athlètes s'exhibant sur les boulevards près des marchands de frites; biographe des petites gens, des vendeurs à la sauvette et des poissonnières poussant leurs baladeuses, drôles de types mais bons bougres, lunatiques et ahuris, bons vivants malgré la chienne de vie, copains du bistrot d'en face...

« Je les connais tous », me disait Tristan Rémy lorsque je montais le voir à la porte Clignancourt, dans son logement simple aux murs blanchis à la chaux, sur lesquels étaient accrochés des photos de clowns et un dessin représentant l'intérieur d'un bordel de Barcelone. « Je les connais tous », me disait-il, calé dans sa chaise, les épaules larges sous la veste de velours, tirant à petits coups les poils de son collier de barbe. « Mes personnages, à moi, on peut les voir sur le trottoir en descendant. »

Et l'on descendait sur le boulevard Ornano, allant vers Montmartre. C'était même un rite de grimper sur la Butte après le café bu. Tout le monde le connaissait. Il échangeait quelques mots avec un peintre, disait quelque chose de gentil aux amoureux du square. On allait dans un café où :

> C'était la fille du patron qui servait,
> Entre deux clients,
> Elle chassait les poussières d'un croissant
> Qui séchait dans une soucoupe de vingt centimes.

Son quartier ne faisait qu'un avec sa poésie.

Tout comme Henry Poulaille, après la Seconde Guerre mondiale, Tristan Rémy a abandonné son œuvre romanesque pour de remarquables travaux d'érudition populaire. Il est devenu le grand spécialiste du cirque (son ultime roman, en 1952, *Le Cirque Bonaventure*, ne sort pas de ce sujet), et on a pu le voir dans le film *Les Clowns* guidant Antonioni. *Les Clowns* (1945), *Le Cirque et ses étoiles* (1949), *Entrées clownesques* (L'Arche, 1962) sont des ouvrages de référence devenus indispensables aux amateurs du cirque. De plus, Tristan Rémy a consacré des ouvrages à *Deburau* (1954), *Georges Wague, le mime de la Belle Époque* (1964), *Jean-Baptiste Clément, le Temps des Cerises* (1968), *La Commune de Montmartre, 23 mai 1871* (1970).

Dans la préface de ce dernier livre, Tristan Rémy parle, pour la première fois, de son enfance, de son père salarié agricole picard, de sa mère fille de boulanger. Il restitue le climat populaire du quartier de La Chapelle au début du XX^e^ siècle, avec ses charrons, ses charretiers, ses vacheries. Son livre sur la Commune a l'originalité de tirer de l'anonymat « ceux qui, dans l'histoire collective des combats et des révolutions ne sont jamais à l'honneur : cordonniers, tailleurs, maçons, palefreniers, crieurs de journaux... ».

**Eugène Dabit (1898-1936)**

Eugène Dabit commença à travailler à quatorze ans, comme apprenti serrurier. Lorsque vint la guerre, son père, cocher-livreur, fut mobilisé et Dabit devança l'appel pour se planquer dans l'artillerie.

Lorsqu'il revint du front (il s'était aperçu, un peu tard, que l'artillerie était une planque toute relative), ses parents tenaient l'hôtel du Nord. Il y voyait défiler des couples, des garçons venus du fond de leur province, des Polonais, des Italiens. « Tout ce monde travaillait, peinait, s'amusait, aimait, souffrait. Une fois de plus, dit-il, je me mêlais directement à la vie. »

Une fois de plus... La première avait été la guerre. De ces deux prises de contact brutales avec deux formes de vie violentes et miséreuses, deux hantises devaient rester dans la pensée de Dabit : la guerre, l'hôtel du Nord.

Comment s'en délivrer? Il chercha d'abord l'évasion par la peinture. Après avoir été pendant quelque temps garçon d'ascenseur au métro, il eut la chance de n'avoir pas à gagner son pain. Ses parents l'aidaient. Pendant six ans, il se consacra à peindre des paysages et des natures mortes sensibles, avec beaucoup de gris accusant sa mélancolie. Aux alentours de 1924, il allait souvent montrer ses peintures à Vlaminck. Il avait l'aspect d'un ouvrier de banlieue au chandail à col roulé, vêtu d'un éternel manteau de cuir et coiffé d'une casquette. Ses parents étaient pour lui le centre de l'univers et il se passionnait pour les romans de Georges Ohnet.

Mais l'angoisse de la guerre le hantait. Il ne pouvait s'en délivrer par la couleur. Le soir, après avoir posé ses pinceaux, il se mit à écrire. Ce fut *Petit Louis*. Ses souvenirs de guerre condensés dans ce livre, il se libéra de ceux de l'hôtel du Nord par un livre du même nom. André Gide, qu'il considéra comme son maître, Roger Martin du Gard et Léopold Chauveau furent les premiers à l'encourager. *Hôtel du Nord* eut un succès mérité. Dabit renonça désormais à peindre pour se consacrer à écrire. Il mena toujours une vie simple. Il ne connaissait pas la misère, mais la voyait autour de lui et en souffrait. Il vivait parmi les patrons de bistrot, les paysans sans terre venus à la ville comme manœuvres, les rentiers miséreux et les ouvriers parisiens.

Aussi, tels sont les personnages de ses romans et de ses nouvelles : *La Zone verte*, *Un mort tout neuf*, *Villa Oasis*, *Train de vies*.

Il fut toujours farouchement indépendant. Les politiciens l'écœuraient. Il cherchait « des hommes qui ont la passion de la jeunesse, la force, le goût de la pureté ». La moitié de l'année, de mai à novembre, il vivait à Minorque, où il économisait pour les six autres mois en habitant une cabane de pêcheurs et en mangeant de la soupe de poisson. Il pouvait, dans cette île, se livrer à sa passion de la natation. Giono le montre consterné à Manosque lorsqu'il vit que c'était un pays sans eau. *L'Ile* (1934) est une peinture âpre et vivante du monde des pêcheurs de Minorque, le livre de Dabit que je préfère après *Hôtel du Nord*.

Son *Journal intime* (1928-1936) nous indique que le dégoût, la révolte, le découragement facile étaient trois traits dominants de son caractère. Obsédé par le désir des « ailleurs », nous le voyons voyager en Espagne, à Prague, à Budapest, à Vienne, à Zurich.

« L'important c'est de n'être que de passage », note-t-il dans son Journal. A la veille de partir en Russie, il écrit :

Je ne suis pas « au bout de mon rouleau », je n'ai écrit que « mes œuvres de jeunesse », bien entendu si je vis...

Et plus loin :

Je ne sais s'il m'est possible d'espérer vivre encore vingt ans. Je le souhaiterais. Pour assister au triomphe des éternels vaincus. Et aussi parce que j'aime la lumière, les arbres, la mer, tant de spectacles merveilleux dont on ne se rassasie jamais. Assez de choses, indépendantes de l'homme, nous apprennent à croire et à aimer. Aussi voudrais-je vivre...

Pressentiment étrange. Parti à Moscou avec André Gide et Louis Guilloux, il mourut le 21 août 1936 à Sébastopol, d'un mal non défini, nous laissant ce message :

Il faut sauver en soi la vie, et sauver sa vie des atteintes des hommes, là est le redoutable problème.

### Marc Bernard

Né le 6 septembre 1900 à Nîmes, Marc Bernard fut tour à tour garçon de courses chez un commissionnaire en vins, apprenti dans une

*Dessin par Eugène Dabit.*

fabrique de chaussures, ouvrier fraiseur, cheminot à Villeneuve. En 1929, il abandonne les métiers manuels pour le poste de secrétaire de rédaction à *Monde* et il publie son premier roman chez Gallimard : *Zig Zag*.

Livre bizarre, cruel et ironique. *Au secours* (1931) est par contre une autobiographie. L'enfance de l'auteur, près de sa mère blanchisseuse, qui meurt de tuberculose est ici recréée avec force. Une suite à ce livre, ou plutôt un commencement, nous est donné par *Pareils à des enfants* (1941) qui valut à son auteur le prix Goncourt. Nous reprenons, dans ce livre, les personnages avant l'action d'*Au secours*. Abandonnée par son mari, la mère doit se gager comme cuisinière dans un château. Puis, nous voyons la mère et le fils à Nîmes, miséreux, jusqu'à ce que l'enfant soit placé comme garçon de courses.

Marc Bernard n'est pas loin de Guilloux, mais leurs origines les séparent. Marc Bernard est avant tout provençal. L'angoisse, la cruauté qui sont dans son style, le tempérament vif de ses personnages, font penser souvent au roman espagnol. Dans certaines nouvelles du recueil *Vert et argent* (1945), ce sont d'ailleurs des Espagnols que l'auteur met en scène, comme Pépé, maçon et matador.

Mentionnons encore de Marc Bernard un documentaire : *Les Journées ouvrières des 9 et 12 février*.

Dans l'École Prolétarienne de Poulaille, prompte elle aussi à toutes les excommunications, on a reproché à Marc Bernard d'avoir « trahi » la littérature prolétarienne à partir d'*Anny*, sous prétexte que ce roman parle plus d'amour que de prolétariat; comme si un écrivain prolétarien n'avait pas le droit de parler d'amour, comme si l'amour était une spécificité bourgeoise! Le fait que Marc Bernard reçut le prix Interallié pour ce livre, en 1934, y fut aussi sans doute pour quelque chose. Après ce roman et ce prix, Marc Bernard, si l'on en croit par exemple Loffler[1], serait devenu un écrivain « bourgeois ». Mais *Pareils à des enfants*, qui reçut le prix Goncourt en 1942, est un beau récit qui relève absolument de la littérature prolétarienne. Mieux, on peut dire que du groupe de Poulaille, Marc Bernard est à peu près le seul qui ait continué, après la Seconde Guerre mondiale, dans la voie de ses débuts. *Salut, Camarades* (1955) en témoigne avec force.

Il y a deux pôles, dans l'œuvre de Marc Bernard (outre les retours à la vie ouvrière de sa jeunesse) : Nîmes, la ville de son enfance et Majorque, l'île de l'évasion. Tout comme Eugène Dabit a consacré

1. *Chronique de la littérature prolétarienne française.*

un livre à Minorque, Marc Bernard en a écrit un sur Majorque, *Mayorquinas* (1970). Majorque se retrouve dans *La Bonne Humeur* (1957) qui décrit l'immeuble où, avec sa femme Else, le romancier habite une mansarde, et leurs évasions à Majorque, à Londres, à Amsterdam, à Nice. Ce livre est plein de bel humour, d'entrain et depuis *Anny*, jusqu'au livre déchirant que Marc Bernard, veuf, a consacré à sa femme : *La Mort de la bien-aimée* (1972), il est un des rares écrivains prolétariens à avoir su parler d'amour sans tomber dans la sentimentalité conventionnelle ou la vulgarité gratuite. *Une journée toute simple* (1950) est l'histoire d'une journée, à Nîmes, son port d'attache.

Marc Bernard a aussi été l'un des premiers écrivains à étudier la vie populaire dans un grand ensemble : *Sarcellopolis* (1964). Il est encore l'auteur d'un *Zola par lui-même* (1952).

**Louis Guilloux**

Fils d'un cordonnier de Saint-Brieuc, boursier, pion, puis représentant de commerce et à Paris distributeur de prospectus, entre autres travaux du même ordre, Louis Guilloux est resté fidèle à sa Bretagne et à sa ville natale qui forment le cadre de tous ses livres.

*La Maison du Peuple* (1927) est surtout un portrait du père de Guilloux, cordonnier et militant socialiste et l'histoire de la construction d'une Maison du Peuple.

C'est un très beau livre près duquel je placerai ce court récit : *Compagnons* (1931) où nous voyons trois ouvriers plâtriers mener une commune entreprise. L'un d'eux tombe malade et meurt. Avec une sobriété absolue, l'auteur nous décrit cette vie qui s'éteint et les réactions des deux autres compagnons. C'est tout. Il n'y a ni drame, ni péripéties, et c'est un chef-d'œuvre.

*Angélina* (1934) est encore un livre très humain, où l'on sent l'auteur plein d'affection pour ses personnages. Dans un monde de tisserands, de lingères, de modistes, de femmes de ménage, naît Angélina. Elle grandit dans ce milieu artisanal qui semble avoir été celui des grands-parents de l'auteur. Son frère ayant été emprisonné pour avoir participé aux luttes syndicalistes, la famille est mise à l'index dans la ville. Puis Angélina est apprentie. La famille se disperse. Seule Angélina reste au pays et s'y marie à un cordonnier.

Toutefois, l'œuvre capitale de Louis Guilloux est *Le Sang noir* (1935). Ce roman nous montre une galerie de portraits inoubliables, dessinés à la Daumier, parmi lesquels se détache la figure de Cripure, inspirée de celle du philosophe Georges Palante sur lequel Guilloux a écrit des souvenirs. Ce misanthrope, douloureux et contrefait, est seul à conserver un sens de l'humain parmi ses confrères professeurs. Mais ses outrances, sa hargne, sa vie privée scandaleuse, sa grossièreté le font mettre à part. Honni par la société provinciale, hanté par la mort et la manie de la persécution, il finit par se suicider.

*Le Pain des rêves* (1942) se divise en deux parties très distinctes : la première nous montre un vieil ouvrier tailleur faisant vivre la famille de sa fille; la seconde nous conduit avec la « cousine Zabelle » dans un milieu plus proche.

Tous ces personnages et leur ville, Saint-Brieuc, se retrouvent dans *Le Jeu de patience* (1949) qui valut à son auteur le prix Théophraste-Renaudot. Dans cet énorme livre, Guilloux semble avoir voulu faire une « somme » de son œuvre. Ouvrage qui tient à la fois du journal intime, du récit, du roman, voire du reportage, d'une lecture assez malaisée mais qui donne les clefs du travail de Guilloux.

De cet écrivain des plus attachants, nous retiendrons aussi deux documents : *Le Lecteur écrit* (1932), choix de lettres adressées au rédacteur en chef d'un grand journal bourgeois par des gens du peuple, et *Histoires de brigands*, notes rapides prises sur le vif, formant une sorte de film de la vie populaire provinciale et de l'incompréhension bourgeoise.

Né en 1899 à Saint-Brieuc, le boursier Louis Guilloux « émigra » à Paris en 1918 et travailla au journal *L'Intransigeant* de 1921 à 1924. Son œuvre est tissée avec ses souvenirs familiaux. *La Maison du Peuple* est consacré à son père, fondateur de la section socialiste de Saint-Brieuc; *Angélina* à sa mère; *Le Pain des Rêves*, qui reçut le prix Populiste en 1942, à son grand-père. *La Confrontation* (1967) est, sous forme d'enquête policière, l'histoire d'un homme à la recherche de son passé, de son moi.

De *La Maison du Peuple* Albert Camus disait qu'il n'avait « jamais pu le lire sans un serrement de cœur ». Un autre livre de Guilloux, *Dossier confidentiel* (1930), annonce, avec douze ans d'avance, *L'Étranger* de Camus.

En 1960, Louis Guilloux a publié un énorme roman de six cents pages, *Les Batailles Perdues*. Cette grande fresque, qui couvre l'époque allant de la fin 1934 à l'été 1936, ressemble un peu au *Jeu de Patience*. Ce sont de nouveaux épisodes et de nouvelles péripéties qui nous mènent de Pontivy à la rue de Buci, de Tréguier à la place Saint-Sulpice. On voit apparaître dans ce récit touffu un vieux curé breton, des paysans, une fille perdue et une autre vertueuse, un jeune intellectuel révolté, des petites gens, une grande dame milliardaire, etc. Louis Guilloux a le goût du roman populaire, mais ce « feuilleton » intellectualisé est bâtard. Je préfère les petits livres tout simples de ses débuts, admirables.

En 1971, les « Classiques Bretons » ont consacré un livre à Louis Guilloux sous la signature d'Édouard Prigent qui a également rassemblé des *Textes choisis* chez le même éditeur.

**André Sévry**

Né à Guéret, le 16 novembre 1900, André Sévry quitta l'école communale à treize ans et devint triporteur dans une épicerie. Ces souvenirs d'adolescence devaient former la trame du plus beau livre de Sévry; *Les Mains* (1937).

Sujet difficile à traiter, car les mains, tout comme l'idée du pain chez Charles-Louis Philippe, sont à la base de ce que l'on pourrait appeler le folklore ouvrier. La mère de l'enfant qui nous est décrit dans ce livre était blanchisseuse. Elle devait laisser souvent tomber contre elle ses mains lasses. Le petit triporteur voyait les siennes s'ulcérer, se crevasser d'engelures. Et cette hantise des mains rejoint les mains actives, les mains blessées, les mains déformées de l'ouvrier manuel. André Sévry a-t-il réussi ce qu'avait tenté Philippe voulant faire une sorte de geste, de poème épique du pain? Non, sans doute. Mais son livre est néanmoins très beau et nous pouvons le placer près de *Au secours* de Marc Bernard.

Devenu reporter, Sévry a publié trois autres romans, mais qui traitent moins directement de la vie ouvrière : *Cavalerie* (1935), souvenirs de régiment au Maroc; *Côtes des esclaves* (1938) (Sévry fut agent de factorerie au Dahomey); *Golconde* (1944), reportage romancé qui nous introduit dans le milieu peu sympathique des diamantaires.

**Neel Doff (1859-1943)**

Tout comme, dans une crise d'enthousiasme, Henry Poulaille faisait de Ramuz « le plus grand des écrivains actuels de langue française », à propos de l'œuvre de Neel Doff, il écrivait que c'était « une des plus grandes de notre époque », « de très loin avant Colette et toutes les sous-Colette la plus grande et la plus belle figure de la littérature féminine... Nulle œuvre n'est plus authentique de ton que la sienne... Vallès même n'a pas cette sobriété de trait et ne parvient pas à cette émotion ».

Mais qui est donc Neel Doff? se demandera le lecteur. C'est justement à cause de cette ignorance que Poulaille porte Neel Doff aux nues. Les exagérations de Poulaille, voire ses jugements injustes sur certains favorisés de la chance, viennent en général d'un désir de contrebalancer l'injustice. Sans doute n'eût-il pas placé Neel Doff plus haut que Marguerite Audoux si l'auteur de *Keetje* avait connu le succès de l'auteur de *Marie-Claire*. Quoi qu'il en soit, la méconnaissance de l'œuvre de Neel Doff est en effet difficilement explicable sinon parce que ses livres ont été publiés par des éditeurs peu connus et sont, par ce fait, peu diffusés.

Flamande, ou plus précisément hollandaise, cette ancienne prostituée vivait en Belgique, mariée à un peintre riche, je crois, lorsqu'elle se mit à écrire. G. de Pawlowsky fut un des premiers à parler de son talent :

C'est la vie même enregistrée tranquillement, implacablement, écrivait-il. La littérature de Neel Doff, c'est pour la première fois du naturalisme au sens exact du mot, du naturalisme qu'envieraient les savants qui se préoccupent d'histoire naturelle.

Le naturalisme littéraire, Neel Doff en faisait peu cas :

J'ai lu à cette époque tous les Zola qui avaient paru, écrit-elle dans *Keetje*. Il ne m'émouvait pas. J'avais la sensation de je ne sais quelle peinture superficielle, d'une réalité inventée ou observée en surface. Il me semblait qu'il s'était trop fié à son intuition, surtout quand il s'agissait du peuple. L'intuition ne vous livrera jamais l'âme de cet être malodorant qui déambule là devant vous.

Je me disais bien que j'étais ignorante; mais étais-je ignorante? Ma foi je suis certaine que je connais autrement bien cela que Zola. Mieux encore, je sentais que je n'aurais jamais compris ni pénétré les gens d'une autre classe que celle dont j'étais sortie. Même si dorénavant tout contact entre ceux de ma classe et moi devait cesser, je les avais dans la moelle, et je ne m'assimilerais jamais l'âme des autres. Alors Zola. D'où lui vient la prétention de nous connaître si facilement?

C'est Rousseau et Dostoïevski qui l'avaient amenée à la littérature :

Jamais aucun livre ne m'a autant remuée, écrivait-elle des *Confessions*. Il avait eu de la misère comme moi, il avait été mercenaire comme moi, et chez Mme de Warens, il avait vécu de charité comme moi, n'avait-il pas dû tout accepter de ses mains? Il y avait donc eu des misérables qui avaient osé parler et ne pas cacher leurs souffrances et leur avilissement involontaires. Puis était-ce un avilissement quand on avait été contraint? Est-ce que l'avilissement ne vient pas d'actes volontaires et choisis?

L'œuvre de Neel Doff échappe au romantisme de la misère et surtout à ce romantisme de la femme perdue, avec l'essai de réhabilitation que cela comporte, et qui forme tout un courant littéraire depuis Victor Hugo jusqu'à Léon Bloy et bien d'autres. Neel Doff ne cherche pas à se justifier. Elle n'attend pas une réhabilitation. Depuis le jour où, poussée par la misère et conduite sur le trottoir par sa mère, jusqu'à celui où elle était devenue une « bonne dame » dans la Campine, avec des traits de ressemblance avec la George Sand de Nohant, il n'y a pas de coupure. Elle disait à Frédéric Lefèvre, venu l'interviewer :

> Je ne suis ni une idéologue ni une doctrinaire. Toute mon œuvre est née de ma misère, et cette misère, qu'avec les miens j'ai endurée pendant vingt ans et qui m'a meurtrie pour le reste de ma vie, me rend sensible à toutes les misères du monde. Lorsque je vois autour de moi des êtres entravés dans leur développement, des enfants doués pour l'étude et qui ne peuvent étudier parce que trop tôt ils doivent gagner leur vie, je revis les angoisses de mon adolescence.

*Jours de famine et de détresse* nous montre les parents de Keetje, jeune couple que la misère déprave peu à peu. L'homme est cocher. Il sombre dans l'ivrognerie et la fainéantise, cependant que sa femme ne peut nourrir leurs nombreux enfants.

*Keetje trottin* est l'histoire de l'auteur, ignorante et naïve parmi les vices qui l'entourent. Saute-ruisseau chez une modiste, on lui refuse l'apprentissage à cause de ses haillons. Rabrouée, meurtrie, elle ne trouve nulle part ni aide ni conseil. Sa mère a trop d'enfants pour s'occuper d'elle et sa sœur aînée, prostituée, la déteste. C'est celle-ci qui l'amènera à faire le même métier, aidée en cela par leur mère. *Keetje* nous dit sa vie de prostituée.

En plus de cette suite autobiographique, Neel Doff a écrit d'autres livres, comme la suite de nouvelles réunies sous le titre *Une fourmi ouvrière* (1935), où nous retrouvons la famille de Keetje, en particulier le « Grelotteux », portrait d'un de ses frères, accordéoniste de brasserie, puis vagabond. L'histoire de Stienje est inoubliable. On pense à Hamsun lorsque Neel Doff parle de la faim. Quant aux pages que cet écrivain a consacrées à l'amour, je ne vois nul auteur féminin qui atteigne à cette puissance, ni à cette sensualité. Colette paraît en effet bien mièvre si l'on compare les deux auteurs.

Neel Doff a également décrit les paysages, les bêtes et les gens de son pays dans *Campine* (1926) et *Dans nos bruyères*.

## Panaït Istrati (1884-1935)

Panaït Istrati, né à Braïla, en Roumanie, en 1884, mort à Bucarest le 16 avril 1935, a publié une vingtaine d'ouvrages pendant les dix dernières années de sa vie. Ce vagabond, fils d'un contrebandier et d'une blanchisseuse, voyageant le plus souvent en fraude et se faisant jeter à la côte dès la première escale, fut tour à tour garçon de cabaret à treize ans, pâtissier, serrurier, terrassier, débardeur, mécanicien, homme-sandwich, domestique, peintre en bâtiment, garçon de garage, photographe, etc. Il commença à se faire connaître en France en se tranchant la gorge sur la Promenade des Anglais, à Nice, en 1921. Deux ans plus tard, il rencontrait Romain Rolland qui lui fit publier dans *Europe* son premier livre, *Kyra Kyralina*, en proclamant l'auteur « un Gorki balkanique ». En 1925, Poulaille imagina de créer un prix pour lancer *Oncle Anghel*. L'idée réussit et le « Prix sans nom » contribua au succès d'Istrati jusqu'alors boudé par le public.

Mythomane, Panaït Istrati se croyait marqué du signe des témoins de son époque. Malgré l'accueil enthousiaste qui lui fut fait en U.R.S.S., il en revint déçu et ne cacha pas cette déception. Depuis lors, attaqué de tous côtés, il se retira dans sa Roumanie natale et y mourut peu après.

L'œuvre de Panaït Istrati n'est pas à proprement parler une œuvre d'écrivain prolétarien. Il fit d'innombrables métiers, plus en aventurier qu'en prolétaire. Mais cet autodidacte, qui réussit ce prodige d'écrire dix-huit livres dans une langue qui n'était pas la sienne, nous a laissé une sorte d'épopée populaire balkanique passionnante et que l'on ne peut en effet comparer qu'à l'œuvre sœur de Gorki.

## Édouard Peisson, Louis Hémon
## L. et M. Bonneff, etc.

Les signataires du *Manifeste de l'École Prolétarienne*, ou les écrivains qui s'y rattachèrent, n'ont pas tous fait ensuite une œuvre typiquement prolétarienne. Ainsi Charles Plisnier dans l'ensemble de son œuvre. Peut-on qualifier Maurice Fombeure de poète prolétarien? Non, sans aucun doute. Ce poète rustique et fantaisiste, aussi savoureux soit-il, est hors de notre propos. Et Jean Loubes? Évidemment, la collection de livres populaires à bon marché qu'il dirigea en 1937-1938 peut lui valoir un déférent coup de casquette, ainsi qu'à Henri Philippon pour la même raison. Mais par ailleurs je ne vois pas très bien en quoi ces deux personnages estimables peuvent être classés parmi les écrivains prolétariens. Et il en est de même pour le critique cinématographique Marcel Lapierre, pour Georges Altman, pour Pierre Autry et pour Charles Wolf.

*Édouard Peisson.*

Le cas d'Édouard Peisson (1896-1963) n'est pas si simple. On a souvent reproché à Poulaille, et à moi-même ensuite, de classer Peisson parmi les écrivains prolétariens. Alors pourquoi pas Roger Vercel, me disait-on? Pourquoi pas Cendrars? Signataire du *Manifeste de l'École Prolétarienne*, et ayant participé à toutes les entreprises du groupe, Édouard Peisson fut marin avant de devenir romancier de la mer. Autodidacte, marin navigant de dix-huit à vingt-sept ans, puis officier de la marine marchande, le chômage de 1923 devait obliger Peisson à abandonner la mer et il devint employé dans une préfecture. C'est alors que, pour se guérir de la nostalgie de son métier, il se mit à écrire. Et si l'ensemble de l'œuvre de Peisson est avant tout celle d'un homme de la mer, *Hans le marin* et *Une femme* peuvent en effet être considérés comme des œuvres prolétariennes. « Ce serait un film parfait, écrivait Poulaille dans *Nouvel Age*, à propos de *Hans le marin*, mais il est vrai que la censure obligerait à d'absurdes mutilations. » Vingt ans plus tard, *Hans le marin* passait sur les écrans et, comme l'avait prévu Poulaille, assez mutilé. Il y a dans ce livre une belle peinture du Vieux-Port à Marseille et de sa pègre. Cette ville est d'ailleurs le port d'attache de l'œuvre de Peisson. C'est encore là que se déroule l'histoire d'*Une femme*, l'un des rares livres mettant en scène une prostituée qui puisse se rapprocher de ceux de Neel Doff, sans atteindre évidemment à la déchirante authenticité de la romancière flamande de langue française.

***

Plus près de l'objet de notre livre sont ces deux journaux de bord de marins : *Immobilisto*, de Jean Praux, et *Le Caïd du bord* (1952), de Maurice Lime.

Léon et Maurice Bonneff nous ramènent au cœur de notre sujet. Ces deux frères, autodidactes, firent, sur la suggestion de Lucien Descaves, des enquêtes minutieuses dont la première, *Les Métiers qui tuent*, parut en 1905. *La Classe ouvrière* est une suite de monographies consacrées aux différents corps de métiers (tisseurs, travailleurs du feu et du fer, travailleurs à domicile, égoutiers, etc.) Enfin, deux romans : *Didier, homme du peuple*, et *Aubervilliers*, s'ils ne sont pas d'une lecture toujours séduisante, constituent deux documents remarquables.

Léon Bonneff fut tué en décembre 1914, à la guerre, et son frère, porté disparu comme Péguy, Pergaud, Alain Fournier et tant d'autres, ne revint jamais. Prématurément arrêtée, l'œuvre documentaire des frères Bonneff devait cependant avoir une influence sur certains journalistes, notamment sur André Sévry.

> Ils laissent parler les faits, écrivait à leur propos Lucien Descaves, ils enfoncent quelques chiffres seulement, comme des clous dans notre mémoire; ils contiennent une émotion qui pourrait, en leur embuant les yeux, les empêcher de bien voir... Le temps qu'on perdrait à s'apitoyer, enfin, ils aiment mieux l'employer à ce qu'on n'ait plus sujet de gémir.

***

On connaît aujourd'hui Maximilien Gauthier, critique d'art. Mais qui se souvient du romancier prolétarien qui publia en 1922 *La Vie d'un homme* et, quelques années plus tard, *Les Forces* que Lucien Descaves présentait comme « non pas d'un élève mais d'un continuateur de Gustave Geffroy, auteur de *L'Enfermé* et de *L'Apprentie*, deux de ces beaux livres que l'on ne refait pas tous les dix ans, car ils réclament les clartés et un désintéressement de plus en plus rares dans les lettres».

Autodidacte, Maximilien Gauthier fut employé de magasin à quinze ans, puis il travailla dans une banque. Avec un camarade, il composa des chansons qu'ils allaient chanter dans les restaurants ouvriers. Ce n'est qu'à partir du moment où Maximilien Gauthier devint secrétaire du critique d'art Vauxelles qu'il put compléter ses études et se lancer lui aussi dans la critique d'art après la guerre de 1914-1918, encouragé par Gustave Geffroy.

***

Parmi les écrivains prolétariens reconnus par Poulaille, citons encore Louis Hémon, l'auteur de *Maria Chapdelaine;* Auguste Brepson, *Un gosse;* Gaston Vaudelin, *Rue Mouffetard*, publié dans *le Peuple* en 1936; Romagne, *Pot-Pourri*, roman des luttes ouvrières de 1930 à 1938; Gaston Guiraud, *P'tite gueule;* Brenn, *Yves Madec;* Charles Desse (1877-1936), *Fil à Fil;* Louis Paul, *La Cité;* Jean Lombat, qui fut à l'origine du parti socialiste français, *Loïs Majourès;* Léon Gerbe (né en 1902), *Au pays d'Artense* (1930), *Amblard et la solitude* (1932), etc. En 1935, Léon Gerbe publia un essai sur la « peinture prolétarienne » qui devait être remise à la mode quinze ans plus tard par Aragon et Fougeron sous l'étiquette de « peinture réaliste-socialiste ».

En dehors de l'École Prolétarienne, nous ne pouvons pas négliger des livres « ouvriéristes » comme *Pain de brique*, de Jean Fréville; *Tu seras ouvrier*, de Guéguen-Dreyfus; *Manifestation interdite*, de Léon Moussinac; *La Conspiration*, de Paul Nizan.

### Jean Giono (1895-1970), Marcel Jouhandeau (né en 1888) Jean Guéhenno (né en 1890)

Fils d'un cordonnier comme Guilloux (et comme Guéhenno), Jean Giono fit, lui aussi, des études secondaires (plus brèves), puis fut employé de banque dans sa ville natale de Manosque. Ce n'est donc pas un écrivain ouvrier, ni un écrivain paysan, mais un écrivain d'origine ouvrière dont l'œuvre, du moins dans sa première partie, est foncièrement d'expression populaire.

Dans *Jean le Bleu* (1932) Giono nous conte son enfance dans la cordonnerie familiale. Mais dès *Colline* et *Un de Baumugne* (tous deux publiés en 1929), Giono s'affirme comme un curieux écrivain de la paysannerie, où le symbolisme panthéiste joue un rôle capital dans l'action du récit. De *Solitude de la pitié* (1932) aux *Vraies Richesses* (1936), en passant par *Que ma joie demeure* (1935), Giono entreprend une vraie croisade naturiste et antiprogressiste qui devait lui amener de nombreux disciples. De Manosque, Giono apparaissait comme un sage, un gourou paysan, prêchant le retour à la vie pastorale. Aujourd'hui où, des hippies aux communautés naturistes, une fascination de la vie fruste s'exerce sur les citadins, où la société industrielle est remise en question au nom de la pollution et de la déshumanisation des villes, l'œuvre de Giono retrouve une singulière résonance.

Nous n'avons pas été créés pour le bureau, pour l'usine, pour le métro, pour l'autobus, écrit Giono dans *Les Vraies Richesses*. Notre but n'est pas d'être assis dans un fauteuil et d'acheter tout le blé du monde en lançant des messages le long des câbles transocéaniques.

L'important, c'est de redevenir les blondasses vagabonds du monde. Je suis contre le pouvoir des hommes *(Que ma joie demeure)*.

Cette société bâtie sur l'argent, il te faut la détruire avant d'être heureux. Posséder est bien la gloire de l'homme quand ce qu'il possède en vaut la peine. Ce qu'on te propose ne vaut pas la peine *(Les Vraies Richesses)*.

Haine de la ville, du machinisme, du progrès; idéal d'une vie pastorale, artisanale, rurale, la philosophie de Giono est assez simpliste, mais il n'empêche qu'elle constitue un rappel à l'ordre, face aux aberrations de la course à un hypothétique progrès. Sa *Lettre aux paysans sur la pauvreté et la paix* vaut d'être méditée et son *Refus d'obéissance* a été l'acte courageux d'un objecteur de conscience qui fut payé de prison.

Néanmoins, l'œuvre de Giono se rattache assez mal à notre sujet, sinon par le fait que son premier livre fut publié par Poulaille et qu'il collabora aux publications de l'École Prolétarienne.

***

Et Jouhandeau, pourquoi n'apparaîtrait-il pas ici? N'est-il pas le fils d'un petit boucher rural, et le petit-fils d'une boulangère, n'a-t-il pas fait pivoter toute son œuvre autour de la vie populaire d'une petite ville, Guéret, comme Guilloux autour de Saint-Brieuc et Giono autour de Manosque? La suite de son *Mémorial : Le Livre de mon père et de ma mère* (1948), *Le Fils du boucher* (1951), *La Paroisse du temps jadis* (1952), *Apprentis et garçons* (1953), *Le Langage de la tribu* (1955), constitue une chronique de la vie populaire rurale d'une minutieuse précision. *L'Oncle Henri* (1943), *Les Pincengrain* (1948), *Le Journal du coiffeur* (1931), *Chaminadour* (1953), *Essai sur moi-même* (1947), autant d'ouvrages qui expriment dans un chuchotement discret, mais précis, les travers et les qualités des obscurs, « la vie quotidienne aux travaux ennuyeux et faciles », comme disait Verlaine. Jouhandeau est plus proche de Jules Renard que de Poulaille, mais il n'est pas loin de Charles-Louis Philippe dont *La Mère et l'enfant* fut pendant longtemps son livre de chevet.

***

Quant à Jean Guéhenno, adversaire de l'École Prolétarienne, outre ses deux essais capitaux sur les problèmes du peuple et de la culture : *L'Évangile Éternel* (1927), *Caliban parle* (1928), son livre de souvenirs d'enfance et de jeunesse, *Changer la vie* (1961), se rattache directement à notre sujet. Comme Gaston Bachelard, Jean Guéhenno est l'exemple rare d'un autodidacte qui a suivi par ses propres moyens la filière des études classiques. Travaillant très tôt dans une usine, Guéhenno prépara seul son baccalauréat puis réussit le concours d'entrée à l'École normale supérieure qui devait le conduire à de hautes fonctions à l'Éducation nationale. Est-il, de ce fait, moins « prolétarien » que l'écrivain professionnel Louis Guilloux, que le journaliste André Sévry, que l'ancien officier de marine Édouard Peisson, que l'ancienne prostituée rangée des affaires Neel Doff? Voire...

**Jean Meckert (né en 1910), Benigno Cacérès (né en 1916)**
**Louis Calaferte (né en 1928), Michel Ragon (né en 1924)**
**Roger Chateauneu (né en 1920), Bernard Clavel (né en 1923)**
**Claire Etcherelli (née en 1934)**

Nous avons vu dans notre chronologie que le mouvement de littérature prolétarienne s'était continué par différents groupes jusque vers 1960. Ce qui ne veut pas dire que, depuis, il n'existe plus d'écrivains d'expression populaire, ni d'écrivains ouvriers et paysans. Nous verrons, plus loin, que la source n'est pas tarie.

Nous avons classé ici sept écrivains d'origine populaire, tous autodidactes, et tous ayant été travailleurs manuels. L'ordre observé est celui de la date de publication de leur premier roman.

Jean Meckert, qui fut ouvrier mécanicien puis employé de bureau, a écrit un livre admirable, *Les Coups*. C'est l'histoire d'un couple, un ouvrier de culture ouvrière et sa femme de culture petite-bourgeoise, et l'incommunicabilité qui s'établit entre eux en raison de cette différence de culture. Dans ses *Interviews imaginaires*, André Gide a écrit : « Avez-vous lu le roman de Jean Meckert : *Les Coups?* Je doute si l'auteur, un ouvrier tout jeune encore, connaissait le livre de Paulhan, mais ce roman semble une illustration fort éloquente des *Fleurs de Tarbes*... C'est le drame même de l'expression des mots. »

Avec *La Ville de Plomb* (1949), Jean Meckert a traité de nouveau du problème de l'incommunicabilité, mais cette fois-ci dans le corps social : « A la tombée de la nuit, écrit-il, dans le pays de la solitude, il y a des milliers de lumières qui scintillent. Ce sont des gens qui désirent entrer en communication... J'ai l'impression que toute la vie c'est ça... Tenir la communication avec les autres... Des fois, il suffit d'un rien, et ça s'arrête, et jamais ça ne reprend. »

Jean Meckert n'a plus écrit de roman prolétarien depuis de nombreuses années. Il est devenu auteur d'un grand nombre de romans policiers sous divers pseudonymes.

***

Benigno Cacérès, fils d'un charpentier et d'une femme de ménage, fut lui-même charpentier avant de devenir éducateur. Depuis sa création, après la Libération, il anime le mouvement d'éducation populaire *Peuple et Culture*. Il dirige aux Éditions du Seuil une collection dans laquelle ont été publiés tous ses ouvrages concernant l'éducation populaire : *Regards neufs sur les autodidactes* (1960), *Regards neufs sur la culture* (1961), *Regards sur le mouvement ouvrier*, anthologie en collaboration avec Chris Marker (1967), *Histoire de l'éducation populaire* (1964), *Loisirs et travail du Moyen Age à nos jours* (1973), *Les Métiers du bâtiment*.

Son premier roman, *La Rencontre des Hommes* (1950), nous montre un jeune ouvrier charpentier qui se cultive par tous les moyens et qui essaie ensuite d'aider ses camarades. *L'Espoir au cœur* (1967) nous parle de Cacérès dans le maquis du Vercors où il est chargé de l'éducation populaire. Il élabore avec ses amis une révolution culturelle qui aboutira au mouvement *Peuple et Culture*. *La Solitude des Autres* (1970) est une suite de tableautins dans le vieux quartier du Toulouse de son enfance : l'école communale, le charbonnier, le chiffonnier, la première demoiselle, etc. Mais ce livre a le défaut d'un grand nombre de livres « prolétariens » : un style terne, une morale édifiante, le souvenir de la bonne dictée.

Il n'empêche que l'on trouve dans les livres de Cacérès des accents qui ne peuvent venir que sous la plume d'un ancien ouvrier et que les littérateurs qui se veulent gauchistes auraient tout intérêt à méditer :

J'ai entendu dire qu'en donnant de l'instruction à l'ouvrier, on faisait de lui un déclassé. Je n'ai jamais cherché dans la lecture, dans le *savoir*, le moyen de quitter mon métier et mon milieu. Je partage le dédain de mes camarades pour les transfuges... Les bons ouvriers avec qui j'ai travaillé m'ont enseigné un honneur du métier qui veut qu'aucune circonstance ne justifie un renoncement à l'exercer. Ils m'ont enseigné qu'il est un honneur dans le *refus de parvenir*. Tout cela sans aucune illusion. Le lyrisme qui consiste à croire ou à faire semblant de croire que le métier donne constamment des joies créatrices est un mensonge. La part du savoir-faire indispensable à son exercice devient de plus en plus petite, la part de rationalisation de plus en plus grande.

En 1974, Benigno Cacérès a publié un livre où le compagnonnage tient une grande place : *Le Compagnon charpentier de Nazareth.* « Mon père était charpentier, rappelle Cacérès. Pendant dix-huit années de mon existence j'ai exercé le métier de charpentier. Je suis compagnon charpentier « Castillan-la-Fidélité... » Aujourd'hui vingt mille compagnons sont sur le Tour de France, font leurs chefs-d'œuvre. Si cet ordre, le seul, s'est maintenu, c'est qu'il doit y avoir quelque raison. »

***

Louis Calaferte, né à Milan, vécut à Lyon à partir de l'âge de trois ans. A treize ans, il travaillait dans une usine de piles électriques, puis il devint ouvrier dans une fabrique de matelas et enfin dessinateur dans une soierie. En 1950, il écrit son premier roman alors qu'il est vendeur de journaux à Paris et l'envoie à Joseph Kessel. Ce dernier lance le livre publié sous le titre *Requiem des Innocents* (1952). Roman excellent, qui traite peut-être plus du sous-prolétariat que du prolétariat, et qui devait être suivi, en 1953, par *Passage des Vivants.*

Ces deux romans donnèrent à Calaferte une notoriété enviable. Mais il abandonna alors la veine prolétarienne pour travailler pendant quatre ans à la rédaction de *Septentrion*, paru hors commerce chez

Tchou en 1963. La même année, il publie des nouvelles d'expression poétique, *No man's land.* En 1968, après un nouveau silence de cinq années, il commence à publier une suite d'ouvrages : *Rosa mystica*, *Satori*, où il rompt avec la technique traditionnelle du roman et se livre à une exploration de l'inconscient.

***

Il est toujours délicat pour un historien, qui est aussi un militant de l'action qu'il relate, de s'introduire lui-même dans l'Histoire. Il nous a paru néanmoins utile de relater notre action militante dans la chronologie de 1945 à 1960 puisque celle-ci continue celle d'Henry Poulaille et qu'elle est étroitement liée aux différents groupes formés après la Libération. Nous nous contenterons de rappeler ici les deux ouvrages qui précèdent cette *Histoire de la littérature prolétarienne : Les Écrivains du Peuple* (1947), *Histoire de la littérature ouvrière* (1953) et ceux, parmi nos romans, qui appartiennent plus typiquement à la littérature prolétarienne : *Drôles de métiers* (1953), *Drôles de voyages* (1954), *Une place au soleil* (1955), *Les Quatre Murs* (1966), *Nous sommes dix-sept sous une lune très petite* (1968).

René Wintzen, dans le recueil IV de *Littérature de notre temps* (Casterman éditeur) a fait ce portrait : « Issu d'une famille modeste de paysans et d'artisans vendéens, né par accident à Marseille, Michel Ragon est un autodidacte. Dès l'âge de quatorze ans, il travaille pour gagner sa vie. Très jeune, il découvre à travers ses lectures désordonnées Jean-Jacques Rousseau et Jules Michelet, Fourier et Leroux, les socialistes utopiques du XIXe siècle... A quarante ans, ses périples à travers quatre continents le confirment dans la voie qu'il a choisie, et qui a fait de lui, à force de persévérance et de courage, un romancier du métier du pauvre, des voyages et des vagabondages, des options politiques, sociales, voire révolutionnaires, un critique d'art qui, pendant vingt-cinq ans, s'est attaché à faire découvrir à ses contemporains les peintres et les sculpteurs d'avant-garde et un critique de l'architecture moderne et prospective. Les caractéristiques de son œuvre, qui comprend déjà une quarantaine de volumes et de monographies, peuvent se ramener à une unique préoccupation : celle de l'homme placé au cœur de la cité qui devrait être construite pour lui... Michel Ragon, en authentique autodidacte, en socialiste qui connaît la valeur de l'agitation et de l'action réalistes, cherche à travers la littérature, la peinture, les arts plastiques et l'architecture, des clés qui ouvriront à l'homme le domaine de la liberté et de la fraternité vraies. »

***

Roger Chateauneu, né d'un père forgeron dans la banlieue bordelaise, fut manœuvre, ouvrier métallurgiste, instituteur, puis journaliste à *Paris-Match*. *Les Harpes de fer* (1961) nous montrent un ouvrier qui, depuis trente ans, part chaque matin à son travail. « Toute son existence n'aura été qu'une fraction de cent mille heures derrière une machine. Un dimanche soir, il assiste à un concert pour la première fois. Et il lui apparaît que l'acier qui a dévoré sa vie parle comme les harpes... L'ennui et la peine des hommes servent à construire l'inexplicable beauté. »

*Les Brasiers* (1964) ont pour personnage central « une gigantesque usine, son décor noir et rouge — suie et métal en fusion — ses bruits violents et mélancoliques ». Il s'agit des hauts fourneaux d'une grande aciérie du Nord avec une action basée sur cette coutume : lorsqu'un ouvrier tombait dans un haut fourneau on remettait à la veuve, à la place du corps calciné dont il ne restait rien, un simple lingot de la coulée de métal. *Les Myrtes* (1968) nous racontent, dans le cadre des faubourgs industriels de Bordeaux, l'amitié entre un garçon de treize ans et un vieil ouvrier magasinier qui espère que l'enfant relèvera le défi des joies volées aux hommes de sa condition. *Par la plus haute porte* (1973) nous emmène dans un chantier de charpentes métalliques.

Le style de Chateauneu, ampoulé, tombe souvent dans le pire populisme. L'authenticité des souvenirs est gâchée par une volonté de « faire poétique ».

***

L'œuvre de Bernard Clavel, né à Lons-le-Saunier, est sans doute celle qui, depuis la Seconde Guerre mondiale, s'apparente le mieux à l'esprit de l'École Prolétarienne de Poulaille. Bien que le premier roman de Bernard Clavel date de 1956, *L'Ouvrier de la nuit* (le livre le plus dur, le plus sec, le plus déchirant de Bernard Clavel), nous le situons ici en 1962, date à laquelle le prix Populiste lui est attribué pour *La Maison des Autres*, son premier roman prolétarien de la suite intitulée *La Grande Patience*. C'est l'histoire d'un apprenti pâtissier à Dole, exploité par ses patrons. En 1938, il découvre la solidarité ouvrière. Le second volume, *Celui qui voulait voir la mer*, se situe en 1940, pendant l'exode. C'est un tableau d'une petite ville de province et un portrait de la mère et du père de l'auteur. Le volume trois, *Le Cœur des vivants*, c'est le premier amour à dix-huit ans, la guerre, la mort, l'amitié. Le quatrième, *Les Fruits de l'hiver*, nous montrent le père et la mère septuagénaires qui ne comprennent plus un monde déboussolé et où l'ancien boulanger n'a plus de pain.

Outre cette fresque de la vie ouvrière rurale, Bernard Clavel, dans une œuvre abondante et qui a trouvé un vaste public populaire, nous a donné d'autres romans qui peuvent être apparentés à la littérature prolétarienne : *L'Espagnol* (1959), le drame du travailleur immigré; *Le Seigneur du fleuve* (1972), le roman de la batellerie d'autrefois; *Le Voyage du père* (1965), *Le Tambour du bief* (1970), un infirmier et l'euthanasie; *L'Hercule sur la place* (1966). A propos de ce roman de la fête foraine, Bernard Clavel écrit : « Nous avons tous le souvenir de maîtres dont l'enseignement nous a marqués. Quand je cherche parmi les miens, le visage qui s'impose est celui de Kid Léon. Ce n'était pas un philosophe, mais un hercule de place publique. Il n'avait jamais quitté l'école où il avait tout appris; simplement il avait fini par passer, sans s'en apercevoir, au rang de ceux qui enseignent. Cette école était la vie. Elle avait pour cadre la fête foraine. Kid enseignait, par l'exemple, la morale, l'honnêteté, le goût de la lutte loyale pour la vie en un monde où rien n'est facile. »

Fils d'un boulanger, ancien ouvrier pâtissier, ayant mené de longues années misérables dont *L'Ouvrier de la nuit* est l'écho, Bernard Clavel est sans doute aujourd'hui l'écrivain prolétarien qui a le mieux « réussi », c'est-à-dire qu'il a réussi la difficile équation d'être lu par des lecteurs qui appartiennent au même monde que les personnages de ses romans.

***

Claire Etcherelli, née à Bordeaux, fut boursière, puis ouvrière à la chaîne en usine pendant deux ans. De cette expérience, elle a tiré un très beau livre, qui est en même temps un plaidoyer contre le racisme devenu inquiétant dans la classe ouvrière depuis l'afflux de main-d'œuvre étrangère, *Élise ou la vraie vie* (prix Fémina, 1967). *A propos de Clémence* (1971) nous parle de la banlieue ouvrière, d'un bidonville, de la file d'embauche devant l'usine et le magasin, de la fatigue des pauvres.

***

D'autres écrivains prolétariens sont encore à citer : l'ancien menuisier et ancien ouvrier à la chaîne en usine, devenu fonctionnaire sur concours, Eugène Fleuré : *Sortir du Noir* (1946); Charles Abdullah : *Hep Taxi* (1955); Jean Gilbert : *L'Enfant et le Harnais* (1962); Roumieux : *Je travaille dans un asile d'aliénés.*

## Expression populaire, néo-populisme misérabilisme, mythologie des ailleurs...

On parla beaucoup, en 1944, de *La Petite Musique* de Robert Brassy. Né en 1911, fils d'un bûcheron et d'une fromagère, apprenti serrurier à treize ans, puis manœuvre couvreur, ferrailleur, aide-monteur en chauffage central, ajusteur, Brassy eut une chienne de vie augmentée par la surdité à la suite de son incorporation dans la marine. Je l'ai connu documentaliste d'entreprise et fort aigri. Qu'est-il devenu? Aucun éditeur n'a plus publié Brassy, ce qui ne veut pas dire qu'il n'a plus écrit, ni qu'il n'ait rien à dire.

Robert Édouard est également disparu, aux dernières nouvelles disparu dans la « presse du cœur », ce qui est moins tragique que pour Brassy, bien qu'encore... En 1947, ses poèmes *Mansardes* suivis en 1952 d'un autre recueil : *Je suis né d'une sans étoile* avaient laissé penser qu'en Robert Édouard naissait un grand poète prolétarien. Ses poèmes disaient le carillon infernal du réveille-matin, l'odeur du métro, les bruits de l'usine et les bruits des chambres meublées. Il avait mis en poésie le quartier de Mouffetard et celui de la place d'Italie où il vécut à son arrivée à Paris. Ce Normand à la gouaille de Parigot avait quelque chose du camelot de foire et de Gavroche. Sa personnalité était grande. Pendant un temps, son taudis de la rue Mouffetard fut un rendez-vous d'amis et de curieux. Vrai poète, poète de la vie ouvrière comme nous n'en avions pas connu depuis Tristan Rémy. Comme le Tristan Rémy de *Prolétariat* il est tombé dans l'oubli [1].

1. Comme est tombé dans l'oubli l'un des poètes les plus originaux de sa génération : Armand Robin (1912-1961) auteur de *Ma vie sans moi* (1940), *Poèmes indésirables* et d'un roman : *Le Temps qu'il fait* (1942). Fils de paysans bretons, Armand Robin ne peut guère être comparé qu'à Essenine. Mais qui le sait?

En 1945, avec *Enrico*, Marcel Mouloudji, fils d'un maçon algérien, sembla aussi apporter quelque chose de neuf dans l'expression populaire. Mais Mouloudji, homme orchestre, sans abandonner la littérature, a touché à tout : cinéma, théâtre, peinture, chanson...

On parla aussi beaucoup, après la Libération, d'Émile Danoën, auteur de *Cerfs-volants*, de *Rue des Enfants abandonnés* (1945), de *La Queue à la pègre* (1949). Émile Danoën continue. Mais *La Fille du voleur d'huîtres* (1952), *L'Homme qui héritait d'un meurtre* (1956) ne sont plus qu'une littérature grise, du populisme feuilletonesque...

Par incidente, pourquoi ne pas mentionner le tome I des sept volumes de Mémoires de Maurice Chevalier, *Ma Route et mes chansons*. Ce tome I, intitulé *La Louque* contient des pages parmi les meilleures qui aient été écrites sur la vie populaire. Neuvième enfant d'une femme d'ouvrier, Maurice Chevalier raconte son enfance : « Apprenti, jeune ouvrier, puis ouvrier; voilà ce que devait être normalement ma route. » Sa mère est passementière. Son père, peintre en bâtiment, ivrogne, finit par abandonner la famille. Son frère aîné est peintre en bâtiment, le cadet, graveur sur métaux. La petite tribu d'enfants aide comme elle peut la mère, la Louque. Maurice aidera très tôt la nichée en chantant. « Dans l'espoir que cela pourra peut-être, un jour, aider d'autres enfants d'ouvriers... je vais essayer de narrer ce qui, dans ma vie, me semblera pouvoir présenter quelque intérêt. Je tâcherai de n'oublier ni mes gratitudes, ni mes humiliations. Je traiterai de tout avec la fierté et la pudeur de tout enfant du peuple resté fidèle aux lois des petites gens. »

Certains romanciers qui ne sont pas « prolétariens » pourraient néanmoins être apparentés à notre sujet dans la mesure où quelques-uns de leurs livres expriment des aspects de la vie populaire. C'est le cas d'Emmanuel Roblès pour *Travail d'homme* (histoire de la construction d'un barrage), d'Yves Gibeau pour *Allons z'enfants* (1952) (les enfants de troupe) et *Les Gros Sous* (1954), de René Fallet pour *Banlieue Sud-Est* (1947), de Jean-Pierre Chabrol dont la majorité de l'œuvre a pour cadre les Cévennes et les épisodes de la lutte des Camisards. C'est un conteur, un chroniqueur picaresque, dont l'expression populaire puise à bonne source. *Le Bout galeux*, pour lequel il obtint le prix Populiste en 1956, se déroule par contre dans une cité dortoir de la banlieue Sud de Paris.

Robert Sabatier peut aussi être apparenté à cette veine populaire pour sa trilogie : *Les Allumettes suédoises* (1969), *Trois sucettes à la menthe* (1972), *Les Noisettes sauvages* (1974).

Dans toute l'histoire de la littérature prolétarienne, nous voyons régulièrement apparaître une frange, qui est la pègre. Frange bien sûr totalement honnie par les écrivains prolétariens marxistes, mais qui ne cesse d'exercer une certaine séduction sur quelques autres. Légion, Bat'd'Af, marlous, prostituées, représentent la mythologie des ailleurs et parfois aussi une frange « libérée » du prolétariat. Puisque nous avons parlé de Neel Doff, sans doute faut-il citer ici Albertine Sarrazin, auteur de *L'Astragale*. Mais alors pourquoi ne pas faire une place à l'argotique et truculent Alphonse Boudard : *La Cerise* (1963), *Les Matadors* (1966), *L'Hôpital* (1972), et à Julien Blanc (1908-1951), pupille de maison de correction, malfaiteur malchanceux et déserteur bataillonnaire qui commença une poignante confession avec *Seule la Vie* (1943).

Il existe également toute une postérité célinienne de laquelle émerge Jean Douassot avec *La Gana* (1958) et *Nœud coulant* (1971). Deux livres « énormes », aux personnages inoubliables. Mais, là aussi, c'est la frange, le lumpenproletariat des hommes-cloportes.

CHAPITRE VII

# *Écrivains ouvriers*

*Je pense que bientôt chaque catégorie sociale, chaque corporation aura ses écrivains qui montreront l'âme juste et la vie vraie des gens de leur classe; ainsi le roman deviendra plus sincère et la poésie plus humaine...*

Émile GUILLAUMIN.

Nous voulons parler maintenant des ouvriers qui, entre les deux grandes guerres, ont fait une œuvre littéraire plus ou moins copieuse, plus ou moins réussie, en tout cas jamais tapageuse, jamais très connue, mais d'une sincérité, d'une authenticité toujours émouvantes.

Classer ces ouvriers par métiers est un peu simpliste. Mais le métier, leur métier manuel, est au centre de leur œuvre. Le cheminot René-Marie Hermant appartient, et par son métier, et par ses livres : *Ballast* et *Sale Coin*, à la corporation du rail. Adolphe Loffler a été manœuvre dans les chantiers de construction du métropolitain de Paris, avant d'écrire *Métro*. Nous avons vu, en citant les numéros spéciaux de *Prolétariat*, que les écrivains postiers formaient toute une famille de laquelle se détachent Charles Bontoux-Maurel et Sylvain Massé. Par contre, la téléphoniste Henriette Valet est l'auteur de *Madame 60 bis* (1934) et de : *Le Mauvais temps* (1937), livres puissants mais qui ne parlent en rien de son métier. Toute classification est difficile, et il serait arbitraire de demander à Mme Simone Bodève de nous parler uniquement du rôle de la dactylo dans la société moderne et au coiffeur Siméon Guiet de ne pas se préoccuper d'autres problèmes que de ceux qui peuvent tourmenter les « artistes capillaires ».

Il serait peut-être aussi judicieux de les classer par région. Léon Bocquet, dans *Maintenant* no 7 (Grasset éd.), a fait une étude assez typique de ce régionalisme populaire en choisissant les poètes patoisants du Nord de la France : François Cottigny, dit Brûle-Maison (1648-1742); Alexandre Desrousseaux (1820-1892), l'auteur du « P'tit Quinquin »; Jules Watteeuw, dit Le Brouteux (1849-1947), Hector Grinon (1807-1870), le mineur Jules Mousseron (1869-1943), etc. Et Léon Bocquet remarquait très pertinemment que ces « peintres attentifs et truculents des mœurs et des coutumes ancestrales », s'ils « ne créent ni ne recréent », s'ils « se cantonnent dans les faits divers locaux et la petite histoire des communautés réduites », ils s'affirment à leur insu « comme les continuateurs et non les rénovateurs des auteurs de fabliaux rimés dont ils sont les descendants lointains ».

De ce fait, il ne faut pas s'attendre à ce que ces auteurs populaires puissent dépasser le cadre de leur région, sauf si, comme c'est le cas chez Mousseron, leur vision du monde, même restreinte, est si particulière qu'elle se dégage par là de tout régionalisme.

Mais il existe encore des auteurs plus localisés que les poètes régionaux. Les bourgades, les cantons ne sont pas rares qui ont leur barde patoisant, à la fois parolier, compositeur et musicien des bals et des noces. Roger Desmauves écrivait dans *La République du Centre*, le 4 novembre 1947, à propos de mon livre sur les *Écrivains du peuple*, un article dans lequel il citait des écrivains ouvriers de sa région : Grivot, tonnelier et poète à Châteauneuf; Alexandre Levain, employé du gaz et poète à Montargis; Boucher, cordonnier et poète; l'Orléanais Guépidor, auteur de *La Petite Bourse du travail de province;* Daniel Desbordes, auteur de *L'Équipe de Chicot*, et un certain Florentin-Julien Fontenay, dit Tambour, qui écrivit je ne sais quoi.

Mais notre but n'est pas de faire un bottin ouvrier, destiné à concurrencer le Bottin Mondain. André Billy me reprocha dans *Le Figaro* et dans son livre de souvenirs *Le Balcon au bord de l'eau*, de n'avoir point fait mention de Marmousset, de son vrai nom Léon Nicolas, typographe à l'Imprimerie Nationale, qui attira sur lui l'attention des hommes de lettres, de 1922 à 1931, par ses récits argotiques et ses romans : *Au Lion tranquille* et *Mal-Loti*. D'autres critiques auraient pu me reprocher tout aussi bien d'avoir passé sous silence le nom de Lil Boël, la « madone des clochards », ou celui de Géo Sandry, l'auteur de *P'tit pote*. Et l'on pourrait allonger indéfiniment la liste, au gré des humeurs ou de l'érudition de chacun. Ceci prouverait la vitalité, la fécondité de l'expression populaire. Mais je préfère m'en tenir à quelques auteurs qui me semblent essentiels.

Et lorsque l'on parle de l'écrivain ouvrier entre les deux dernières guerres, la personnalité de Lucien Bourgeois est aussitôt celle qui s'impose et domine toutes les autres.

## Lucien Bourgeois (1882-1947)

Le cas de Lucien Bourgeois est le plus tragique qui soit, écrivait Henry Poulaille en 1930. Sa vie fut une longue suite de misères. Son expérience multiple fut toujours quasi inutile à tel point qu'au bout d'un demi-siècle il est à peu près aussi avancé que lorsqu'il dut entrer chez son premier patron.

J'ai connu Lucien Bourgeois quinze ans plus tard. Avant de débarquer à Paris, mon attention avait déjà été attirée sur Lucien Bourgeois par une note placée à la page 214 du *Caliban parle*, de Guéhenno.

J'emprunte ces paroles à un admirable petit livre, *L'Ascension*, de Lucien Bourgeois, écrivait Guéhenno. On y trouvera bien mieux que dans ces carnets sans doute l'âme de Caliban et le récit tragique de ses efforts vers la lumière et la conscience.

Puis, dès mes premières visites, Poulaille m'avait dit : « Il faut que tu ailles voir Bourgeois... Tu connaîtras ainsi le type même de l'écrivain prolétarien. » Poulaille était injuste avec tout le monde lorsqu'il parlait de Lucien Bourgeois. L'oubli dans lequel était tombé son ami, malgré tout ce qu'il faisait pour l'en sortir, lui paraissait à un tel point scandaleux qu'il n'hésitait pas à rabaisser les autres au profit de Bourgeois. Je devais souvent monter au logis de cet écrivain délaissé, y amener des camarades, m'asseoir à sa table. Je pourrais citer les portraits de Lucien Bourgeois que firent Barbusse, Peisson, René Bonnet et bien d'autres. Mais je fus lié si intimement aux dernières années de Lucien Bourgeois, et celles-ci ressemblent tellement, hélas! à ce que ses premiers amis ont dit des années antérieures, qu'il me suffit de laisser parler mes souvenirs.

Il habitait au sixième étage d'un immeuble du XVIII^e^ arrondissement, dans un logement constitué d'une cuisine exiguë et d'une petite chambre, et menait là l'existence difficile des employés de dernière catégorie. Ce logis de deux pièces, orné de bibelots de bazar et où la table touchait le lit, était identique à celui des prolétaires les plus pauvres. Sur les murs étaient encadrées des reproductions et des photos. En quoi cet homme et celle qu'il appelait sa bonne compagne différaient-ils des autres ménages du même palier avec lesquels ils faisaient bon voisinage? En quoi cet homme simple méritait-il que l'on parle de lui plutôt que de tel ou tel de ses collègues de bureau? Certains savaient qu'il avait fait de multiples métiers : ouvrier d'usine, manœuvre, concierge... Beaucoup moins savaient que ce petit homme paisible, prématurément vieilli par une obésité qui le rendait presque infirme, était un écrivain né parmi le peuple ouvrier et qui avait tenu à demeurer là où le sort l'avait fait naître. Il était de ceux qui suivirent à la lettre la théorie du « refus de parvenir » d'Albert Thierry.

J'ai compris à la longue, écrivait-il dans *L'Ascension* (1925), que le mieux que j'avais à faire, si j'étais susceptible de faire quelque chose de bon, était de rester moralement, et à tous les autres points de vue, avec ceux au milieu desquels le sort m'a fait naître. Cette prétention surprendra plus d'une personne, en commençant par mes proches, mais je sais que cela est bien et qu'il le faut.

Son adolescence d'ouvrier fut si dure qu'il n'avait même pas le moyen d'emprunter des livres à une bibliothèque. Et lorsqu'il put enfin s'instruire, se cultiver lui-même, il alla aussitôt vers ces ouvrages que le bibliothécaire disait être de ceux que l'on ne demande jamais. Livres philosophiques, livres sociaux furent pour cet ouvrier idéaliste de nouveaux évangiles. Il en vint à désirer connaître ses auteurs de prédilection. Un jour, il rencontra un curieux homme à binocle, encore plus mal vêtu que lui, emmitouflé dans une pèlerine, Charles Péguy.

A la demande de Marcel Martinet, Lucien Bourgeois, qui avait alors quarante-trois ans, écrivit son autobiographie : *L'Ascension*, que Jean-Richard Bloch publia chez Rieder. L'ascension dont il est question dans ce livre est évidemment toute morale, toute spirituelle, toute intellectuelle. Partir de rien, sortir d'une prison sans horizon, et découvrir peu à peu des terres nouvelles... Être toujours pauvre, mais se sentir libéré... Être obscur, mais se sentir agrandi... Devenir un homme.

Lucien Bourgeois avait coudoyé en camarade bien des personnages qui sont devenus illustres. Henri Barbusse avait préfacé son second livre, *Faubourgs*. Jacques Maritain avait été un de ses visiteurs familiers. Mais lorsque je l'ai connu, il vivait solitaire depuis de longues années. Il me parlait avec bonhomie de ses amis, dont il n'avait plus de nouvelles sinon par les journaux, de Ramuz qui restait un de ses écrivains préférés, du « petit Giono » que Poulaille avait publié pour la première fois dans *Nouvel Age*, en 1931, de Daniel Halévy qui venait souvent le voir dans sa loge lorsqu'il était concierge. Son « refus de parvenir » finit par agacer la plupart de ses amis qui le considérèrent comme un « type impossible » et se détachèrent de lui. Il ne savait pas « poser » dans les réunions publiques. Lorsque Robert Garric, l'animateur des Équipes sociales, lui consacra une conférence au quartier Latin, Émile

# 5. ÉCRIVAINS OUVRIERS

Constant Malva, ouvrier mineur.
*Photo X. Doc. M.R.*

Couverture du livre de Malva.
*Un mineur vous parle*, 19. . *Col. M.R.*

Autographe de Malva, en 1953. *Col. M.R.*

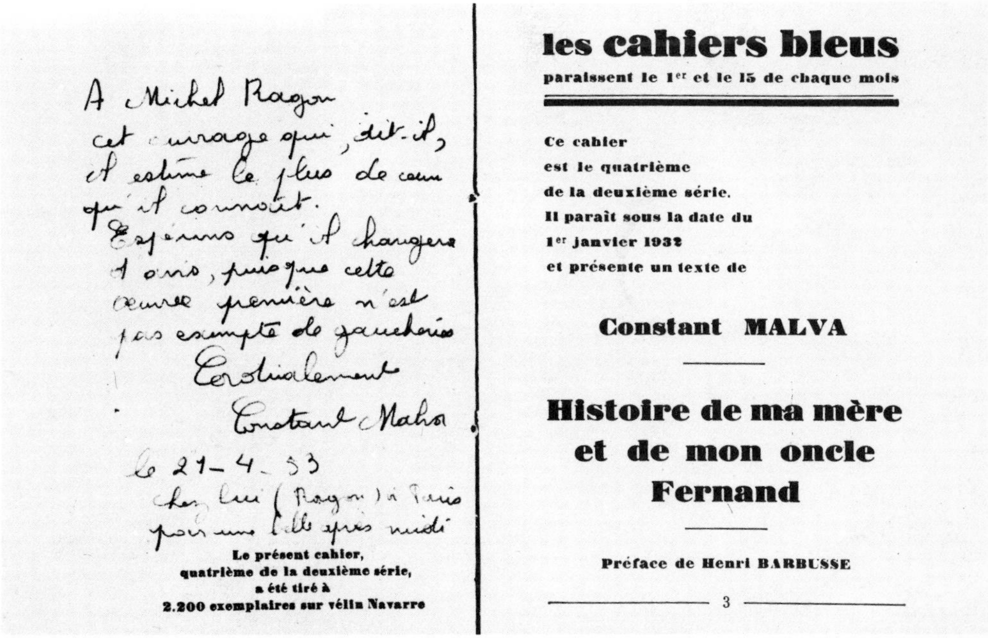

A Michel Ragon
cet ouvrage qui, dit-il,
il estime le plus de ceux
qu'il connaît.
Espérons qu'il changera
d'avis, puisque cette
oeuvre première n'est
pas exempte de gaucheries
Cordialement
Constant Malva
le 21-4-53
chez lui (Ragon) à Paris
pour une belle après midi

**Le présent cahier,
quatrième de la deuxième série,
a été tiré à
2.200 exemplaires sur vélin Navarre**

**les cahiers bleus**

**paraissent le 1er et le 15 de chaque mois**

**Ce cahier
est le quatrième
de la deuxième série.
Il paraît sous la date du
1er janvier 1932
et présente un texte de**

**Constant MALVA**

**Histoire de ma mère
et de mon oncle
Fernand**

**Préface de Henri BARBUSSE**

3

Ferdinand Teulé (lunettes et cravate), Henry Poulaille et René Bonnet, en juin 1938. *Photo X. Col. René Bonnet*

René Bonnet (veste noire) dans l'atelier de charpente, après l'achèvement de la structure du beffroi de Crécy-sur-Serre, 24 juillet 1964. *Photo X. Col. René Bonnet*

René Bonnet (petit gilet), Malva (béret), Henry Poulaille (nœud papillon) et Germaine Bonnet, chez René Bonnet en mai 1936. *Photo X. Col. René Bonnet*

aurice Lime, jeune militant aux
ines Renault, en 1930. *Photo X.*
*ol. Maurice Lime*

les Mousseron, extrait de *Les*
*rivains de chez nous,* par René
thier, Bruxelles, 1907. *Photo X.*
*bliothèque nationale*

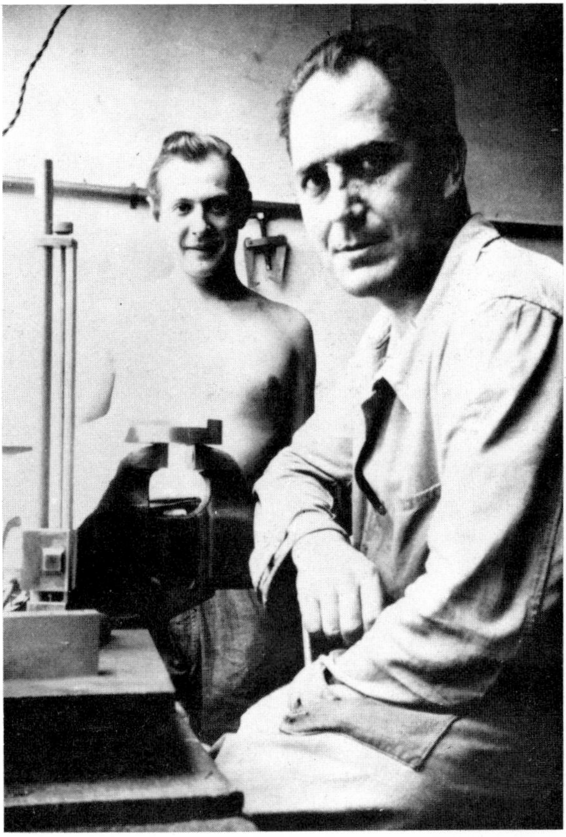

Maurice Lime,
outilleur chez Schrive, en 1947.
*Photo X. Col. Maurice Lime*

Georges Navel. *Photo Marc Foucault. Doc. Éditions Gallimard*

Édouard Dolléans (manteau) en visite ch
Émile Bachelet apiculteur en Gâtinais, en 194
*Photo Michel Rag*

Roger Boutefeu. *Photo Éditions du Seuil*

Baumann, enthousiasmé, lui disait en lui tapant sur l'épaule : « Eh bien, Bourgeois, c'est un triomphe! » A quoi l'interpellé répondait : « Un triomphe! Triomphe de quoi? » Et le lendemain, Lucien Bourgeois allait, comme tous les jours, travailler à l'usine.

Je ne sais trop comment il était devenu dans sa vieillesse employé aux Assurances sociales. Mais là encore c'était une sorte de poste de manœuvre qu'on lui avait donné, et grâce à de « hautes recommandations ». Lorsque je quittai Paris l'été 1947 pour aller en vacances dans ma famille, je savais que Lucien Bourgeois ne verrait pas encore la campagne cette année-là. Il n'avait presque jamais quitté ses logements faubouriens. Sa jeunesse était écoulée depuis longtemps quand les ouvriers obtinrent pour la première fois des vacances payées, en 1936. Il en arrivait à se représenter la campagne comme une terre américanisée avec des routes toutes droites, sans bosquets, une piste aride à travers les champs où les arbres étaient remplacés par des pylônes électriques. Cela valait mieux, au fond. Jamais il ne m'est venu à l'idée de le détromper, de lui dire que l'œuvre de Giono n'était pas aussi imaginaire qu'il le pensait. Il restait fidèle à une imagerie campagnarde très XVIIIe siècle, avec des diligences et des auberges fleuries, et n'enviait pas ceux qui partaient vers un dépaysement qu'il croyait factice. J'avais passé mon dernier dimanche de juillet avec lui. Il était très malade, presque impotent, mais faisait des projets d'avenir. Il rêvait d'être libre en sa vieillesse, de devenir bouquiniste, de revoir ses amis près de ses boîtes le long de la Seine. Mais il ne se faisait guère d'illusions. Devenu très croyant, il attendait la mort comme une délivrance, comme la libération d'un monde qui ne lui avait apporté que misère et déception, comme l'entrée dans un abîme de lumière et d'extase, comme la connaissance de la vérité. Le 2 août, une lettre de sa femme m'informait que Lucien Bourgeois était entré à l'hôpital, paralysé. Un télégramme suivit aussitôt : « Lucien décédé. » Il n'y avait guère à Paris que les peintres Cresson et Germain Delatousche pour suivre son convoi funèbre. Solitaire pendant toute sa vie, Lucien Bourgeois devait mourir, inaperçu, en l'absence de ses amis.

J'ai conservé longtemps tous les inédits de Lucien Bourgeois. Mais aucun éditeur n'a été tenté par l'édition des œuvres d'un écrivain mort et inconnu. Vingt-cinq récits forment un volume auquel l'auteur avait donné le titre : *Histoire d'un sou. L'Histoire d'un petit homme* était destinée aux enfants, et des poèmes chantent la peine des humbles et les paysages des faubourgs.

### Des ouvriers écrivent

Nous avons parlé, dans la chronologie, du concours littéraire lancé par *L'Humanité* à l'exemple des *rabcors* soviétiques. Le résultat fut maigre. On est loin de la floraison de l'expression populaire à l'époque du romantisme. *Des ouvriers écrivent*, publié en 1934 aux Éditions Sociales Internationales dans la collection *Commune* dirigée par l'A.E.A.R., est un très petit livre anthologique formé de courtes nouvelles, ou plutôt de courts récits de quatre à cinq pages. C'est Eugène Dabit qui en assura la présentation. On peut rapprocher ce livre des *Poèmes d'ouvriers américains* publiés quelques années plus tôt. Aucune ambition littéraire dans ces pages, mais des constats, des cris du cœur. Les deux meilleurs récits sont *Soldats 1932*, de Pierre Bochot, et *L'Bestiau*, de Raymond Bussières, histoire d'un carrier costaud, meneur de grève, tué par un flic. Georges Marcq raconte dans *La Prime* l'histoire d'un souffleur de bouteilles de champagne dont la prime est la tuberculose. Jean Guillon, dans *Ce soir-là*, nous montre des enfants volant du charbon dans les gares. Suzanne Réséda relate une grève au début du siècle chez les maîtres de forge. Henri Peigue, dans *Un jour entre mes jours*, dit lui-même qu'il s'agit « d'une vie sans soleil, pleine d'odeurs de sueur et de moisi. Ma vie " temporaire ", car je travaille avec mes camarades pour la changer ». Des poèmes sont aussi sélectionnés dans ce recueil : *Marteau et Faucille*, par Marcel Schmitt, *Le Soldat*, par Paul Terrace, *Chômage, chômeurs*, par Fernand Jean.

Comme on le sait, Raymond Bussières est devenu acteur de cinéma et joue en général des rôles d'ouvrier.

Deux *rabcors* ont par contre continué à écrire, Roger Bellanger et Guillaume Wodli.

Roger Bellanger écrivit, à vingt et un ans, *J'ai vingt ans* qui fut publié en volume dans la collection *Commune* des E.S.I. en 1935. C'est, par petits tableaux, l'autobiographie d'un fils de cordonnier, un peu enfant martyr, qui travaille dans une fonderie, puis devient installateur de chauffage central. Roger Bellanger se retrouva après la guerre parmi les collaborateurs de *Peuple et Poésie*.

Guillaume Wodli (né en 1904), qui avait publié des nouvelles dans *Nouvel Age*, *Le Libertaire*, *Monde*, a consacré après la guerre des romans truculents à son métier de cuisinier. *Ceux de la bonne auberge* nous emmène dans les cuisines des restaurants. Les dialogues de ces romans sont entièrement écrits en langue populaire parlée. La pauvreté du vocabulaire, malgré des images souvent étonnantes, fatigue le lecteur le moins prévenu. Le réalisme sordide s'allie étrangement chez Wodli à une prolifique imagination rocambolesque. *L'Aurore* (1946) nous conte les entreprises, les malheurs et finalement l'échec d'un employé de l'industrie hôtelière qui veut doter sa corporation d'une coopérative. Il se heurte aux petites ambitions, aux petites politiques qui s'opposent à l'accomplissement de toute idée généreuse.

**Margravou (né en 1900), Georges Navel (né en 1904)**
**Émile Bachelet, René Bonnet (né en 1905)**
**Raoul Vergez (né en 1908), Gaston Chaissac (1910-1964)**
**Jules Mougin (né en 1912), Roger Boutefeu (né en 1914)**

La plupart des écrivains ouvriers qui se révélèrent après la Seconde Guerre mondiale n'appartenaient pas, en fait, à la jeune génération formée par la guerre, que ce soit le cordonnier Margravou, le cuisinier Guillaume Wodli, l'apiculteur Émile Bachelet, Maurice Mardelle, René Bonnet ou Georges Navel.

C'est que les écrivains ouvriers ne sont pas, en général, des « littérateurs ». Ils écrivent un « témoignage » sur leur métier ou sur la vie ouvrière, lorsque suffisamment de temps s'est écoulé depuis leurs années d'apprentissage, lorsqu'ils ont pu méditer leur condition, apprendre aussi à écrire (ce qui n'est pas un petit travail pour un autodidacte; beaucoup ont mis dix ans pour achever leur livre, souvent leur livre unique, dix fois recommencé).

Mais l'écrivain ouvrier n'est pas obligatoirement et exclusivement un témoin. Ainsi Margravou est un romancier (romancier régionaliste si l'on veut) qui ne parle guère de la cordonnerie. *La Vipère rouge* est à la fois l'histoire de l'amitié d'un enfant et d'un chien, dans un petit village du Morvan, et d'une mystérieuse épidémie qui décime le bétail. Ce roman de mœurs est écrit dans une langue truculente et Margravou ne manque pas d'imagination. Dans *Marie la Chaude* (1943), l'exode de 1940 est décrit avec une verve puissante. Les images macabres, l'hallucinant troupeau en proie à une folie collective, tout cela est fort bien rendu. Curieux personnage, d'ailleurs que cette Marie la Chaude, brave fille de la campagne qui vit à Paris de prostitution mondaine, écrit des recettes culinaires pour un journal à la mode, devant son buffet vide, et fréquente des zazous. Curieux personnage aussi que Mar-

M. MARGRAVOU 13/12/46

Mon cher Ragon

Très bien, les "Cahiers". Remarqué surtout un article excellent de Poulaille, vif et très "observé".
Je te souhaite bonne chance dans cette entreprise.
Je suis moi-même fourbu en ce moment, très déprimé ! La vieillesse !
Mais je tâcherai de trouver le temps d'aller te serrer la main, un de ces jours.
Ci-joint "le Moulin des Alouettes".

Bien cordialement à toi.

Margravou

Bien des choses à notre vieux Poulaille si tu le vois. L'animal porte sa cinquantaine comme un jeune chêne.

gravou. L'ancien cordonnier morvandiau devint bottier de luxe à Paris, et nul doute que le succès de sa *Vipère rouge* n'ait aidé à cette transformation. Les snobinardes n'ont pas résisté au désir de se faire chausser par un romancier pendant quelques mois à la mode.

*Le Moulin des Alouettes* (1946) fait suite à *Guillou,* publié dix ans plus tôt. C'est un beau roman du terroir.

***

*Travaux* (1945), de Georges Navel, est très certainement l'un des plus beaux livres, l'un des plus émouvants, de la littérature ouvrière. Il débute par une évocation du village natal, avec cette idée que les ouvriers sont des paysans sans terre. On suit Navel, le déraciné, dans ses différents travaux, « grelottant d'exaltation » dans les meetings où il serrait les mains des copains, « le plus de mains possible. Chaque main : une certitude ». Apprenti ajusteur, ouvrier chez Citroën, enfin journalier vagabond faisant les foins en Provence, travaillant là comme carrier, ailleurs, comme paludier, jardinier à Nice et peintre en bâtiment à Auteuil, terrassier place des Invalides pour l'Exposition de 1937 et vendangeur dans l'Hérault.

Je n'ai pas suivi le caprice, écrit-il, mais le gibier du travail...

Il n'y a que la vie où l'on s'émerveille qui vaut la peine d'être vécue... Rien n'abrutit un homme qui ne veut pas être abruti... Celui qui avait dit : « Tu gagneras ton pain à la sueur de ton front », n'avait pas tout dit. On pouvait relever le défi et faire du travail une joie.

Ouvrier saisonnier, Navel devait finir par retourner à l'usine, cette usine que ce vagabond du travail ne pouvait que détester. Mais après 1936, l'usine lui parut appartenir à « un monde neuf, un monde plus gai ».

Comparez cette description du travail de l'ajusteur avec ce que dit de l'usine Simone Weil ou n'importe quel intellectuel ouvriériste. Seul un ouvrier pouvait dire le plaisir de sentir entre ses doigts un bel objet de nickel revenant du polissage :

La tâche exigeait la fraîcheur des forces, une sorte de disponibilité nerveuse pour l'effort qu'elle demandait au tact ou à la vue. Pour le modeler, il ne fallait faire qu'un avec le métal, se marier, n'être qu'avec lui, être en relation constante avec le grignotage de la petite râpe, l'enregistrer, le mesurer à l'intérieur. On dirait que la précision, la mécanique, n'admettent pas chez l'homme une vie seconde, mais veulent de lui une identification par-

*Ci-contre, Autographe de Margravou.*

faite avec sa tâche. A force d'attention, je ne sentais plus ma pesanteur, tout en ayant mal dans le dos d'être courbé, besoin de m'étirer et de respirer profondément. Avec la sensation d'être aussi vide qu'un tambour, je me réjouissais, dans ma tâche toujours difficile, d'être un homme, une combinaison de forces, de facultés aux prises avec le noir de la matière.

La première édition de *Travaux* date de 1945, et une réédition a été faite en 1969. On a pu être étonné de voir Paul Géraldy préfacer ce livre, mais Géraldy connut Navel alors que celui-ci arrachait des souches de bruyère sur les pentes des Maures pour les vendre aux gens de la Côte d'Azur comme allume-feu. Navel devint jardinier dans la propriété de Géraldy et le poète de *Toi et Moi* l'encouragea à écrire *Travaux*. Ce premier livre de Navel fut rédigé alors que l'auteur était devenu métayer près de Forcalquier. Navel fut aussi apiculteur chez un châtelain. Il avait été pendant longtemps ouvrier d'usine, notamment ajusteur chez Renault, Berliet et Citroën. Il tenta d'échapper aux rouages de l'usine en devenant ouvrier campagnard saisonnier. On le retrouve aussi volontaire dans les Brigades Internationales pendant la guerre d'Espagne. « Il y a une tristesse ouvrière dont on ne guérit que par la participation politique », a-t-il écrit.

Après *Travaux*, il publia *Parcours* (1950), autobiographie par flashes, puis *Sable et Limon*, sorte de journal de 1935 à 1945, enfin *Chacun son royaume* (1960) avec une préface de Giono qui l'appelait « un Hésiode syndicaliste ».

J'ai connu Navel au moment où il était une curiosité parisienne, peu dupe néanmoins du battage fait autour de lui par Paulhan et consorts. Il n'en abandonna pas moins la Provence et trouva à Paris un emploi de correcteur d'imprimerie. Retombé dans une certaine obscurité (le milieu des Lettres étant fort volage), la dernière fois que je l'ai rencontré il montrait beaucoup d'aigreur et de chagrin. Pourtant, quel écrivain exceptionnel que Navel !

***

Émile Bachelet, apiculteur en Gâtinais, fut aussi un trimardeur. Mais ceci avant 1914 et comme compagnon menuisier. *Trimard* (1951) est un témoignage sur cette « fin de saison » du compagnonnage. Ce tour de France ne ressemble plus guère à celui que fit Agricol Perdiguier. Les compagnons étaient rares sur les routes, le travail difficile à trouver. Le machinisme éliminait l'artisan et notre jeune compagnon tourangeau se révoltait à l'idée d'être enfermé dans une usine qui ressemblerait à une caserne. La rencontre d'un vieux vagabond, vivant de chapardages, de braconnages, ne demandant rien à la société et parlant comme Stirner et Thoreau, devait décider du destin du compagnon sans travail qui, à son tour, partira sur les routes comme raccommodeur de porcelaine.

Une génération sépare Bachelet de Navel et cela se sent. Bachelet est de la vieille école libertaire individualiste. J'espérais qu'il nous raconte ses souvenirs « d'illégaliste » à l'époque où Bonnot et sa bande, qu'il connut bien, terrorisaient Paris. Mais il est mort avec ses secrets.

Dans la préface qu'il fit pour *Trimard*, Édouard Dolléans évoque ce jour d'automne où je l'emmenai voir Émile Bachelet dans son domaine de Pouligny, un vieux moulin transformé qui semblait une Arcadie bienheureuse.

***

René Bonnet, dont nous avons parlé à propos du Musée du Soir, a publié ses souvenirs d'enfance et d'apprentissage : *A l'école de la vie* (1945). L'apprenti charpentier, arrivé d'Auvergne, apprend son métier à Paris et de belles pages sont encore à citer montrant la communion de l'ouvrier avec son travail :

> Près de quatre ans et demi qu'il était dans la charpente et jamais il n'avait encore éprouvé autant de plaisir, de satisfaction à façonner le bois. Certaines pièces demandaient un travail de plusieurs jours. D'un morceau carré, gros comme un arbre, il faisait un poinçon mince et octogonal par le milieu, carré et énorme aux extrémités pour permettre l'exécution d'assemblages. D'autres morceaux étaient enflés par le milieu où portait la charge, allégés dans les bouts pour ne pas surcharger inutilement les murs...

Ouvrier d'élite, le jeune homme se voit offrir une place de contremaître. Il hésite. Commander ses camarades? Défendre les intérêts de son patron? Il « refuse de parvenir ». Il renonce à l'idée de préparer le chef-d'œuvre pour le concours du meilleur ouvrier de France. « Abandonnant l'éducation professionnelle, il emploiera son temps de loisir à son éducation personnelle. » En 1954, René Bonnet a raconté son *Enfance limousine* et en 1960 il a publié aux Presses du Compagnonnage une *Petite Histoire de la Charpenterie et d'une charpente*.

Le charpentier Maurice Mardelle, auteur de *Pierruche au soleil* (1935) et de la *Course aux ânes* (1945), s'évade par contre de son métier lorsqu'il écrit. Tout comme Reboul, il aime la satire et les joyeusetés. On a comparé son premier livre au *Clochemerle* de Gabriel Chevallier et à la *Jument verte* de Marcel Aymé. Fidèle à la douce et paillarde Touraine, Mardelle mêle adroitement réalisme et merveilleux, fantasque et familier, bouffonnerie et sensualité. Le gros rire de Rabelais fuse entre les pages. Mardelle est un conteur allègre, indulgent et optimiste.

***

Raoul Vergez, compagnon charpentier du Devoir du tour de France, reçu en Cayenne des Indiens, à Paris, le 19 mars 1927, a écrit *La Pendule à Salomon* (1957) pour les Compagnons du Devoir. C'est un roman du compagnonnage qui nous fait croire à une résurrection d'Agricol Perdiguier. Dans un second livre, *Les Tours inachevées*, Vergez a tenté de ressusciter la vie ouvrière au temps des bâtisseurs de cathédrales.

***

Gaston Chaissac, ancien palefrenier devenu cordonnier, puis époux d'une institutrice dans un village de Vendée et peintre très original que l'on commence à découvrir, Chaissac écrivait de multiples lettres à Paulhan, Dubuffet, l'Anselme, etc. En 1946, je publiai des contes de Chaissac dans *Maintenant*. Plus tard, Paulhan réunit des lettres, des poèmes, des contes de Chaissac et les édita en volume sous le titre : *Hippobosque au bocage* (1951). Cet épistolier prolixe nous abreuvait de ses histoires, des cancans du village, des nouvelles de sa famille et des bestiaux du voisin. Naïf? C'est vite dit. Chaissac eût pu jouer les « paysans de Paris » dans le milieu de la N.R.F. et des galeries d'art. Il préféra rester en Vendée, peignant n'importe quoi et avec n'importe quoi. Il a plus influencé Dubuffet que Dubuffet ne l'a influencé. Son don d'invention, sa poétique personnelle, le ton inimitable de ses lettres en font un écrivain à part, qui n'a pas grand-chose de « prolétarien », mais est en tout cas un authentique poète et peintre d'expression populaire.

***

Jules Mougin est aussi un curieux bonhomme. Il pose son vélo de facteur rural au bord d'un fossé, là où il y a de l'ombre l'été, s'éponge le front, cherche dans sa boîte un bout de papier des P.T.T. et se raconte une histoire. Comme ça! Comme ça lui est venu. Sur la petite pâquerette

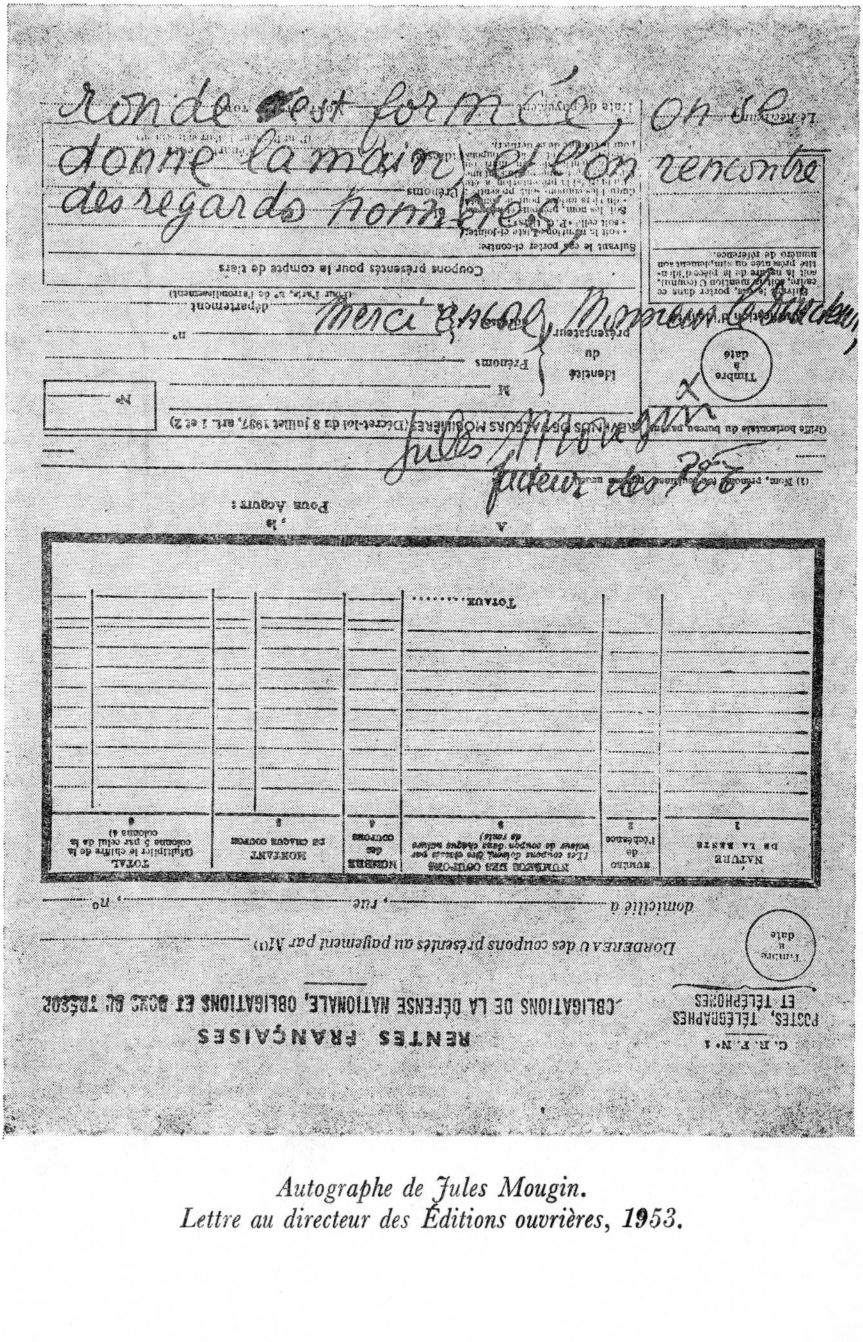
ronde est formée, on se donne la main, et l'on rencontre des regards hommes
Merci encore, Monsieur
Jules Mougin
facteur des PTT

*Autographe de Jules Mougin.*
*Lettre au directeur des Éditions ouvrières, 1953.*

qui est à côté de son soulier ou sur les morts de Génissiat dont a parlé le journal du matin :

Les morts de Génissiat sont des héros.
Ceux qui meurent d'un coup de bielle,
Ceux qui meurent à petit feu
A cause du feu des hauts fourneaux,
Ceux qui meurent au fond des mines,
Ceux qui meurent dans les usines,
Sont des héros.

Ensuite, il met son histoire dans une enveloppe et l'envoie à ses amis de Paris ou de Jarnac ou d'ailleurs, ses amis poètes qu'il n'a jamais vus. Il est parfois d'une telle candeur, ce brave Mougin, que c'en devient émouvant. On pense à un Francis Jammes qui n'eût connu que l'école primaire et fréquenté Prévert au lieu de Virgile. Mais *sa* poésie existe. *Son* monde nous est devenu familier.

***

Roger Boutefeu, qui fut un des collaborateurs des *Cahiers du Peuple*, publia en 1950 un roman qui fit sensation, *Veille de fête*. Ce livre resta longtemps à l'état de manuscrit puisqu'il fut écrit alors que Boutefeu était bûcheron en Provence et terminé dans une cellule de prison où l'auteur purgeait une peine pour articles antimilitaristes publiés dans *Le Libertaire*, prison d'où il sortit le 2 septembre 1939. Louis Pauwels, qui préfaça *Veille de fête*, faisait ce portrait de Boutefeu : « Il est trapu. Il marche en faisant jouer les épaules. Il a une grosse tête, un visage brutalement taillé, des yeux marron très mobiles, la lèvre inférieure gouailleuse. »

Comme Navel, Boutefeu a été ouvrier citadin (couvreur-plombier, rotativiste), et a cru échapper à la tyrannie du travail en devenant ouvrier rural (commis de ferme, berger dans les Landes et en Côte-d'Or). Comme Navel encore, cet antimilitariste a été volontaire dans l'armée républicaine espagnole où il fut mitrailleur. Il a été aussi militant de la C.G.T. de 1929 à 1936 et adhérent à l'Union anarchiste.

Je serais mort à moi-même, a-t-il écrit, à la vie, si je n'avais poussé la porte de la C.G.T. et des milieux libertaires... Je dois à la C.G.T. la connaissance. Aux milieux libertaires la propreté.

*Veille de fête* est l'autobiographie d'un prolo libertaire type, dont le début pourrait être rapproché de *La Gana*. C'est en effet l'enfance d'un gosse de la zone, orphelin à douze ans, dans un lumpenprolétariat où fleurissent l'inceste et l'ivrognerie. Mais c'est aussi l'apprentissage d'un métier et la prise de conscience de l'exploitation.

*Je reste un Barbare* (1962) constitue la suite à *Veille de fête*. En prison, l'anarcho-syndicaliste rencontre Dieu (ou plutôt les Évangiles). Ce livre est l'histoire d'une réponse à la foi chrétienne, discutée, disputée pendant onze ans. Boutefeu raconte dans ce livre sa vie de berger d'alpage. On le voit aussi devenir directeur d'un centre de formation professionnelle et secrétaire général d'une compagnie théâtrale. Livre excellent, qui reçut un légitime succès.

*Journal du Barbare* (1972) tombe un peu trop dans la bondieuserie. Mais Boutefeu présente l'originalité d'être (en plus d'un remarquable écrivain, l'un des meilleurs écrivains ouvriers de cet après-guerre, avec Navel) un écrivain prolétarien chrétien. L'espèce est rare. Elle était inconnue du temps de Poulaille. Ce phénomène est parallèle à l'impact des prêtres ouvriers et du syndicalisme chrétien. Il renoue avec le christianisme social des écrivains ouvriers du XIXe siècle.

> Charnellement, écrit-il, je suis lié aux faibles, aux exploités; spirituellement lié à leur âme collective, à leur idéal de vie. La volonté de faire avancer l'heure de la justice, de la paix et de la fraternité me tient debout...
>
> Le fait d'être de l'Église, d'en faire partie intégrée et intégrante n'y change rien : le peuple est proche du Seigneur!
>
> Je ne puis aimer les pauvres et avaliser un système économique et social qui en fabrique par millions.

***

D'autres écrivains ouvriers sont encore à citer :

Th. Malicet (né en 1897), forgeron, auteur de *Debout, frère de Misère;* Abel Boyer (1882-1959), maréchal-ferrant, qui a publié en 1957 son autobiographie : *Le Tour de France d'un compagnon du Devoir;* J. Bonnato (né en 1912), aide-forgeron, puis maçon, mineur et bûcheron : *A la sueur de ton front* (1960); Marcel Lagrafeuille, auteur de : *Les derniers scieurs de long.*

## L'usine : Jean Pallu, Albert Soulillou Maurice Lime, Daniel Mothé, etc.

*Les ouvriers d'usine n'ont pas écrit de romans admirables. Les riches épiciers non plus; cela n'enlève aucune dignité ni aux épiciers ni aux ouvriers.*

André Thérive, *L'Opinion*, 24 octobre 1925.

Des témoignages sur le travail à l'usine figurent dans un certain nombre de livres que nous avons cités. Lucien Bourgeois a écrit des pages inoubliables sur le travail à la dresserie, Marc Bernard a parlé de l'usine « à l'heure où s'allument les lampes » dans *Au secours*, Jean Fréville lui a consacré son livre *Pain de brique* et André Philippe son roman *L'Acier*. Pierre Hamp ne l'a pas oublié dans son panoramique de la *Peine des hommes*. Toutefois, le métallo écrivain est plus rare que le charpentier écrivain, que le cordonnier écrivain, que le paysan écrivain. On se souvient des pamphlets lyriques que le poète métallo Maurice Honnel publiait avant la guerre dans *Commune*. On a lu les belles pages de Navel, ouvrier ajusteur. Mais je ne vois guère que quatre écrivains ouvriers qui aient placé l'usine au centre de leur œuvre comme elle est placée au centre de leur vie. Il s'agit de Jean Pallu, d'Albert Soulillou, de Maurice Lime, de Daniel Mothé.

*L'Usine* (1931), de Jean Pallu, est formée d'une suite de nouvelles, sorte de film sans action centrale, montrant les différents aspects de l'usine et les ouvriers et ouvrières qui viennent y travailler.

C'est ainsi que défilent devant nous le fils de l'artisan qui fait un stage stérile, les « bourres » détestés et souvent lynchés, le vieil ouvrier mutilé dont le plus grand plaisir est de manier la machine en l'absence de ses collègues, les mouchards, les accidents atroces, les « jeux » érotiques, la technique du « système D », etc. Petits tableaux finissant par dresser l'image inhumaine de l'usine qui, selon Pallu, « animalise les hommes » et fait de ceux-ci « des automates, de simples rouages, des brutes sans autre horizon que la paie du samedi, la soupe du soir, l'amour à la va-vite du samedi soir et la partie de cartes du dimanche ».

Jean Pallu n'est pas tendre pour l'usine. Son œuvre est une protestation, un refus catégorique de la condition du salarié moderne. Dans *J'ai failli boucler la boucle* (1934), il nous montre une énorme usine taylorisée où vient s'embaucher un représentant de commerce. Peu à peu, cet employé doit abdiquer complètement sa personnalité et il devient prisonnier d'une « nouvelle caste ».

L'usine à travailler, s'écrie-t-il, à gagner sa vie, l'atelier, ses machines, sa rumeur disciplinée, son rythme implacable, soit. Mais l'usine à manger, jamais. Pourquoi pas l'usine à dormir, l'usine à jouer, l'usine à faire l'amour.

Envoyé en Amérique du Sud, il connaît une vie nouvelle, primitive, à hauteur d'homme. Mais un nouvel ordre le case dans un poste où il est éloigné de tout contact humain. Il se rebelle enfin et part à l'aventure.

L'Amérique du Sud était encore présente dans *Port d'escale* (1930), livre pour lequel Jean Pallu obtint le prix Populiste. Nous y voyons la bureaucratie d'une usine dont la sérénité est un jour détruite en apprenant les aventures d'un collègue revenant d'outre-Atlantique. Et l'on comprend comment ces deux thèmes contribuent, par leur opposition, à rendre particulièrement attachante l'œuvre de Jean Pallu.

* * *

Albert Soulillou exprime dans ses poèmes et ses romans le monde ouvrier moderne, avec force et vérité. Et c'est la même condamnation que chez Pallu, dans *Nitro*, d'un monde soumis à un rythme qui n'est pas celui de la vie.

* * *

Maurice Lime (pseudonyme de Antoine Maurice Kirsch) a conté dans *Cellule 8, 14ᵉ rayon*, la « crise » d'un militant communiste qui lui ressemble comme un frère.

Son premier roman, *Pays conquis* (1936), racontait son enfance d'Alsacien-Lorrain, la guerre de 1914-1918, l'arrivée des Français, la répression des « collaborateurs », et les injustices consécutives à cette répression. A la fin du livre, nous voyons le jeune Maurice compagnon aux aciéries.

En ce temps-là, écrit-il, je croyais qu'une fois compagnon, je serais libre. En réalité, l'assujettissement ne fait que croître. C'est le mouchardage qui maintenant m'entoure. Je les connais bien, plus ou moins, ceux qui viennent me serrer la main et causent comme moi pour savoir ce que j'ai dans le ventre; mais l'impression d'être fouillé aussi dans mes idées les plus intimes par des individus qui mériteraient qu'on leur crache à la figure n'en reste pas moins écœurante. La liste noire est au bout, et le coup de téléphone, d'usine en usine...

Rien que cet asservissement au mouchard me dégoûte de l'usine. J'ai bien essayé d'étudier, le soir, après le travail, pour devenir ingénieur; j'espérais pouvoir me libérer ainsi, mais je me suis endormi sur le mot « incommensurable », sans en avoir percé le mystère.

D'ailleurs, Max écrit d'Allemagne que des milliers d'ingénieurs capables travaillent comme manœuvres ou crèvent de faim... Puisque, d'après Louis, cela viendra en France aussi, à quoi bon étudier?

Ayant participé à une manifestation du parti communiste auquel il a adhéré, il est licencié de l'usine. C'est ce militant communiste, déçu par les bureaucrates du parti, que nous retrouvons dans *Cellule 8*.

Maurice Lime, du stalinisme au doriotisme, cherchera à combler sa nostalgie d'un parti révolutionnaire. *Les Belles Journées* (1949) nous décriront encore une usine, sa vie collective. Tout comme dans les derniers chapitres de *Pays conquis*, il y a là de belles pages sur le travail de la métallurgie. Maurice Lime fut métallo pendant une vingtaine d'années. Il devint ensuite professeur dans un collège technique.

***

Daniel Mothé, né en 1924 dans la banlieue bordelaise, quitta l'école à quinze ans pour devenir tapissier. Il était outilleur P2 chez Renault lorsqu'il écrivit son *Journal d'un ouvrier, 1956-1958*, publié en 1959. Ce journal fait une analyse minutieuse de la condition ouvrière, du travail du métallo. C'est un journal d'usine vu de l'intérieur, sans complaisance ni pour les patrons ni pour les ouvriers. Lorsque l'on remarque combien, dans ce livre, le mythe ouvriériste en prend un rude coup, on comprend les réticences, voire l'hostilité des révolutionnaires professionnels pour les écrivains ouvriers indépendants qui déniaisent la Révolution. De l'« élite ouvrière » du chef d'équipe au manœuvre balai, en passant par les ouvriers professionnels et les O.S., il y a un monde qu'il est trop facile d'unir démagogiquement sous le vocable de « travailleurs ». J'ai été manœuvre d'usine moi-même et sais combien, dans cet état, on se trouve loin du P1 dont on n'est que le domestique. Distance qui s'augmente encore si l'on est manœuvre nord-africain travaillant avec des ouvriers professionnels européens. Daniel Mothé a consacré un livre aux *O.S.* (1972) et un autre au *Métier de Militant*. Devenu P3, Daniel Mothé est aussi un militant C.F.D.T. Son *Journal d'un ouvrier* faisait déjà le portrait du métallo parisien à travers les luttes syndicales, la révolution hongroise, la guerre d'Algérie, le 13 mai. Le rôle des syndicats tenait une place importante dans ce journal d'usine. Mais en même temps, Daniel Mothé en voyait les limites. Chaque lutte syndicale conduit à une diminution des normes et à une augmentation des salaires, mais la consommation de l'ouvrier n'en est pas moins codifiée par le S.M.I.C. « L'ouvrier, écrit Mothé, a beau manger des biftecks, et même avoir la télévision et son automobile, il reste dans la société une machine productive, rien de plus. Et c'est là sa vraie misère. »

Dans son livre *Militant chez Renault* (1965), Daniel Mothé montre le syndicalisme pris au piège de la société de consommation. Le fonctionnement bureaucratique de l'usine passe dans les mœurs des syndicats. Reconnu par le patron, le syndicaliste devient une sorte de fonctionnaire. Quant aux ouvriers, ils tendent à prendre les syndicats pour des bureaux de bienfaisance et les militants pour des assistantes sociales. Que préconise Mothé ? L'autogestion.

***

Camille Sabourin (né en 1922), métallurgiste parisien depuis 1945, a publié en 1958 : *Je suis ouvrier, fils de paysan.*

Georges Douart, fils de docker, après avoir été six ans électricien à Nantes, fut maçon aux Indes, bûcheron au Japon, charpentier en Amérique, moissonneur dans les kolkhozes ukrainiens, cueilleur de fruits dans les kibboutz israéliens. De cette expérience exceptionnelle, il a tiré deux livres : *Opération Amitié* et *Du kolkhoze au kibboutz* (1961). *L'Usine et l'homme* (1967) est une excellente enquête sociologique vue de l'intérieur, alors qu'il travaillait comme O.S. ou O.P. dans des usines de Nantes, de Lyon et de Paris, enquête auprès de centaines de syndicalistes et de milliers d'ouvriers.

***

Les jeunes ouvriers d'usine écrivent à leur tour. Le fil n'est pas rompu. Mais ce qu'ils disent est encore plus amer, plus désenchanté. Dans *Les Temps modernes* (n° 307, février 1972), il faut lire *Gaston ou l'aventure d'un ouvrier*, par Jean-Marie Konczyk. Konczyk, qui a été O.S. à la chaîne, puis tourneur, quitta un jour l'usine pour ne plus y retourner, affirme-t-il, et écrivit *Gaston.* Il avait vingt-quatre ans.

Les ouvriers d'autrefois parlaient de la vertu du travail, du goût artisanal du beau boulot qui se trouve aussi bien chez Péguy que chez Navel. Le travail à la chaîne a tué tout ça. Écoutez Gaston :

— Mais le travail, dit-il, qu'est-ce que c'est, au juste ?
— De la merde... Oui, de la merde, hurla Gaston, et j'en ai rien à foutre du boulot. C'est pas ça que je veux vous raconter... Je ne veux pas vous raconter mon boulot parce que j'en ai marre. Mon boulot, il m'empêche de vivre.

On est loin du stakhanovisme, de l'attachement du mineur pour sa mine, du menuisier pour son établi. On ne pense plus qu'à foutre le camp. Un seul écrivain marxiste paraît sympathique, Paul Lafargue, parce qu'il a écrit *Le Droit à la paresse*.

On vit en pensant à tout à l'heure, en attendant demain, ajoute Konczyk, en attendant les samedis, les dimanches, les vacances. On attend toujours quelque chose. Et ce quelque chose, on se donne l'illusion que c'est la vie. Et pendant ce temps, le temps passe...

Konczyk, c'est la génération du « ras le bol ». Gaston est O.S. dans une usine de montage de voitures, moderne, très moderne ; usine modèle, verte. Lisez ce qu'il en dit de ce modernisme et comment il se contrefout de cette verdure environnante qui ne change rien à sa condition d'O.S., mais donne bonne conscience au directeur. Voyez ce que Konczyk dit du fameux « refus de parvenir », bréviaire des écrivains ouvriers de la génération de Poulaille. Il rapporte le dialogue qu'il eut avec un militant, dirigeant d'un groupe gauchiste :

*Moi.* — Je vais quitter l'usine.
*Lui.* — Tu n'as pas le droit.
*Moi.* — Pourquoi ?
*Lui.* — Tu vas te couper de ta classe.
*Moi.* — Pourquoi ?
*Lui.* — Parce que si tu vis pas la merde des gars, tu ne pourras pas parler d'eux.
*Moi.* — Si je comprends bien, la seule action politique que je peux avoir, c'est en restant à l'usine.
*Lui.* — Non, tu peux militer en dehors de l'usine, mais à condition d'y travailler.
*Moi.* — Si je comprends bien, c'est héréditaire : né ouvrier, je dois passer toute ma vie à l'usine ? Ainsi donc il n'y a pas que les bourgeois pour réduire les ouvriers à leur fonction.

Décidément « affreux jojo » irrécupérable, Gaston dit ne pas vouloir essayer d'exprimer ce que pense la classe ouvrière, mais vouloir s'exprimer lui, individu Gaston; parce que « les ouvriers ne sont pas des êtres collectifs. Ce sont des individus ayant chacun une vie à vivre ». « Individuel et content de l'être », affirme Gaston, faisant de l'individuel une condition fondamentale de la révolution.

Par contre, Bruno Barth, dans *Les Dos ronds ou le retour en esclavage* (1973), ne cherche pas à analyser l'état d'âme d'un ouvrier, mais à restituer une sorte de héros collectif (les ouvriers d'un atelier), en racontant l'histoire d'une grève dans une usine d'électronique du Nord de la France, en 1968. Écrit presque exclusivement en dialogues rapides et qui sonnent juste, ce livre dédié à Pierre Overney montre comment on pourrait dépasser une grève et aller vers l'autogestion. En dépit des syndicats, de la direction, d'une grande partie des ouvriers, l'atelier s'autogère pendant douze jours. L'expérience bute sur la reprise normale du travail après les augmentations de salaire demandées et le licenciement de la plupart des membres de l'atelier autogestionnaire. « Des dos ronds, conclut Bruno Barth, il n'y a que ça dans ce putain de pays, mais ça changera bien un jour. »

*Les Prolos* (1973) de Louis Oury relatent aussi une grève partie de la base (1955, à Saint-Nazaire), mais c'est surtout l'histoire d'un individu. Louis Oury, produit des écoles professionnelles, est apprenti en 1950. Il a seize ans. L'âge scolaire recule, la formation professionnelle est meilleure, deux traits qui rendent différents les jeunes ouvriers d'aujourd'hui et ceux d'hier. D'ailleurs, Oury nous montre les heurts entre ces jeunes ouvriers sortis des écoles professionnelles et les vieux ouvriers formés sur le tas. Le racisme antijeunes, les brimades, les vacheries entre ouvriers, nous sommes bien loin du travailleur être collectif dont nous parlent les marxistes. Le récit du travail dans les grands chantiers de construction navale, puis sur les échafaudages des centrales thermiques, est remarquable. On retrouve chez Oury, chaudronnier, cette joie de la création que ne connaissent pas les O.S. On y retrouve aussi ce monde clos de l'usine, où les vieux sont durs avec les jeunes, où les soudeurs s'affrontent aux chaudronniers, les O.P. aux O.S., etc. Cette agressivité, cette absence « d'être collectif », dont nous avons parlé à propos de Mothé, pèse lourdement dans le livre d'Oury. Mais, là aussi, nous voyons l'agressivité individualiste se transcender en agressivité collective au moment des grèves et une personnalité collective de l'usine se dégager.

Après avoir suivi des cours du soir et des cours par correspondance, Louis Oury est devenu cadre (de l'informatique).

## Les mineurs : Jules Mousseron, Constant Malva Alphonse Narcisse, Maurice Allemann

Eh quoi! même les mineurs écrivent! Un paysan, passe encore, il a des loisirs, l'hiver, quand la pluie et le gel empêchent tout travail en plein air. Mais un mineur, ce damné noirci privé de lumière, qui ne fait jamais de vieux os, quand diable trouverait-il le temps et la force d'écrire? Ma foi, je n'en sais rien. Toujours est-il que parmi les écrivains ouvriers les mineurs forment une phalange importante. Le mineur écossais Joë Corrie est d'ailleurs un grand poète. Mais l'objet de mon étude se limite aux écrivains de langue française, parmi lesquels les mineurs belges Charles Nisolle, Pierre Hubermont : *Treize dans la mine*, et surtout Constant Malva, ne sont pas des sous-quelqu'un.

Le premier écrivain mineur que je connaisse est Jules Mousseron, de Denain (1869-1943). Ce poète patoisant du Nord est toujours très

apprécié en Flandre et j'ai eu l'occasion de voir une carte postale qui le représente en habit de mineur, casqué, la lampe à la main. Comme quoi c'est vraiment en son pays une gloire consacrée, au même titre qu'ailleurs le Manneken-Pis ou la tour Eiffel.

Si la renommée de Mousseron est loin d'être aussi considérable à

Paris, cela provient sans doute de ce que, tout comme Couté, il écrive en patois. Ce patois est le « rouchi », variété dialectale du picard, et que la population du pays noir parle aussi bien dans la Flandre wallonne, dans le Hainaut qu'en Picardie et dans le Borinage belge. Léon Bocquet étudie longuement Jules Mousseron dans l'étude sur les *Poètes populaires patoisants du Nord* (*Maintenant*, n° 7, Grasset éd.) que nous avons déjà citée.

Rien dans ses humbles atavismes, écrit Léon Bocquet, ne semble l'avoir prédestiné au rôle qu'a joué cet ouvrier manuel de la catégorie la plus pénible qui soit. Il s'agit, en effet, d'un travailleur du sous-sol, astreint, dès la douzième année, au dur labeur de la mine. Avant les perfectionnements de l'outillage et l'amélioration progressive de la condition des charbonniers à tous les stades de leurs occupations.

Pendant quarante ans, cet homme, que sollicitait le désir de développer son intelligence et d'écrire, n'a cessé de descendre aux entrailles de la terre. Il a détaché, à plat ventre et demi-nu, dans l'obscurité, guetté par l'éboulement des rocs et le grisou meurtrier, les blocs de houille qui alimentent industries et foyers.

Cette rude existence quotidienne, grâce à une vocation mystérieuse, qui a l'air d'un miracle sans fin renouvelé, au lieu d'endurcir le cœur du patient ou de le révolter, sans tarir ni amoindrir son idéal initial, a penché toujours davantage Jules Mousseron sur la peine permanente et les rares joies partagées de ses camarades du fond. A leur contact s'est accru en lui un trésor d'humaine bonté qui s'est traduit, au fur et à mesure des jours et des événements, en chants de consolation, d'amitié et de pathétique beauté.

Cette absence de révolte chez un mineur n'a pas été sans lui attirer le reproche de faire figure de réactionnaire. Mousseron se servait cependant de sa célébrité régionale pour aider les malheureux au profit desquels il organisait des cavalcades. On y disait ses chansons. Il récitait lui-même ses poèmes dans de nombreuses fêtes, allant de ville en bourgade dans son costume de mineur. On le vit, coiffé du chapeau de cuir bouilli, apparaître à Bruges, à Laon, à Cambrai, à Valenciennes, à Saint-Quentin, et même sur la scène de l'Opéra-Comique, à Paris. D'innombrables articles ont été consacrés à cette personnalité pittoresque qui se rattachait directement aux ménestrels. Son œuvre est vaste et forme une sorte d'épopée de la mine. Depuis *Fleurs d'en bas* (1897), *Croquis au charbon* (1899), *Feuillets noircis* (1901), jusqu'au recueil posthume, *Dans nos mines de charbon*, paru en 1946, Mousseron a décrit le peuple dont il fut, créant un type de mineur goguenard et naïf, Cafougnette.

Mousseron, écrit encore son biographe Léon Bocquet, a replacé le mineur dans l'atmosphère hostile où il peine. A l'air libre, après la remonte, un paysage aux verdures rares et souillées, un horizon barré de terrils, amas monstrueux d'escarbilles où couve du feu, les laides armatures métalliques des chevalets annonçant les puits qui, deux fois par jour, absorbent et vomissent les équipes des travailleurs de la ténèbre. Et puis, voici, dans leur rigoureuse exactitude descriptive, les phases du labeur souterrain, les âpres journées précaires en joie comme en lumière. Mousseron a dessiné des figures dont on n'avait aperçu les silhouettes qu'aux pages de *Germinal :* les galibots ou apprentis un peu gavroches, les cafus, charbonnières au costume typique et aux yeux vifs, les trieuses de gaillettes, le vieux mineur « à la peau jaune », inconsolable d'être inutile au coin de l'âtre, gêne pour la ménagère forte en gueule et trop amie des commérages et potins, entre deux tasses de café dégustées chez la voisine.

Il a nommé et chanté les instruments de travail : le pic, la rivelaine, la lampe et les accessoires, les détonateurs pour éventrer les rocs, les wagonnets et berlines, la cage du fond qui plonge, regrimpe, replonge, secouant « comme des loques en feu » les pauvres bougres qui s'y entassent par vingtaine. Il a dit encore la bruyante machine d'extraction, le ventilateur bienfaisant qui chasse le grisou caché et apporte aux damnés des fosses un peu d'air respirable et l'illusion du vent des plaines.

A ce décor mélancolique et à son peuple d'enfermés et pourtant de gais lurons, Mousseron a ajouté ce qui manque à la plupart des poètes patoisants : le sentiment, le don des images, l'instinct et le sens du symbole.

Sa sympathie pour les vieux chevaux condamnés jusqu'à leur mort à ne plus revoir la lumière et à traîner les wagonnets dans les couloirs souterrains est souvent émouvante. On cite souvent aussi son poème sur *La Souris*, compagne aimée des mineurs qui, aux heures de repos dans la fosse, émiettent leur pain pour elle comme d'autres, sur les bancs des jardins publics, partagent leur repas avec les moineaux.

Approch', souris, m'bonn' tiot' biète.
N'euch' point craint' : je n't'f'rai rien.
Te vos : J'vas esqueuté m'mallette
Pour mi t'donner des miettes d'pain.

Au jour, si t'es l'terreur del femme.
Au fond, à l'homm', te fais point peur.
Bin, au contrair', mi l'premier, j't'aime.
Grel'souris, te m'mets l'joie au cœur.

Du mineur t'es l'compagne fidèle;
I a quer vire t'fin musiau,
Au fond d'foss, t'cri li rappelle
El jour et gazouill'ment d'l'oiseau.

J'sais qu'timps in timps, coquine,
Te nous fais un peu marronner,
In f'sant des tros dins not' tartine,
Bah! I t'faut bin aussi minger...
...

T' n'es point non plus, bin sûr, sans peine :
Parfos un méchant galibot,
Pour t'avoir, queurt à perd' haleine
Et veut t'écraser sous s'chabot.

J'sais aussi qu'dins les moumints d'grève,
Quand te n'vos pus les carbonniers,
Qu'l'pain i t'manqu', même que t'in creves
Ti, t'veux vivr' si volontiers.

Ah! J't'ai r'marqué. Ces lend'mains d'lutte
In veyot comm' t'avos souffert,
Tout' déhanqué, t'tiot panche à vute,
Parfos mêm' les quatt' patt's in l'air.

Mais n'parlons pus d'ces triss' affaires.
Nous avons du pain à plaisi;
Nous brairons quand i s'ra temps d'braire,
Viens fair' l'festin aujourd'hui.

Évidemment, tout comme pour ceux de Couté, ces poèmes en patois perdent beaucoup à être lus. Récités par Mousseron, avec l'accent, ils devaient avoir une tout autre allure. La mise en un français approximatif les mutile, les continuelles apostrophes fatiguent le lecteur.

***

Aimable Lucas, contemporain de Mousseron, mort à Lens en 1907 dans un éboulement, est disparu trop tôt (il avait trente ans) pour donner sa mesure. Il avait publié en 1906 un recueil de poèmes, *La Muse d'un noir*.

Jules Cheiner, qui travailla pendant un an dans une mine belge, publia, en 1934, dans *Prolétariat* un témoignage sur la rude existence qu'il avait menée, *Ville noire*. Je ne voudrais pas non plus oublier dans ce chapitre l'*Histoire d'une mine*, par René Garmy. Garmy n'est pas un ouvrier. C'est un professeur et un érudit. Mais le livre que nous citons, ainsi que la *Mine aux mineurs de Rancié*, publié en 1943, contribuent certainement à nous faire mieux connaître une catégorie sociale ignorée.

***

Et, dans la même digression, mentionnons l'autobiographie de Maurice Thorez (1900-1964) : *Fils du Peuple*. Fils et petit-fils de mineur, Maurice Thorez commença à travailler à la fosse comme trieur de pierres à l'âge de douze ans. Les deux premiers chapitres de *Fils du Peuple* nous décrivent l'enfance et l'adolescence d'un ouvrier dans les corons du Nord. Militant syndicaliste des mineurs, Maurice Thorez adhère au parti socialiste en 1919. Il a alors dix-neuf ans. La suite est connue...

***

Depuis le poète Mousseron, le seul mineur qui puisse lui être comparé, en tant qu'écrivain, est le prosateur Constant Malva. Je dis prosateur, car les livres de Malva ne sont ni des romans ni des nouvelles. Appelons-les des récits si l'on veut, mais confessions serait plus juste. Le dernier écrit de Malva, publié dans *Les Temps modernes*, a attiré l'attention d'un public limité sur cet écrivain belge de langue française, souvent édité dans les revues de Poulaille avant la guerre. Né le 9 octobre 1903, mort le 14 mai 1969, il s'appelait en réalité Alphonse Bourlard. Fils de mineur, il a lui-même travaillé dans la mine jusqu'en 1940, date à laquelle il quitta la fosse pour raison de santé. Ensuite, il travailla comme employé chez un libraire de Bruxelles.

Il commença à écrire vers 1929 et adressa un manuscrit à Romain Rolland qui le mit en rapport avec Jean Tousseul et Henri Barbusse. Ce dernier préfaça l'*Histoire de ma mère et de mon oncle Fernand*, publiée chez Valois par Poulaille, dans la petite collection des *Cahiers Bleus*, en 1932.

> L'auteur, écrit Henri Barbusse, parle à peu près comme ses personnages. Il ne s'élève pas au-dessus d'eux : il a toujours été au milieu d'eux. Cela se voit (et c'est tout d'abord un grand mérite de sa part). Il n'a pas eu besoin de rien imaginer, en eux et autour d'eux, de rien inventer dans son histoire : il les connaît comme s'il les avait faits. Cette conformité organique donne au récit une homogénéité de ton qui agit intimement sur le lecteur : cela met partout une certaine transparence dont la douceur est très forte.

Puis Malva publia à Bruxelles *Mon homme de coupe* et aux Éditions « Entre Nous » de Fouquin, l'imprimeur de *A Contre-Courant*, une petite brochure intitulée *Un propr' à rien* (1936).

*Ci-contre, autographe de Malva.*
*Lettre à Michel Ragon.*

pas tout ce qu'il demande, quand, pour une raison ou l'autre il ne peut pas avoir ce [redacted] dont il a envie c'est seulement alors qu'il s'y acharne. Devenu adulte, il s'éprend d'une femme mariée ou à la veille de l'être [redacted] Si elle s'était donnée à lui, il l'aurait oubliée peu après comme tant d'autres. Mais du fait qu'elle lui résiste et qu'il y a cette barrière du mariage, il n'y aura plus qu'elle qui comptera pour lui. Maintenant, l'histoire à part, ainsi que le dit Hellens, c'est surtout le style qui compte, un style qui ne doit rien à personne (des écrivains [redacted] veux-je dire) Je pense [redacted], toujours par le style, que c'est dans cet ouvrage que je suis plus moi-même.

Voilà. Peut-être, comme beaucoup d'autres, ne sentiras-tu pas cela? Les artistes se trompent rarement. Souhaille n'aime pas cet ouvrage. Je serais curieux d'avoir ton avis. Et s'il est défavorable n'hésite pas à me le dire.

Maintenant je te quitte. Merci encore pour l'accueil, merci à ta femme. J'ai passé chez toi de délicieuses heures.

Cordialement

E. Malra.

PS: Je pensais t'envoyer la collection du "Écho" avec mes critiques théâtrales. Le volet du magasin de mon ancien patron était baissé. J'ai sonné; personne n'est venu m'ouvrir. Je pense que le type a foutu le camp en France. Il était en mauvaises affaires.

Si tu y tiens, je puis t'envoyer ces critiques réunies dans une chemise [redacted]. Mais il faudrait me les renvoyer. [redacted]. J'y tiens. Ça peut former un ouvrage que j'aurai peut-être l'occasion de publier un jour.

J'ai aussi écrit trois pièces de théâtre

En avant-propos à cette histoire d'un homme qui veut apprendre le métier de mineur et n'y parviendra jamais, car son chef le vexe et ses camarades le fuient parce qu'il a trop lu, René Bonnet faisait une étude panoramique de l'œuvre de Malva et citait des lettres reçues de son camarade belge dont l'intérêt est trop évident pour que je résiste au désir de les recopier ici :

La vie du mineur est morne. Pas d'horizon. Toujours il doit recommencer la même ingrate besogne. Ce n'est guère mieux chez les charpentiers, je l'admets (René Bonnet était charpentier); nos tartines à tous sont pesées avec une balance de pharmacien. Mais nous, les mineurs, il nous manque des choses que vous possédez ou que vous pouvez obtenir : l'air et la lumière. Sais-tu qu'à certains moments, tout comme au désert, nous donnerions volontiers vingt sous pour un verre d'eau.

Ne pense pas que nous soyons les héros que la presse de toute couleur se plaît à vanter après les grandes catastrophes. Nous ne sommes que de pauvres hommes, des hommes qui, contrairement à ce qu'on raconte, ont un métier qu'ils haïssent. Des hommes qui sont mineurs parce que la malchance ou le hasard les fit naître dans un pays charbonnier.

Et ce passage d'une autre lettre :

Ma vie casanière ne me convient pas. Je voudrais partir sans cesse. J'envie les romanichels. Quand je les vois passer, j'éprouve toujours un petit serrement de cœur. C'est comme s'ils m'abandonnaient.

Tu vois les bizarreries de la vie. Moi qui ai la nostalgie des pérégrinations, je passerai ma vie comme l'oiseau en cage. Bien plus, le tiers de cette vie est condamné aux ténèbres. Si j'étais spirite, je croirais être en train d'expier quelque faute de mes vies antérieures.

Tout le mal vient de ce que Malva n'est pas un mineur comme les autres, diront certains. Instruit, cultivé, désireux d'écrire, il ne peut que souffrir de sa condition. Il y a certainement de ça. Mais le désir d'écrire ne naît-il pas le plus souvent d'une insatisfaction? Heureux de son sort, éprouverait-il le besoin de le décrire? Toutefois, si l'on en croit ce qu'il raconte, ses camarades, qui ne se soucient guère de littérature, semblent néanmoins partager son point de vue. « Certains jours, écrit-il, à l'heure de la remonte, on peut entendre des camarades formuler ce vœu désespéré : « Je voudrais qu'on m'apprît, en arrivant à la surface, que le feu est mis aux quatre coins du monde! »

C'est dans le même état d'esprit que Charles Nisolle écrivait :

Nous n'allons pas à la fosse par devoir, mais par nécessité, par obligation : parce qu'il faut manger. Manger, entendez-vous.

Parce que nos femmes, nos gosses auraient faim, si nous ne descendions pas. Faim, entendez-vous.

Héros, surhommes...

Mais en juin, quand nous étions en grève?

Alors, parce que nous voulions du pain, les mêmes plumitifs nous traitaient d'agitateurs, de provocateurs, d'agents de Moscou, de sales rouges...

Oui, il y a quelques mois, ces mêmes héros d'aujourd'hui étaient traqués comme des bandits pour avoir dépavé quelques rues.

Mais quand certains des nôtres laissent leurs os au fond, nous ne sommes plus des bandits, mais de braves travailleurs.

Ceux qui échappent au grisou, aux éboulements, n'échappent pas aux poussières qui rongent les poumons, à l'eau qui rhumatise, à l'asthme, au neuctilamus (les yeux qui dansent).

Car tous nous sommes des cadavres vivants.

Et nous ricanons quand nous lisons sur de jolies plaques bleues : « Protégez les animaux. » C'est très bien, mais la protection du mineur, elle n'existe pas.

Des héros? Pas vrai. De sales machines à dividendes.

Se libérer de cette insatisfaction par la politique? Malva y a songé. Mais il s'est vite aperçu que cette évasion n'était qu'un marché de dupes. On pouvait rendre le sort des mineurs moins affreux, mais on ne pouvait pas le rendre enviable. Sceptique, amère, sa pensée n'est pas éloignée de celle de Lucien Bourgeois et ses élans tournent vite à un renoncement douloureux.

Aussi Barbusse, après avoir félicité Malva de son authenticité, lui reprochait-il son manque d'idéologie.

C'est en écoutant sa mère raconter l'existence qu'elle avait menée que Malva eut l'idée d'écrire, de ne pas laisser se perdre une aussi belle et douloureuse histoire. Et ce fut l'*Histoire de ma mère et de mon oncle Fernand.* Les trois petits livres de Malva constituent un document sur la vie des « gueules noires » absolument unique.

Citons encore de Malva : *Un ouvrier qui s'ennuie*, *Un mineur vous parle* (1948), et des poèmes : *Mensuaires* (1954).

***

Plus récemment, deux mineurs nous ont donné des livres étonnants : Alphonse Narcisse et Maurice Allemann.

Alphonse Narcisse, né en 1909, a été mineur pendant trente ans, et depuis l'âge de seize ans. Musicien amateur et grand liseur, il a publié en 1954 *L'Ombre de la Morte* qui est un beau roman d'amour en pays minier. Assez proche de Malva par l'émotion contenue, la pudeur,

Alphonse Narcisse dégage une étrange poétique de l'environnement des corons et des terrils.

*Les Cités mourantes* (1959), ce sont celles du bassin minier du Nord de la France « dont certaines dans un proche avenir ne seront plus que des cités de repos », en raison de l'abandon des puits.

Maurice Allemann (né en 1927) écrivit à vingt-sept ans *Les Prouesses extraordinaires du Grand Zapata* (1954). Mineur de fond à la Grand-Combe, dans le bassin des Cévennes, Maurice Allemann publia d'abord des poèmes dans *Les Lettres françaises*. Son roman contient des descriptions des conditions de travail du mineur de fond, mais c'est aussi un vrai roman picaresque d'une fantaisie poétique peu habituelle dans la littérature prolétarienne. Le Grand Zapata, mineur mythique, stakhanoviste colossal, dont on trouve le souvenir de mine en mine, sert de trame à ce roman plein d'humour, écrit dans un style alerte. Maurice Allemann retrouve un ton populaire gaillard, énorme, celui des vieux almanachs de colportage, celui de Rabelais.

***

Edmond Barbieux, ancien mineur retraité a publié en 1960 *Les Travailleurs de la Nuit*.

Maria Craipeau a recueilli en 1974 les souvenirs de Louis Lengrand (né en 1921) silicosé à 80 % après trente ans de mine : *Louis Lengrand, mineur du Nord*.

Rappelons enfin que René Berteloot (né en 1933), son frère Paul et un camarade, Gornik, qui ont été les animateurs et les imprimeurs de la revue *Le Musée du Soir*, étaient tous les trois mineurs dans le Nord de la France.

CHAPITRE VIII

# *Écrivains paysans*

*J'ai voulu simplement essayer mon optique, envers et contre certains professionnels de l'écriture, qui ont délibérément, d'une façon outrageuse, je dirai même abjecte, dénaturé les vertus, les vices, les mœurs paysannes.*

Marius NOGUÈS, paysan du Gers.

« Le paysan, écrit Pourrat, c'est l'homme du pays. Celui qui s'arrête sur un coin de pays pour en tirer le vivre et le couvert. » Cette heureuse définition marque bien la différence entre le paysan et l'ouvrier, celui-ci étant essentiellement comme l'a fort bien dit Georges Navel, « un paysan sans terre ». Et Pourrat ajoute dans son livre *L'Homme à la bêche* : « S'il faut, selon Lassalle, apprendre à l'ouvrier qu'il est malheureux, il faut apprendre au paysan qu'il est heureux. »

Les romans paysans abondent [1]. Ils sont en général d'une médiocrité affligeante. Le gros de cette littérature paysanne est surtout fait par des instituteurs et parmi eux les œuvres de Ludovic Massé, de Roger Denux, de Jean Rogissard, de Gaston Chérau, d'Ernest Pérochon, de Louis Pergaud, de Cressot sont remarquables par leurs qualités d'observation. Mais nous voulons parler de l'écrivain paysan, c'est-à-dire du cultivateur qui manie à la fois la plume et la charrue. Cet écrivain paysan n'est pas rare et l'exemple de Guillaumin et de Philéas Lebesgue a sans doute suscité bien des vocations.

Lucien Gachon, lui-même auteur de *Maria* (1925) et de *Jean-Marie, homme de la terre*, a publié dans les « Cahiers Bleus » une excellente petite étude sur *L'Écrivain paysan* (1932). Non pas que l'on trouve dans ce livre une bibliographie de l'écrivain paysan, mais cette étude fournit de nombreux points de repère. Le mode de dire paysan, la langue qui hésite entre le dialecte et le français parlé à la ville, le rôle des géographes

1. Cf. *Les Paysans d'aujourd'hui*, anthologie d'auteurs contemporains par M. Braibant (1939); *Le Paysan à travers la littérature française*, anthologie générale par Marcel Arland (Stock 1941); *L'Homme à la bêche*, histoire du paysan par Henri Pourrat (1940); Roland Mastépiol, *Les Paysans dans la littérature* (Cahiers de la Pierre-qui-Vire, 1948); Gérard Walter, *Histoire des Paysans de France* (Flammarion, 1963).

dans l'enseignement rural et le danger de celui-ci s'il est identique à l'enseignement donné aux citadins, tout cela est pertinemment étudié.

L'humilité, l'effacement devant le modèle, écrit Lucien Gachon, demeure pour l'écrivain paysan la meilleure règle, la seule règle. Car, par ailleurs, les faits doivent toujours parler plus haut que les théories. Une cause que l'on *veut* servir est une cause que l'on trahit. L'écrivain serviteur d'une idée, d'un parti, n'est plus dans cet état de liberté totale qu'exige la peinture du réel.

Le paysan, il faut l'aimer assez pour le présenter tel qu'il est, sans éprouver le besoin de le hausser jusqu'à l'image que l'on souhaiterait pour lui. Sinon, on le corrompt de tout ce que l'on ajoute de soi-même. On le voudrait socialiste, communiste, syndicaliste, plus sociable, plus libre, plus croyant, moins matérialiste, que sait-on encore? On souffre de sa rude franchise comme de sa dissimulation cauteleuse, de son avarice comme de l'abandon où il laisse son fumier; de son manque de confiance comme de la facilité avec laquelle il se laisse empaumer par le premier charlatan vendeur de quelque chose qui a l'astuce de se présenter devant son seuil. Et on le voit comme un vieux pommier déjeté qui aurait besoin d'un tuteur. Tout naturellement, ce tuteur, on souhaite qu'il lui arrive sous la forme du livre dont on est l'auteur. Vanité un peu naïve : le paysan n'est point encore sensible à ce genre d'enseignement.

C'est son image vraie qui lui demeure la plus utile. Dans le miroir du livre, qu'il se retrouve d'abord, tel qu'il est. Alors, il examinera sa silhouette. « Tiens! C'est bien moi; c'est bien les voisins autour de moi! » De cette manière dans un coup d'œil, on voit bien des choses qu'on avait oubliées ou bien qu'on ne voulait pas voir. « Peut-être bien qu'il a raison celui-là! » Il a suffi d'avoir confiance dans la force de la vérité.

## Philéas Lebesgue, Francis André, Michel Maurette Benoît Piegeay, Marius Noguès, Jean Robinet, etc.

Philéas Lebesgue (1869-1958), cultivateur dans la région de Beauvais, fut maire de sa commune natale à partir de 1908. « Ce n'est pas un pur autodidacte, m'écrivait Émile Guillaumin, mais c'est bien un authentique paysan travailleur, vrai poète aussi et linguiste extraordinaire. »

Philéas Lebesgue fit en effet ses études au collège de Beauvais. En général, les fils de paysans qui « sont allés aux écoles » ne reviennent jamais à la terre. Philéas Lebesgue eut la sagesse de suivre un chemin inverse. Ce paysan fut un polyglotte, connaissant couramment l'anglais, l'allemand, l'italien, l'espagnol, le portugais, le grec moderne, le yougoslave, le breton, le provençal. Critique au *Mercure de France* de 1896 à 1940 pour les lettres portugaises, grecques modernes, yougoslaves et brésiliennes, il fut le premier à traduire Tagore. Érudit, philosophe, dramaturge, romancier, traducteur extraordinairement fécond, c'est le poète qui nous retient et l'œuvre du poète est également très fournie. *Les Pages choisies* de Philéas Lebesgue, que publia Marcel Coulon en 1923, donnent une idée assez fidèle de son talent. Un autre *Choix de poèmes* par A.-M. Gossez est paru en 1935 et un *Florilège de poésie rustique* en 1943.

Ces poèmes de forme classique sont souvent alourdis de clichés que rabâchaient déjà Parny et Lamartine. L'érudit oublie souvent sa langue maternelle pour le langage momifié des livres. Il ne réussit guère à nous émouvoir que lorsqu'il parle de son métier, comme dans ces *Calvaniers d'août* :

> Calvaniers d'août, gais manieurs de fourches,
> Je ne suis pas le curieux oisif qui vous regarde;
> Je ne suis pas celui pour qui la gerbe est lourde,
> Et je connais bien votre tâche;
> Aux pointes des chardons secs mes mains rouges
> Ont saigné.
> Calvaniers, bons calvaniers,
> Devant l'orage qui menace,
> Sous le fauve soleil qui fait craquer les feuilles
> Et jaillir le grain des épis froissés,
> J'ai bâti la meule.
> Comme un clocher d'or, j'ai dressé
> L'austère monument pour le salut du peuple.

Ou de sa ferme :

> Après le dur labeur des champs. Ah! rien ne vaut
> La douceur du retour auprès du feu nouveau...

Avant 1919, sa mère était toujours présente :

> A la maison c'est toujours toi qui fais le pain,
> O ma mère, et je te vois, blanche de farine.

Poussant la porte de la maison, venant de l'étable :

> La servante, au tintement de ses grands seaux,
> S'avance...
> ...
>
> Le lait, qui jaillit en féconde pluie,
> A chanté au creux des grands seaux.

Et ainsi tout un portrait du paysan se dégage peu à peu, et de son travail, et de ses paysages, et de ses bêtes.

***

Le berger Antonin Dusserre, auteur de *Jean et Louise*, devenu aveugle à la suite d'un accident de moisson, est aussi un linguiste qui apprit seul le latin, le grec et le russe. Érudit encore que Éliezer Fournier, dont l'*Hésiode* fait autorité et qui écrivit également une épopée paysanne française se déroulant au siècle dernier : *Morpet*.

Joseph Voisin (né en 1882 à Yzeure, Allier), compatriote d'Émile Guillaumin, est très proche, par l'esprit et par le style, de celui qui fut son ami et son maître. *Francine et son village* est l'histoire d'une désertion volontaire et des drames qui en découlent. *Mathurin Barot* est le récit d'une désertion involontaire, encore plus tragique. C'est d'abord une usine qui grignote la terre d'un paysan, puis la guerre qui lui enlève ses terres pour y construire un champ d'aviation. Son fils s'engage, sa fille se marie avec un sergent. Le père Barot ne se décourage pas. Il cultive ailleurs. Une inondation ravage ses champs. Sa fille revient, avec une fillette, abandonnée par le beau militaire. Incapable de se réadapter à la terre, elle se suicide avec son enfant. Le père Barot sombre. La rivière gagne toujours sur ses champs. C'est une servante enfin qui a raison du vieux.

Plusieurs des thèmes de ce livre se retrouvent chez la plupart des écrivains paysans. Non pas qu'il s'agisse là d'influences, mais bien plutôt de thèmes généraux qui hantent les gens de la campagne. On y retrouve toujours les mêmes séductions, les mêmes ennemis, les mêmes drames. Tous les écrivains paysans, depuis ceux qui écrivirent les complaintes médiévales, sont antimilitaristes. Ils savent trop bien que la vie militaire tentera leur fils, comme étant une vie facile, et que le soldat a toujours été le fléau du paysan. Ils se méfient de la ville où leurs filles partent servantes et en reviennent déshonorées. Ils se méfient aussi de leurs servantes qui tendent à devenir maîtresses.

***

Le poète paysan le plus authentique, le plus doué, le plus virulent, est sans contredit Francis André, né le 1er septembre 1897, qui exploitait cinq hectares de terre à Sainte-Marie-sur-Semois, à la frontière belge.

Augustin Habaru a fait de lui ce portrait :

# 6. ÉCRIVAINS PAYSANS

Émile Guillaumin, en visite à Paris, en mai 1934. *Photo X. Doc. M.R.*

Émile Guillaumin, fermier à Ygrande (Allier), en 1944. *Photo X. Doc. M.R.*

Francis André, sa femme, son fils, dans leur ferme en 1937, lors d'une visite de Malva (fumant la pipe). *Photo René Bonnet*

Francis André (premier plan, à droite) avec deux autres paysans, un jour de battage au fléau, en 1925. *Photo R. Moreaux. Col. Francis André*

Francis André, en 1973. *Photo R. Moreaux. Doc. F. André*

Batisto Bonnet (1844-1925), félibre et écrivain paysan. Dessin d'Augeron. Extrait de *Maintenant* N° 5, *Éditions Grasset*, 1947

Philéas Lebesgue, dessin de M. Juan. Extrait de *Anthologie des Écrivains Ouvriers*, par Gaston Depresle, *Éditions Aujourd'hui*, 1925

Joseph Voisin, dessin de M. Juan.
Extrait de *Anthologie des Écrivains Ouvriers*,
par Gaston Depresle,
*Éditions Aujourd'hui*, 1925

*Page suivante* Michel Maurette, fermier dans l'Aude, en 1955. *Photo X. Doc. M.R.* et autographe de Michel Maurette, 1953. *Col. M.R.*

J'ai écrit *La Crue*, *Le Temps des Merveilles*. Soit.
Un manuscrit : *Le Clos St Michel* sera bientôt terminé.
C'est une fresque de la vie à la terre.

Je voudrais être digne de votre confiance.
Je voudrais tant la mériter.

Merci, cher Monsieur.

Je vous exprime toute ma reconnaissance.

M. Mauretti

P.S. Par l'extrait de l'article que vous citez page 215, M. Julien Sans-Morvan Levesque semble refuser toute noblesse et toute pureté aux écrivains du peuple. Je n'ai pas l'intention de provoquer ce monsieur en duel, mais je désirerais toutefois lui envoyer mes témoins : *La Crue* et *Le Temps des Merveilles*.

Voudriez-vous avoir l'obligeance de me donner son adresse ? Merci.

Près à vous.

M. Mauretti

Son enfance fut celle de tous les petits paysans : à l'école jusqu'à onze ans, puis les solitudes du vacher dans les pâturages. A l'âge de dix ans déjà, le gamin écrit des poèmes touchants et naïvement assonancés. La vaste plaine et le grand ciel mouvant, le souffle chaud des bêtes, l'amitié d'un grand chien noir, les cloches, au loin, de l'angélus, tout cela, à l'âge des jeux innocents et cruels, pétrit l'âme inquiète du petit vacher. Élevé dans la religion catholique, le mystère de cette immense nature qui entoure son petit être renforce sa foi. A seize ans, l'adolescent a gonflé des cahiers entiers de poèmes fervents à la gloire de Dieu, de la terre et du ciel.

Il n'a rien lu que de vieux livres rongés des vers, et le seul poète qu'il connaisse, c'est Lamartine. Il n'a rien vu hors de l'horizon des champs paternels. Au tournant de l'adolescence, la guerre viendra illuminer cet horizon de l'incendie des villages voisins, puis les échos seront envahis par le tonnerre du canon de Verdun. Il sera pacifiste par amour des hommes. En même temps, le jeune homme découvrira la vie extérieure, cherchera des livres, assouvira sa soif de connaître. La science prendra en lui la place de la religion. Il lira les grands écrivains du XIXe siècle et les poètes modernes. Verhaeren, Walt Whitman, Vildrac. Il apprendra par lui-même le métier d'écrire. Déporté au camp de Cassel, en Westphalie, il verra le prolétariat de l'usine au travail. A l'âge où l'adolescent se fait homme, dans les remous de la vie, le rêveur mystique deviendra un fougueux révolté. Après la vingtième année, il se tournera vers la lutte des classes.

Ces aventures, que nous conte Habaru, à part la déportation de Francis André, que celui-ci a d'ailleurs racontée dans un récit : *Les Affamés* (1931), sont des aventures purement intérieures. Continuant avec ses parents l'exploitation de sa petite ferme, c'est loin des milieux littéraires que ce vrai poète a réalisé son œuvre. Mis à la place d'honneur dans l'anthologie de Braibant avec Guillaumin et Philéas Lebesgue, défendu par Poulaille dans toutes les revues de celui-ci et longuement commenté dans son *Nouvel Age littéraire*, Francis André est toujours ignoré du plus grand nombre des amateurs de poésie. Constatation enrageante lorsque l'on sait la médiocrité de la plupart des poètes venus après le surréalisme. Mais le milieu littéraire est un panier de crabes qui s'entre-dévorent. Loin de ce panier, loin des revues dites d'avant-garde, loin de Paris, Francis André a fait une œuvre unique.

Que l'on remarque sur celle-ci l'influence de Verhaeren et de Whitman, ceci n'enlève rien à l'originalité de Francis André. Le mieux est encore de laisser parler le poète. Ouvrons son petit recueil de *Poèmes paysans* parus aux « Écrivains Réunis » en 1929 :

> Je ne t'ai jamais vu sous ce rayon, mon père,
> pauvre vieux qui t'en viens là-bas, au bout du champ
> avec tes pauvres vêtements
> couleur des choses, couleur du temps,

avec ton humble tête grise,
semant, semant le blé dans l'automne et le soir.
Mon vieux père de septante ans
Je te découvre enfin dans ta plénitude.
Je vois ton corps penché, ta face résignée
et tes mouvements lents et profonds dans le soir
Je sens que tu es las, et que tes pieds sont lourds
et que la terre aimée te penche
Vers elle un peu plus chaque jour.

Et comment ne pas être ému par ce poème d'amour :

Je ne te donnerai ni bijoux ni richesses,
ni jouets pour tes mains, ton esprit et ton cœur.
Je ne te donnerai, mon aimée, rien des choses
que font étinceler dans leurs mains méprisables
les parasites, les inutiles, les impurs.
Je suis un travailleur et n'ai droit en ce monde
qu'aux biens que m'ont donnés mon travail, mes efforts.
Je n'ai rien que cela que j'ai créé moi-même.
...

Voici mon champ et ma maison, ma houe et ma charrue,
Voici mes bêtes, mon travail, mon pain amer,
Voici ma rude couche et mes rudes amours,
Veux-tu les partager avec moi sur la terre?

Dans sa solitude, Francis André a conscience de sa valeur et plus sans doute de sa valeur d'individu paysan que de celle de sa fonction de poète, celle-ci n'étant qu'un prolongement de celle-là.

Qui donc es-tu qui me regardes de haut?
D'où détiens-tu tes titres d'orgueil parmi nous?
Quelle bonne semence as-tu plantée ici?
Quelle force as-tu apportée dans tes mains futiles?
Où sont tes œuvres? Où jaillissent tes moissons?
Parce que tu me vois sale et suant, parfois
tout mon pauvre corps lourd de fatigue sacrée
passer sans honte devant toi,
Parce que tu me vois dans mes haillons de prolétaire
travailler âprement dans la fiente et la boue
tu me toises du haut de ta caricature
et tu trouves mauvais, en vérité,
que le soleil de Dieu m'éclaire autant que toi.
Or, sache que le grand soleil n'a pas honte de moi,
sache qu'il m'aime, et que sa lumière est pour moi
bien plus que tout ton or, tes salons et tes fêtes,
Sache que j'ai mes champs, mon travail et ma vie

et mes bêtes qui m'environnent de leur amour.
Sache que j'ai mon pain chaque jour sur ma table
le pain de mes moissons, le pain de mes sueurs
dans lequel je puis mordre sans remords.
Sache que tout cela me suffit, ô crétin.

En 1973, Francis André a publié à ses frais une réédition des *Poèmes paysans* et en 1974 de nouveaux poèmes : *La Gerbe du Soir.* Il m'écrivait, le 22 mai 1974 : « J'ai soixante-dix-sept ans et n'écris plus guère. Quelques poèmes de temps en temps. Je vis toujours dans mon petit village, et je m'occupe de mon jardin et de mon bois de chauffage. Une petite pension de travailleur indépendant me consent mon pain quotidien. »

Combien la province cache-t-elle de talents semblables à celui-ci? Rares sont les écrivains paysans qui ont la classe d'un Francis André, mais qui connaît le beau livre de Gabriel Maurière, *A la gloire de la terre ?* Moi-même, je n'eusse sans doute jamais lu le *Pâtre du Cantal* (1914) de Pierre Besson; *Mon village*, du facteur rural Philippe Valette, qui fut berger et ouvrier agricole; — si Jean Vidal ne les avait signalés dans un article du *Journal scolaire.* Tel est le drame de l'édition. Comment amener tel livre à tel public qui l'attend? Publiés presque toujours chez des petits éditeurs, les écrivains paysans, tout comme les écrivains ruraux, n'ont qu'une diffusion infime et une presse insignifiante.

Marcel Braibant, dans son anthologie, *Les Paysans d'aujourd'hui* (1939) écrivait :

Nous avons recherché tout particulièrement les ouvrages écrits par des paysans travaillant la terre; ils sont malheureusement assez rares. Les paysans parlent peu, n'écrivent guère, et ceux qui ont une production littéraire sont mal placés pour se faire éditer. On se rend compte des richesses de pensée et d'art qui gisent dans nos campagnes, en lisant les œuvres admirables de ces petits cultivateurs que sont Émile Guillaumin, Philéas Lebesgue, Francis André.

Pas si rares que ça, en réalité. Mais les paysans qui écrivent n'apparaissent guère qu'au XX^e^ siècle et le premier écrivain paysan est sans doute Émile Guillaumin qui publie son premier livre, *Dialogues bourbonnais*, en 1899.

Continuons...

***

Une femme qui avait été modèle des peintres de Montparnasse en sa jeunesse se mit à peindre sur le tard des tableaux charmants et naïfs qu'elle signait Existence. C'est sous ce même nom qu'elle publia en 1939 dans les *Œuvres libres* des souvenirs de son enfance de petite villageoise en Limousin, *Village*. Ceux-ci sont pleins de notations curieuses sur la vie populaire d'hier. On y voit les femmes venir vendre leurs cheveux à la foire, l'été. « Les cheveux grisonnants valaient un métrage de coton pour faire une robe, les blonds, bien longs, obtenaient le même métrage, mais en belle laine. » On assiste aux jeux cruels des petites filles que tourmente une sexualité précoce. L'humour des « vacances » chez l'oncle bourgeois se rapproche des meilleures pages de Reboul.

***

Michel Maurette, né en 1898 dans les Pyrénées-Orientales, mort en 1973, quitta l'école à douze ans pour travailler la terre. Ce qu'il dit de son père, de leurs heurts, de son travail, de ses relations avec les intellectuels « professionnels » est profondément senti, profondément vécu. Maurette a, de plus, un très beau style et du souffle. C'est un « Hemingway paysan », a dit de lui Jean Rousselot.

Son premier livre, *La Crue*, parut en 1949 avec une préface de Ludovic Massé :

Il y a une quinzaine d'années, écrivait Massé, un orage de grêle anéantit la récolte de Maurette. De ce malheur il fit un conte. *Le Mercure de France* le publia et le plaisir que Maurette en ressentit effaça sa peine... Ce ne fut pas tout à fait là le début de Maurette dans la littérature. Il avait beaucoup grêlé sur ses jeunes années, et il était dit que le chagrin serait sa première muse.

Son père était un modeste fermier du Haut-Valespir, une terre sauvage, croulante d'arbres, de rocailles et de torrents. Michel Maurette était l'aîné des six enfants. On lui fit quitter l'école de bonne heure pour gagner sa vie et alléger la charge familiale. Durant des années, il vécut auprès de paysans et de bergers. On gagne souvent à ces fréquentations. Malheureusement, ces paysans étaient ignares et ces bergers sans pipeau. La vie primitive est belle quand elle est un allégement et ingrate quand elle est un départ. Mais Maurette restait curieux et candide. Il s'instruisait de toute la vigueur de ses yeux neufs et, pour se consoler de sa peine, il se fabriqua un pipeau.

Chaque soir, pendant que les gens de la ferme dormaient, Maurette s'enfermait dans la grange et, à la lueur d'une lanterne, il écrivait...

De loin en loin, la famille quittait un domaine pour un plus grand. Michel Maurette emportait partout son cahier et sa plume; partout il se voyait contraint de se réfugier dans la grange car il fallait échapper à la fois au soupçon et au sarcasme; partout le bœuf restait son confident et son ami. Mais le père devenait de plus en plus exigeant. Le brave homme n'aimait pas les contes et ne tenait pas à guérir de la peste. Le fils étouffa bien des révoltes; il noya bien des chagrins dans son encrier, un de ces petits encriers comme on n'en voit qu'aux devantures des boutiques de village, et auxquels adhère toujours un peu de cire rouge. Un jour, l'encrier déborda. Et le grand fils s'en fut de la maison.

Marié, établi lui-même fermier près de Carcassonne, Michel Maurette continua après son travail agricole à « jouer de son pipeau », comme dit Ludovic Massé. Je n'ai pas lu ses *Scènes de la vie rustique* qui sont antérieures à *La Crue*. Mais *La Crue* m'avait montré un écrivain attachant. Ce récit d'une inondation et des drames qu'engendre le fléau prend l'allure d'une épopée. « La nature n'est pas son modèle, a écrit Joë Bousquet de Maurette, mais elle est le mythe dont il inspire sa passion d'exister. » Oui, l'eau et la terre sont à un tel point présentes, leur lutte est si vivante, si humaine, dirais-je, qu'elles deviennent des forces mythiques.

*Le Temps des merveilles* (1950) marque comme un repos après une œuvre aussi violente que *La Crue*. C'est un livre de l'enfance, le livre de Lucile, l'enfant de Maurette.

*Le Clos Saint-Michel* (1955), c'est la ferme de Maurette. Albert Sarraut, Joseph Delteil, Hervé Bazin viennent le voir. L'année suivante, il publie *Confessions d'un laboureur* puis, en 1968, *L'Enfant des loups*, et en 1969 *Le Rêve d'écrire*. Ce dernier livre contient de beaux portraits de son ami Joë Bousquet, de Maillol, de Reverdy, de Casals. Il raconte aussi avec humour une visite qu'il fit à Paris aux gens de la N.R.F.

Les Éditions Subervie ont publié en 1965 un choix de textes de *Michel Maurette, écrivain paysan*, présenté par Pierre Loubière.

***

En 1932, dans les « Cahiers Bleus » des Éditions Valois paraissait *Comment j'ai vaincu la misère*, par Benoît Piegeay. Le livre fut réédité en 1944 chez Calmann-Lévy sous le véritable nom de l'auteur, Henri Norre. Ces souvenirs et réflexions d'un paysan étaient présentés par Émile Guillaumin en ces termes :

La réussite n'assure point le bonheur. Et plus haut qu'on s'élève, plus large doit être le coup d'œil sur l'horizon. Ce vétéran de l'action féconde demeura toujours, par certains côtés, le petit cultivateur surchargé de 1890 à qui s'imposaient de lourds devoirs de ne se laisser duper par personne.

Henri Norre apparaît en effet dans son « livre de raison » comme un paysan assez ronchonneur, grippe-sou, dur à l'ouvrage, orgueilleux de son savoir-faire, récriminateur sur la main-d'œuvre. On est loin de la simplicité et de l'ouverture d'esprit de Guillaumin.

Né en 1859 dans l'Allier (qui aura été décidément une pépinière d'écrivains paysans), Henri Norre montra en 1910 ses « Cahiers » à Daniel Halévy. Guillaumin lui rendit visite l'année suivante et tous deux le conseillèrent. Paysan miséreux, Henri Norre devint, à force de travail et de privations, cultivateur d'une propriété de vingt-deux hectares dans le Périgord.

***

En 1957, le Club du Livre du Mois publiait *Petite Chronique de la boue*, par Marius Noguès, paysan du Gers.

C'est une petite chronique paysanne de l'amour rural; un paysan qui parle du sexe, et fort bien.

> J'ai voulu simplement, écrit-il, essayer mon optique, envers et contre certains professionnels de l'écriture, qui ont, délibérément, d'une façon outrageuse, je dirai même abjecte, dénaturé les vertus, les vices, les mœurs paysannes... Mes personnages, dont je fais partie intégrante, ne sont pas des originaux, ni exagérés, ni meilleurs, ni pires que ceux que les volontaires du mépris et de la merde à tout prix ont essayé malignement, en protestant le plus souvent de leur amour, de salir... Ceci ne peut donc avoir l'allure que d'une sorte de témoignage. Il n'est pas d'autre intention.

Bien qu'il ne s'agisse pas à proprement parler d'un livre écrit par un paysan, il nous semble bon de mentionner *Grenadou, paysan français* (1966). Le Beauceron Éphraïm Grenadou, né en 1897 en Eure-et-Loir, gardeur d'oies à dix ans, charretier à quatorze, devint cultivateur de cent soixante-dix hectares, avec six tracteurs. En 1959, le romancier Alain Prévost acheta le presbytère de Saint-Loup, commune où vivait Grenadou. Pendant six ans, l'intellectuel et le paysan se rencontrèrent régulièrement pour jouer au billard. Un hiver, Alain Prévost enregistra pendant soixante heures la vie de Grenadou au magnétophone. D'où le livre publié aux Éditions du Seuil.

Citons encore le cultivateur Pierre Petitjean (né en 1904), auteur de *Chez les autres* (1954) et du *Sentier des Violettes* (1959).

Nous avons vu que Roger Boutefeu avait été berger. Un ancien berger devenu bibliothécaire, Batisto Bonnet (1849-1926) fut écrivain occitan. Mais un ancien instituteur, devenu berger, Pierre Mélet, nous a conté dans *Le Galvaudeux* (1948) son existence solitaire et son amour des bêtes.

***

Angélina Bardin, fille de l'Assistance publique, gagée à treize ans, a conté l'histoire d'une servante de ferme dans *Angélina, une fille des champs* (1958).

Mais l'écrivain paysan dont l'œuvre est la plus vaste depuis Émile Guillaumin est Jean Robinet. Il a raconté dans l'*Autodidacte* (1955) comment il étudia seul, dans la ferme familiale de la Haute-Saône et comment il écrivit son premier livre : *Compagnons de labour* (1946) dans un camp de prisonniers en Silésie. Outre des romans : *Les Grains sous la meule* (1964), Jean Robinet (né en 1913) a publié des chroniques : *Voyage à travers la Haute-Marne* (1971), *La Route Gabrielle* (1968) et des essais : *Les Paysans parlent* (1970), *Paysans d'Europe.*

## Georges David, Jean Tousseul, André Baillon Henri Bachelin, etc., et l'écrivain rural

L'horloger Georges David, né en 1878, qui exerçait son métier à Mirebeau, en Poitou, nous montre une image typique de l'écrivain rural. Je veux dire l'image d'un écrivain ouvrier fort dissemblable de celui des grandes cités, proche de l'écrivain paysan, mais avec des caractéristiques différentes. Les petites villes ont une vie particulière, avec une hiérarchie spéciale. Un épicier y est déjà un bourgeois, un instituteur y fait figure de notable. Sans doute la notion d'aristocratie populaire qui se retrouve dans tous les livres de Georges David vient-elle de ce phénomène social.

La formule de Michelet : « Monter en restant soi » pourrait être placée en épigraphe de l'œuvre de Georges David. *Bérangère* (1920), c'est l'institutrice qui met tous les « gens bien » contre elle en défendant les pauvres parmi lesquels se trouve sa famille. *Cure-Bissac* (1930), c'est un autodidacte, descendant de musiciens de bals campagnards, paysan et artiste, qui s'efforce d'écrire et de faire jouer une grande œuvre musicale exprimant l'âme de son pays rabelaisien. *L'Aristocrate,* c'est une doctoresse, fille d'un « graveur en colliers de chien, révolutionnaire, anarchiste, et partant fort honnête homme », qui a conscience d'appartenir à l'aristocratie du peuple et lutte pour son avenir. *La Carne* est au contraire l'histoire d'une vocation militaire chez un fils d'ouvrier,

l'histoire d'un reniement qui peut être rapprochée de celle d'*Albert Manceau, adjudant*, d'Émile Guillaumin.

La *Remise des cailles* (1936) met en scène un poète et conteur, forgeron de son état dans un bourg perdu. Après avoir rangé le soir ses outils, il tire un cahier d'écolier de son armoire de merisier et « s'échine » à écrire jusqu'à minuit. Après avoir connu un succès local, puis une renommée qui l'incite à partir à la conquête de Paris, la lamentable aventure que lui réservent les milieux littéraires le fait retourner à sa forge.

> Il se remettra à vivre comme avant... Il reprendra sa tâche d'écrivain cantonal. Il dira la peine des culs-terreux et aussi la peine des autres compagnons, les types d'usine, ceux qui ne travaillent pas dans la lumière, les charbonneux, les graissous, les boulonneurs à la chaîne, les porte-fardeaux en gilet marin et aussi la plainte sourde et la révolte de ceux qui n'ont pas d'ouvrage.

Ce forgeron poète est typiquement l'écrivain cantonal, l'écrivain rural, et sans doute l'horloger Georges David lui a-t-il prêté quelques-uns de ses propres traits. Ce forgeron poète, n'est-ce pas aussi Théophile Malicet, l'auteur de *La Galère a chanté*, forgeron quelque part dans les Ardennes?

*Passage à niveau* (1933) est le meilleur roman de Georges David. Par ce livre, l'auteur nous conte « les combats d'autrefois, pour le pain, dans la nuit ». Car « ... il y a moins de cinquante ans, sous la Troisième République, on rencontrait dans le peuple plus de gens ayant faim que de citoyens heureux. Et ceci sans aller au pays des misères noires et massives. Non, ceci en restant dans nos endroits, dans nos régions agricoles, à la terre opulente et généreuse, sous le ciel léger, si léger, de la Touraine et du Poitou. Temps gueusards... ».

* * *

Jean Tousseul, (1890-1944), fut aussi forgeron, puis jardinier, enfin employé aux P.T.T. belges. Il a publié de nombreux livres tourmentés,

avec une tendance au fantastique. La mort et la faim dominent ses contes réunis sous le titre, *La Maison perdue*. Les usines forment le décor de fond de son œuvre et la fumée de leurs cheminées rend leur atmosphère oppressante, sans soleil, dans laquelle vivent en damnés des personnages tristes, échappés des romans de Dostoïevski. *Le Village gris*, *La Cellule 158*, nous plongent en pleine angoisse, par de simples notations de faits divers, d'anecdotes quelconques. Mais leur authenticité est telle qu'une émotion poignante étreint le lecteur le moins sensible.

***

André Baillon eut « le malheur de naître en Belgique, écrivait son compatriote Jean Tousseul, un pays où les artistes authentiques ne jouissent d'aucun crédit, où personne ne lit, où meurent de grands livres, où s'effacera l'œuvre d'André Baillon si des amis ne veillent pas sur elle ». Mais ces amis ont formé après la mort de Baillon une société destinée à faire connaître l'œuvre de cet écrivain continuateur de Charles-Louis Philippe et de Jules Renard. *Un Cahier* fut consacré à André Baillon. Y en eut-il d'autres? En tout cas une certaine ferveur entoura la mémoire de Baillon. Ch. Vildrac avait préfacé son premier livre, *Histoire d'une Marie* (1920). Moins lyrique que celle de Philippe (et en cela beaucoup le louaient qui préfèrent la prose), aussi maniaque que celle de Renard, l'œuvre de Baillon forme une sorte d'autobiographie à peine transposée.

***

Henri Bachelin (1879-1941) n'eut jamais le succès littéraire d'un Henri Pourrat. Nous retiendrons *Le Sacristain* (1918) qui nous conte la vie de son père sacristain et journalier dans le Morvan.

***

L'œuvre de Paul Vimereu est très curieuse. Depuis *Le Rire du vilain* (1920), cet auteur rabelaisien se complaît dans des fantaisies lyriques. Mais je lui préfère Jules Reboul, (né en 1875 à Aubignas, Ardèche), l'auteur des *Contes ardéchois* et du *Père Bacchus* qui, dans *Babet le Sage et ses amis* (1923), a fait une création très personnelle avec son village de loufoques et d'ahuris. L'assomption de Babet le Sage et son retour sur terre sont des scènes d'un haut comique parmi tant d'autres. Exubérance méridionale, bonne humeur, imagination débordante, pointe de satire, telles sont les caractéristiques de cette œuvre bien supérieure à *Clochemerle*. De Jules Reboul, je citerai encore tout particulièrement la *Vie de Jacques Baudet*, roman villageois d'une grande sobriété, dont

*Jules Reboul.*

l'authenticité fait songer à *La Vie d'un simple*, de Guillaumin, et à *La Vie de Samuel Belet*, de Ramuz.

Gabriel Nigond (1877-1937) fut célèbre du côté de Limoges pour ses *Contes de la Limousine* (1902), poèmes en patois limousin.

***

La littérature paysanne se confond parfois avec la littérature régionaliste ou la littérature dialectale. Nous avons vu qu'il existe une littérature « de paysans ». Mais plus connue est la littérature faite *sur* les paysans. Rares sont les grands écrivains qui n'ont voulu écrire leur « roman paysan ». *La Terre*, de Zola, en est l'exemple le plus connu et sans doute le plus lu des « romans paysans ». Restif de la Bretonne a inauguré le genre en écrivant en 1779 *Vie de mon père* qui est plus un témoignage sur la vie patriarcale d'un riche laboureur qu'une étude de mœurs paysannes. Finalement, en dix lignes d'observations acérées, La Bruyère nous en dit plus sur les paysans d'autrefois.

La littérature paysanne et régionaliste a ses spécialistes, très souvent des aristocrates comme Alphonse de Châteaubriant *(La Brière)*, Jean de La Varende ou Joseph de Pesquidoux; des notables comme Jean Yole, sénateur de la Vendée. Ce phénomène a contribué à donner à la littérature régionaliste et paysanne une réputation d'anachronisme, voire d'esprit réactionnaire. André Chamson, Maurice Genevoix et Henri Pourrat ont pourtant été des observateurs sensibles et non conformistes de leur province. Ludovic Massé a donné à la Catalogne française toute une suite de romans vigoureux et protestataires : *Le Mas des Oubells* (1932), *La Flamme sauvage* (1934), *Le Vin pur* (1944). Quant à Ramuz et à Giono, ils ont élevé le régionalisme et la paysannerie à la hauteur du mythe. Dans leur sillage, toute une colonie : C.-F. Landry (*Baragne*, 1941), Thyde Monnier (*Le Pain des Pauvres*, en sept volumes), Maria Borrély *(Le Dernier Feu)*, Gaston Baudoin *(Le Pain fier)*, M.-A. Monnet *(Le Chemin du soleil)*.

Dans un autre registre, citons deux épopées paysannes : *Les Jacques*, de Fanny Clar, et *Le Cul-du-Pré* (1950), de Claude Ranchal. Ce dernier livre conte adroitement, autour d'un monastère, sept cents ans d'histoire paysanne.

*Le Pain et le Blé*, de Jules Leroux; les scènes villageoises campées dans *La Concession perpétuelle nº 314*, par Henri Hisquin; *Les Fiancés du Creux Chaud*, de Jean-Charles Varennes; *Les Jaumes*, d'Aimé Blanc; *Campagne*, de Raymonde Vincent; *Le Mile des Garets*, de Rose Combe; *La Grève des vignerons*, de Pierre-Étienne Martel; *La Route du Sel*, d'Henry Jacques; *Sur le trimard*, de Marc Stephane; *Le Pain au Lièvre* (1943), de Joseph Cressot; *Les Raisins de maïs*, de Raymond Dumay; *Le Domaine du Hameau perdu*, d'Hélène Patou, — s'ils ne sont pas des livres écrits par des paysans ont néanmoins des qualités d'observation qui leur valent une place particulière aux côtés des vrais écrivains paysans.

***

Mais revenons à notre sujet qui est la littérature d'expression populaire, littérature marginale dont Camille-Robert Désert est encore un singulier exemple.

Camille-Robert Désert a publié en 1972 son autobiographie sous le titre *La Rue d'enfer (Heurs et malheurs d'un petit paysan en 1900)*. Il a publié lui-même ce livre dans son village normand de quatre cents habitants, Sausseuzemere-en-Caux.

Véritable écrivain régionaliste, Camille-Robert Désert est l'auteur de soixante « comédies rustiques », de contes, de romans. L'une de ses

*Autographe de Rose Combe.*
*Extrait de* Nouvel Age, *nº 6, juin 1931.*

# Pages de Rose Combe

(1)

Mars. La pluie a cessé. Nous sommes dans une periode de grands vents depuis quelques jours. Ici sous la butte d'arbres qui amorti. brise dans son elan on l'entend passer en rafales, il fait gemir les bois aux alentours s'engouffre dans les vallées sous son passage tout se hate: la fumée des toits pressée se mêle à son remous l'eau des rigoles a reflets d'argent se depêche de passer vite, vite. Cela m'a frappé tout à l'heure sur la route où je passais au dessus d'un coin assez joli dans la vallée du ruisseau. Là il se divise en en plusieurs petits bras autour d'iles minuscules. La levée du moulin par de là et tout le long des rigoles bien pleines sillonnent la prairie. Cette eau si claire vit au soleil jeune et se depêche de courir. Le vent vient de là-haut il a passé sur les bois de pins et sent un peu la résine il soulève des tourbillons de poussière sur la route et le passage de chaque auto laisse un nuage blanc.

J'aime le vent cette force invisible et voyageuse il purifie l'air et fait vivre le paysage. A une amie a qui j'avouais mon goût pour la tourmente l'orage et les fortes pluies. Elle m'accusa d'aimer le tragique. Et pourtant non ce n'est comédies, *Enquête à la ferme*, obtint le Grand Prix de la Société des Agriculteurs de France.

Camille-Robert Désert publie ses pièces par fascicules à couleur verte, comme les vieux almanachs. Il a fondé « Le théâtre aux Champs » dont il a défini le but : « Procurer à peu de frais à *toute* la population de la commune rurale, et notamment aux *jeunes*, une distraction saine et éducative. » Son répertoire : « Les jeunes ruraux sont en général mal à l'aise dans ceux des personnages des comédies ordinaires qui doivent être suprêmement élégants : avocats, financiers, femmes du monde, etc. Il leur faut un répertoire adapté à leurs moyens naturels : décors, costumes, situations, vocabulaire de tous les jours. Les principaux personnages sont le maître, la maîtresse, le charretier, la servante, les paysans en général. Les sujets de pièces sont tirés de la *vraie* vie paysanne, inspirés par l'amour de la terre, et non par un folklore de cartes postales. »

Camille-Robert Désert, qui a créé dans nombre de communes normandes des petits groupes d'acteurs amateurs, publie un bulletin mensuel qui, chaque année, donne le répertoire des pièces rurales. Ses soixante comédies ont eu cinq mille représentations rurales.

Camille-Robert Désert, né de parents ouvriers agricoles, a quitté l'école primaire à onze ans, fut apprenti quincaillier, puis apprenti coiffeur. Grand blessé de guerre en 1915, il n'a commencé à écrire ses comédies qu'en 1930, la première en patois et à sujet paysan. Il écrivit ensuite en français afin de pouvoir être diffusé par Radio-Normandie. Type d'autodidacte débrouillard et inventif, Camille-Robert Désert attache beaucoup de prix à l'orthographe, à la vertu, au patriotisme. Au fur et à mesure que la radio et la télévision se sont propagées, le Théâtre aux Champs de Camille-Robert Désert est tombé en désuétude, ce dont il se montre évidemment amer. Bien sûr, ce n'est pas Guillaumin, mais c'est un peu Gaston Chaissac; c'est un peu l'équivalent littéraire du facteur Cheval; c'est en tout cas le produit d'une culture autre, d'une culture parallèle à la culture universitaire, que nous aurions grand tort de négliger.

# *Bibliographie*

## LITTÉRATURE OUVRIÈRE ET PAYSANNE

*Histoire :*

POULAILLE, Henry, *Nouvel Age littéraire*, Valois, Paris, 1930.
RAGON, Michel, *Les Écrivains du Peuple*, Vigneau, Paris, 1947.
— *Histoire de la littérature ouvrière*, Les Éditions Ouvrières, Paris, 1953.
LOFFLER, Paul, *Chronique de la littérature prolétarienne française*, de 1930 à 1939, Subervie, Paris, 1967.

*Dictionnaires :*

FELLER, Paul, *Nécessité, Adolescence, Poésie*, ébauche d'un catalogue bio-bibliographique universel des auteurs ayant, dès l'adolescence, gagné leur vie du travail de leurs mains, Le Musée du Soir, Lallaing (Nord), 1960.
MAITRON, Jean, *Dictionnaire biographique du mouvement ouvrier français*, Les Éditions Ouvrières, Paris.

*Anthologies :*

RODRIGUES, Olinde, *Poésie sociale des ouvriers*, 1841.
VIOLLET, Alphonse, *Les Poètes du peuple au* XIXe *siècle*, 1846.
GIMET, François, *Les Muses populaires*, 1856.
DEPRESLE, Gaston, *Anthologie des Écrivains ouvriers*, préface de Henri Barbusse, Éditions Aujourd'hui, Paris, 1925.
*Douze Poètes* (F. André, Ayguesparse, L. Bourgeois, M. Martinet, T. Rémy, V. Serge, etc.), E.S.I., Paris, 1931.
*Des ouvriers écrivent*, E.S.I., Paris, 1934.
ARLAND, Marcel, *Le Paysan à travers la littérature française*, Stock, Paris, 1941.

BRAIBANT, Marcel, *Les Paysans d'aujourd'hui*, Mercure de France, Paris, 1939.
RAGON, Michel, *L'Art et le Peuple. La jeune littérature d'expression populaire*, Ophrys, Gap, 1948.
FOURASTIÉ, F. et J., *Les Écrivains témoins du peuple* (le peuple vu par les écrivains, du Moyen Age à Alphonse Daudet; mais aussi Rutebeuf, Perdiguier, Nadaud, Eug. Le Roy, Guillaumin), J'ai Lu (Poche), 1964.

## AUTODIDACTES

CACÉRÈS, Benigno, *Regards neufs sur les autodidactes*, Le Seuil, Paris.
CAMUSAT, Pierre, *Réussir avec ou sans diplôme*, Gamma, Blound et Gay, 1965.

## LITTÉRATURE GÉNÉRALE

REYNIER, Gustave, *Les Origines du roman réaliste et le roman réaliste au* XVII^e^ *siècle*, Hachette, Paris, 1912.
CHEVALLEY, Abel, *Thomas Deloney, le roman des métiers au temps de Shakespeare*, Gallimard, Paris, 1926.
SÉNÉCHAL, Christian, *Les Grands Courants de la littérature française contemporaine*, Malfère, Paris, 1941.
TROFIMOFF, André, *Rimailleurs et Poétereaux*, Chambriand, Paris, 1951.
LIME, Maurice, *Gide, tel je l'ai connu*, Julliard, Paris, 1952.
GUÉHENNO, Jean, *Jean-Jacques*, Gallimard, Paris.

## POPULISME

LEMONNIER, Léon, *Manifeste du roman populiste*, Jacques Bernard, Paris, 1930.
— *Populisme*, La Renaissance du Livre, Paris, 1931.

## THÉATRE POPULAIRE

COPEAU, Jacques, *Le Théâtre populaire*, P.U.F., Paris, 1941.

## RÉGIONALISME

BRUN, Charles, *Le Régionalisme*, Blond, Paris, 1911.
ROGER, G., *Situation du roman régionaliste français*, Jouve et C^ie^, 1951.

## CULTURE PROLÉTARIENNE

MARX et ENGELS, *Sur la littérature et l'art*, textes présentés par Jean FRÉVILLE, E.S.I., Paris, 1937.
PROUDHON, *Principes de l'art*.
LÉNINE et STALINE, *Sur la littérature et l'art*, textes présentés par Jean FRÉVILLE, E.S.I., Paris, 1937.
LÉNINE, *Que faire?*

MARTINET, Marcel, *Culture prolétarienne*, Librairie du Travail, Paris, 1935.
BLOCH, Jean-Richard, *Naissance d'une culture*, Rieder, Paris, 1936.
GORKI, Maxime. *Le Métier des Lettres*, La Nouvelle Édition, Paris, 1947.
HAMP, Pierre, *L'Art et le travail.*
JDANOV, Andréï, *Sur la littérature, la philosophie et la musique*, La Nouvelle Critique, Paris, 1950.
PLÉKHANOV, G., *L'Art et la vie sociale*, Éditions Sociales, Paris, 1953.
REVAL, Joseph, *La littérature et la démocratie populaire*, La Nouvelle Critique, Paris, 1950.
KAES, René, *Les Ouvriers français et la culture*, enquête 1958-1961 à l'Institut du Travail de Strasbourg, Dalloz, 1962.
HOGGART, Richard, *La Culture du pauvre*, Les Éditions de Minuit, Paris, 1970 (éd. anglaise, 1957).
THIRION, André, *Révolutionnaires sans révolution*, Laffont, Paris, 1972.
BERNARD, J.-P.-A., *Le P.C.F. et la question littéraire*, Presses Universitaires de Grenoble, 1972.

## LITTÉRATURE PROLÉTARIENNE EN U.R.S.S.

BARBUSSE, Henri, *Russie*, Flammarion, Paris, 1930.
ARAGON, Louis, *Pour un réalisme socialiste*, Denoël, Paris, 1935.
SLONIM, Marc et REAVEY, Georges, *Anthologie de la littérature soviétique*, 1918-1934, Gallimard, Paris, 1935.
ARAGON, Louis, *Littérature soviétique.*
SULEIMAN, Susan, *Pour une culture nouvelle*, textes choisis, Grasset, Paris, 1971.

## LITTÉRATURE PROLÉTARIENNE EN ALLEMAGNE

ALBRECHT, Wolfram, « La Poésie ouvrière », in *Poètes et Penseurs*, Cahiers de l'Institut allemand, Sorlot, Paris, 1941.
LANCE, Alain, « Agitprop, littérature ouvrière en Allemagne », numéro spécial d'*Action poétique*, nos 51-52, Paris, 1972.

## LITTÉRATURE DE COLPORTAGE

RATHERY, « De la littérature populaire », articles parus dans *Le Moniteur*, 1853.
NISARD, Charles, *Histoire des livres populaires ou De la littérature de colportage*, 2 vol., 1854; nouvelle édition, Maisonneuve, Paris, 1968.
CHAMFLEURY, *De la littérature populaire*, 1861.
FOURNEL, Victor, un chapitre sur la littérature de colportage, dans ses recueils d'études sur le vieux Paris.
BOLLÈME, Geneviève, *Les Almanachs populaires*, essai d'histoire sociale, Paris, 1969.
— *La Bibliothèque bleue*, Julliard, Paris, 1971.

DARMON, J. J., *Le Colportage de librairie en France sous le Second Empire, Grands colporteurs et culture populaire*, Plon, Paris, 1972.

## POÉSIE OUVRIÈRE ET ROMANTISME SOCIAL

LOCKWOOD, Helen Drusilla, *Tools and the man*, étude comparative de l'ouvrier français et du chartiste anglais dans la littérature, de 1830 à 1848. Thèse de doctorat, Columbia University, 1927.

DOLLÉANS, Édouard, *George Sand, amie des poètes ouvriers*, Sirey, Paris, 1938.

PICARD, Roger, *Le Romantisme social*, Brentano's, New York, 1944.

OWEN EVANS, David, *Pierre Leroux et le romantisme romantique*, Marcel Rivière, Paris, 1948,

DOLLÉANS, Édouard, *George Sand, féminisme et mouvement ouvrier*, Les Éditions Ouvrières, Paris, 1951.

TRISTAN, Flora, *Journal inédit, 1843-1844*, Éd. Tête de Feuilles, Paris, 1973.

## MOUVEMENT OUVRIER

LEVASSEUR, Émile, *Histoire des classes ouvrières avant 1789*, 2 vol., 1859.

— *Histoire des classes ouvrières depuis 1789 à nos jours*, 2 vol., 1867.

LICHTENBERGER, André, *Socialisme au* XVIII^e^ *siècle*, Alcan, 1895.

— *Le Socialisme et la révolution française*.

SAINT-LÉON, Martin, *Histoire des corporations de métier*, 1897.

— *Le Compagnonnage*, 1901.

HALÉVY, Daniel, *Essai sur le mouvement ouvrier en France*, 1900.

PICARD, Roger, *Les Cahiers de 1789 et les classes ouvrières*, 1910.

— *La Théorie des classes au* XVIII^e^ *siècle*, 1913.

COORNAERT, *Histoire des corporations avant 1789*, Paris, 1941.

GUÉRIN, Daniel, *La Lutte des classes sous la Première République, bourgeois et « bras nus »*, 1793-1797, 2 vol., Gallimard, 1946.

DUVEAU, Georges, *La Vie ouvrière en France sous le Second Empire*, Gallimard, Paris, 1946.

— *La Pensée ouvrière sur l'éducation sous la* II^e^ *République et le Second Empire*, Domat-Montchrestien, 1948.

DAUTRY, Raoul, *Compagnonnage*, comprenant une bibliographie complète des ouvrages traitant du compagnonnage, par Roger LECOTTÉ, Paris, 1951.

RENARD, Georges, *Histoire universelle du travail*, Alcan, Paris, 1920.

DOLLÉANS, Édouard, *Histoire du mouvement ouvrier*, tome 1 : 1830-1871, tome 2 : 1871-1919, tome 3 : 1920-1952, Armand Colin, Paris.

LOUIS, Paul, *Histoire du mouvement syndical en France*, tome 1 : 1789 à 1918, tome 2 : 1918 à 1948, Valois, Paris.

## ANARCHIE

SERGENT, A. et HARMEL, Cl., *Histoire de l'anarchie*, Le Portulan, Paris, 1950.
SERGENT, Alain, *Les Anarchistes* (textes choisis), F. Chambriand, Paris, 1951.
MAITRON, Jean, *Histoire du mouvement anarchiste en France*, thèse de doctorat, 1951, publiée en 1954.
GUÉRIN, Daniel, *Ni Dieu, ni maître*, Paris, 1965.

## MOUVEMENT PAYSAN

PETIT-DUTAILLIS, Charles, *Les Prédications populaires*, 1896.
RÉVILLE, André, *Les Paysans au Moyen Age*, 1896.
SÉE, Henri, *Les Classes rurales et le régime domanial en France*, 1901.
POURRAT, Henri, *L'Homme à la bêche*, 1940.
MASTÉPIOL, Roland, *Les Paysans dans la littérature*, Cahiers de La-Pierre-qui-Vire, 1948.
*Répression des luttes : des paysans parlent*, Maspéro, Paris, 1972.
PORCHNER, Boris F., *Les Soulèvements populaires en France, de 1623* à *1648*, Seupen, Paris, 1963.
WALTER, Gérard, *Histoire des paysans de France*, Flammarion, Paris, 1963.
LE ROY-LADURIE, Emmanuel, *Les Paysans du Languedoc*, Flammarion, Paris, 1969.
MOLLAT, Michel et WOLF, Philippe, *Ongles bleus, Jacques et Ciompi, les Révolutions populaires en Europe aux* XIVe et XVe *siècles*, Calmann-Lévy, Paris, 1970.
FOISIL, Madeleine, *La Révolte des nu-pieds et les révoltes normandes de 1639*, P.U.F., Paris, 1970.
DOMMANGET, Maurice, *La Jacquerie*, Maspéro, Paris, 1971.
HALÉVY, Daniel, *Visite aux paysans du Centre.*
ROUPNEL, Gaston, *Histoire de la campagne française*, Plon 1932. Réédition 1974.

## MONOGRAPHIES

*Eugène Pottier et l'Internationale*, par Alexandre Zévaès, E.S.I., Paris, 1936.

*Charles-Louis Philippe*, numéro spécial N.R.F., 15 février 1910.
*Charles-Louis Philippe, son œuvre*, par Henri Bachelin, La Nouvelle Revue Critique, 1929.
*Charles-Louis Philippe, mon ami*, par Émile Guillaumin, Grasset, Paris, 1942.
*Charles-Louis Philippe, le bon sujet*, par Jacques de Fourchambault, Denoël, 1943.
*Charles-Louis Philippe et son œuvre*, par François Talva, Crépin-Leblond, 1949.
*Charles-Louis Philippe*, par Louis Lanoizelée, Plaisir du Bibliophile, 1953.

*Lucien Jean*, par L. Lanoizelée, préface de H. Poulaille, Plaisir du Bibliophile, 1952.

*Émile Guillaumin*, par L. Lanoizelée, avant-propos d'Éd. Peisson, Plaisir du Bibliophile, 1952.
*119 lettres d'Émile Guillaumin*, thèse de lettres par Roger Mathé, à la faculté de Nanterre, Klincksieck, Paris, 1969.
*Marguerite Audoux*, numéro spécial « Les Primaires », août 1922.
*Celle qui fut Marie-Claire*, par J. Ithurbide, Lipchutz, 1937.
*Marguerite Audoux, un cœur pur*, par Georges Reyer, Grasset, 1942.
*Marguerite Audoux*, par Louis Lanoizelée, préf. de René Bonnet, Plaisir du Bibliophile, Paris, 1954.

*Gaston Couté, la légende et la vérité*, par P.-V. Berthier, Cahiers de Contre-Courant, nº 65, mars 1958.
*Gaston Couté*, par L. Lanoizelée, Avant-propos de Paul Barthet, Plaisir du Bibliophile, Paris, 1960.

*Lucien Bourgeois*, témoignages et souvenirs par R. Bonnet, R. Garric, H. Poulaille, M. Ragon, Jean Siquier, Paris.
*Eugène Dabit et André Gide*, par Maurice Dubourg, Plaisir du Bibliophile, Paris, 1953.
*Georges Cresson et la peinture prolétarienne*, par Léon Gerbe, Paris, 1935.
*Eugène Armand, sa vie, sa pensée, son œuvre*, Paris, 1964.
*Jules Mousseron, Les Écrivains de chez nous*, par René Dethier, Bruxelles 1907.

## PÉRIODIQUES

*Nouvel Age*, « Revue mensuelle de littérature et de culture ». Rédacteur en chef : Henry Poulaille. Comité de rédaction : Eugène Dabit, Lucien Gachon, Jean Giono, Lucien Jacques, Édouard Peisson, Tristan Rémy. Onze numéros, dont le nº 9 (septembre) consacré à la littérature prolétarienne en U.R.S.S. Librairie Valois, Paris, janvier-novembre 1931.
*Prolétariat*, dirigé par Henry Poulaille, douze numéros, 1933.
*A Contre-Courant*, « Revue mensuelle de littérature et de doctrine prolétariennes». Rédacteur en chef : Henry Poulaille. Comité de rédaction : Lucien Gachon, Léon Gerbe, Ludovic Massé, Édouard Peisson, Romagne, R. Fouquin, imprimeur. Douze numéros, juillet 1935 — octobre 1936.
*Maintenant*, « Recueil international illustré de littérature et d'art », publié sous la direction de Henry Poulaille. Dix numéros, le dernier (9-10) étant consacré à la révolution de 1848. Grasset, Paris, novembre 1945-juin 1948.
*Peuple et Culture*, revue animée par Benigno Cacérès, à partir de 1946.
*Courrier des Écrivains paysans*, « Bulletin du groupe des écrivains paysans », édité par Charles Bourgeois.
*Les Cahiers du Peuple*, revue trimestrielle. Rédacteur en chef : Michel Ragon. Équipe de rédaction : R. Bonnet, Jacques Cru, Jean Flory, Jean

Prugnot, Ferdinand Teulé. R. Fouquin imprimeur. Trois numéros de novembre 1946 à juin 1947.
*Peuple et Poésie*, revue animée par Jean l'Anselme, nos 12 à 20, 1947-1951.
*Faubourgs*, « Cahiers trimestriels de culture et d'expression populaires; organe de la Société des écrivains et artistes du peuple ». Directeur : Fernand Henry. Administrateur : Roger Pecheyrand. Premier numéro, janvier 1949. Avec le no 4, le sous-titre se modifie : « Publication mensuelle encyclopédique pour la culture individuelle et l'expression littéraire et artistique du peuple ». S'ajoute un secrétaire général : Max Leclerc.
*Après l'boulot*, « Cahiers mensuels de littérature ouvrière », rédacteur en chef : Maurice Lime. Onze numéros, de juin 1953 à décembre 1956.
*Le Musée du Soir*, « Revue internationale de littérature prolétarienne. » Quatre séries, de juin 1954 à décembre 1968.

## BIBLIOGRAPHIE DE LA CORDONNERIE, DE LA MINE ET DE LA MAÇONNERIE

A titre de curiosité, j'ai noté les œuvres montrant la continuité d'une expression littéraire dans un même corps de métier. Nous avons souvent eu l'occasion de parler des tisserands avant la fin du XIXe siècle. Les chansons du tisserand sont nombreuses. Au Moyen Age la corporation des tisserands donne un spectacle sur le thème de la résurrection des morts. Les tisserands connaissent leur apogée en littérature avec Thomas Deloney. Avec Magu et Norbert Truquin s'arrête l'expression littéraire de cette corporation que nous avons toujours vue à l'avant-garde du syndicalisme. Et certains chants anonymes, certains couplets des tisserands en grève aux U.S.A., montreraient à eux seuls la faiblesse des arguments de J.-P. Sartre. Aucun chant d'esclave, aucun blues nègre n'a plus d'ampleur, ni plus de vraie poésie primitive.

La corporation des menuisiers et charpentiers nous a donné des écrivains, surtout depuis le XIXe siècle. Mais nous nous souvenons d'Adam Billaut (1601-1662). La liste qui part d'Agricol Perdiguier et de Michel Roly vient rejoindre nos contemporains : René Bonnet, Maurice Mardelle, Benigno Cacérès, Émile Bachelet, Raoul Vergez.

C'est surtout la corporation des cordonniers et savetiers qui a donné naissance à toute une littérature. Voici une liste succincte :

*Dit des Corduaniers*, par Rutebeuf (XIIIe siècle).
*Baudoin de Sebourc* (apologie du savetier par un trouvère anonyme).
*Le Noble Métier*, par Thomas Deloney (publié aux frais de la corporation des cordonniers, 1598).
*Le Mardi-Gras des cordonniers*, par Thomas Dekker (1599).
*Le Congé des garçons cordonniers* (littérature de colportage).
*Le Fameux Devoir des savetiers* (littérature compagnonnique, XVIIe siècle).

*L'Arrivée du Toulousain* (réception d'un compagnon savetier. Littérature compagnonnique, 1732).

Au XIX^e siècle, Savinien Lapointe, Faustin Bonnefoy, Gonzale sont cordonniers. Le cordonnier Ch. Chambiet fut le premier interprète de Rictus. Jean Grave et, de nos jours, Margravou, Jean Vodaine et Gaston Chaissac appartiennent à cette corporation.

En 1856, le cordonnier bottier M. Sensfelder publia une *Histoire de la Cordonnerie*, curieux travail d'érudition par lequel l'auteur recherchait, depuis saint Crespin et « Pantaléon devenu pape sous le nom d'Urbain IV », toutes les gloires de la cordonnerie. Mais il aurait pu citer beaucoup d'autres cordonniers qui furent mêlés à l'histoire, tel Simon, le geôlier de Louis XVII. Et il ne parle ni d'Hans Sachs, ni de Jacob Boehme.

Une « Bibliographie littéraire consacrée à la mine et aux mineurs » a été établie par Hem Day (supplément au n° 7 du *Musée du Soir*, novembre 1958). Cette bibliographie donne les références des romans, essais, pièces de théâtre, poèmes, films, consacrés à la mine et aux mineurs, les numéros de revues entièrement dédiés au même sujet, etc.

Parmi ces dernières, citons : « La Mine et les Mineurs », *La Vie Ouvrière*, Bruxelles, n° 4, décembre 1930; « La Mine et les Mineurs », *Prolétariat*, Paris, n° 1, juillet 1933; « Gueules Noires », *Prolétariat*, Paris, n° 11, juin 1934.

Quant aux maçons et à la maçonnerie, André-Louis Doyon a composé en leur honneur une anthologie : *La Pierre, ses fastes et les hommes. Avec un recueil de chansons, légendes, ana des règlements et traits originaux; l'essentiel du compagnonnage et de la mystique du métier*, Éditions Denoël, 1939.

# *Index des noms cités*

# *Table des illustrations*

**Illustrations in-texte**

Toutes les photos des in-texte ont été faites d'après des livres, revues et documents divers provenant des collections de l'auteur.

**Illustrations hors-texte**

# *Table des matières*

*La composition*
*et l'impression de ce livre ont été effectuées*
*par l'Imprimerie Floch à Mayenne*
*pour les Éditions Albin Michel*

AM

*Achevé d'imprimer le 24 octobre 1974*
*N° d'édition : 5312. N° d'impression : 12980*
*Dépôt légal 4e trimestre 1974*

PRINTED IN FRANCE

connue, oubliée sitôt qu'elle apparaît, une littérature méprisée et condamnée trop souvent à rester marginale. Publiés à compte d'auteur ou chez des éditeurs occasionnels, les ouvriers et les paysans qui écrivent continuent cependant à être nombreux. Avec son talent riche de conviction, Michel Ragon plaide ici pour eux.

Militant de la littérature prolétarienne, Michel Ragon a animé en 1946 et 1947 une revue : *Les Cahiers du Peuple,* et fait paraître ensuite plusieurs romans inspirés de son enfance pauvre, de ses années d'adolescence et de jeunesse où il fut travailleur manuel, de son expérience d'autodidacte — il a quitté l'école primaire à quatorze ans. En publiant *Les Ecrivains du Peuple,* en 1947, et *Histoire de la littérature ouvrière,* en 1953, Michel Ragon en même temps prenait la relève d'Henry Poulaille pour la défense d'une littérature d'expression populaire. Spécialiste par ailleurs de l'art et de l'architecture modernes, il a écrit un grand nombre d'ouvrages où se retrouvent ses préoccupations sociales : rôle de l'artiste dans la cité, urbanisme socialiste, habitat populaire, etc.

Du même auteur, aux Éditions Albin Michel :
Romans : *Drôle de métiers - Drôles de voyages - Une place au soleil - Trompe-l'œil - Les Américains - Le Jeu de Dames - Les Quatres Murs - Nous sommes dix-sept sous une lune très petite*
Récit de voyage : *L'Honorable Japon*
Essai : *Naissance d'un art nouveau (Tendances de l'Art actuel)*

44 2766 2/74-XI ISBN 2-226-00111-5

**Chansons de métiers**
**Littérature de colportage**
**Poésie populaire du XVI^e^ au XVIII^e^ siècle**
**Littérature compagnonnique**
**Socialisme romantique**
**et littérature ouvrière au XIX^e^ siècle**
**Poètes argotiques et patoisants**
**Éc… …ens**
**Éc…**
**Écrivains paysans**